AYLA

L'enfant de la terre

Titre original : *The clan of the cave bear.*

Jean M. Auel

AYLA

L'enfant de la terre

roman

Adapté de l'américain
par Jenny Ladoix

BALLAND

Avant-propos

Notre planète aurait quatre milliards d'années. Le jour où notre plus lointain ancêtre aurait adopté la station verticale remonterait à dix ou quinze millions d'années. Par leur gigantisme, ces chiffres, difficiles à rapprocher de notre propre durée de vie, nous donnent le vertige et perdent quelque peu de leur signification.

En revanche, l'évolution et même la vie quotidienne 35 000 ans avant notre ère sont bien connues des scientifiques. Ce n'est donc pas par hasard que Jean M. Auel a choisi cette date pour situer ses personnages, cela lui permettant de les faire évoluer dans un cadre de vie aussi proche que possible de la vérité.

Il s'agit d'une époque charnière d'une importance capitale qui voit la coexistence des derniers hommes du Néanderthal et l'apparition de ceux de Cro-Magnon.

En d'autres termes, les êtres velus, un peu voûtés, aux fortes arcades sourcillières et aux os maxillaires proéminents vont céder le pas à des individus, au système pileux peu développé, plus élancés, aux têtes plus rondes, et qui présentent déjà presque toutes les caractéristiques de l'homme tel que nous le connaissons.

Leur environnement même nous apparaît familier. Les grands soubresauts géographiques, telle la glaciation, ont pris fin. Les séismes encore fréquents, s'ils modifient les données du paysage, n'affectent plus la flore et la faune qui ressemblent déjà à la nôtre. Les grands monstres des marais, chers à notre imagination, ont disparu. Ils ont fait place aux chevaux, aux bisons, aux ours, aux lions et à tout un monde animal qui tente déjà d'échapper aux chasseurs.

Mais c'est surtout en ce temps que commence la plus étonnante aventure de l'animal humain. Il prend conscience de son identité, organise une vie communautaire, essaye de comprendre ses réussites ou ses échecs, et enfin sent naître en lui les sentiments et les émotions tels la colère, la jalousie, l'amitié et le plus étrange de tous : l'amour.

I

L'enfant nue quitta la hutte tendue de peaux de bêtes et courut vers la crique abritée au creux d'un méandre de la rivière, sans même jeter un regard derrière elle. Rien ne l'avait préparée à éprouver le moindre doute quant à la pérennité de son refuge et de ceux qui vivaient avec elle.

Elle se précipita dans le courant et ses pieds rencontrèrent le fond tapissé de galets et de sable. Au moment où la pente s'inclina de façon abrupte, elle plongea dans l'eau fraîche. Elle avait appris à nager avant même de savoir marcher et, à cinq ans, elle se trouvait parfaitement à son aise dans l'eau.

La petite fille joua quelques instants, nageant de-ci de-là, puis se laissa porter par le courant. Lorsque la rivière commença à s'élargir et ses flots à bouillonner autour des rochers, elle reprit pied pour gagner le rivage et se mit à collecter des galets sur la plage. Au moment où elle posait une dernière petite pierre sur la pile de celles qu'elle avait choisies parce qu'elle les trouvait particulièrement jolies, la terre se mit à trembler.

L'enfant vit avec stupeur le caillou rouler tout seul et, interloquée, regarda vaciller et s'effondrer sa petite pyramide de galets. Elle s'aperçut alors seulement qu'elle était elle-même secouée, et l'étonnement, bien plus que l'appréhension, la saisit. Elle regarda autour d'elle, s'efforçant de comprendre pourquoi son univers se trouvait ainsi, inexplicablement bouleversé. La terre n'était pas censée bouger.

La rivière qui, peu auparavant, coulait paisiblement, bouillonnait à présent, soulevée par de grosses vagues qui venaient brutalement frapper le rivage, charriant des cailloux et de la boue. Les buissons qui bordaient le cours d'eau s'agitèrent, animés par une force invisible partant des racines et, plus bas, d'énormes blocs de pierre tressautèrent de façon surprenante. Plus loin, dans la forêt, les majestueux conifères se mirent à tituber de manière grotesque. Avec un sinistre craquement, un pin géant s'abattit au travers des flots.

L'enfant sursauta en entendant l'arbre tomber. Sa gorge se noua tandis que la peur commençait à l'envahir. Elle essaya de se tenir debout, mais fut projetée à terre, déséquilibrée par l'étourdissant mouvement du sol. Elle fit une seconde tentative, parvint à se redresser et, chancelante, n'osa faire un pas.

Lorsqu'elle se décida enfin à regagner la hutte, un grondement sourd se fit soudain entendre, bientôt transformé en un mugissement terrifiant. Une forte odeur d'humidité et de moisi s'échappa d'une crevasse déchirant le sol ; on eût dit l'exhalaison nauséabonde d'un gigantesque bâillement de la terre. Elle resta bouche bée devant le spectacle ahurissant des rochers et des arbustes, précipités pêle-mêle dans la faille qui ne cessait de s'agrandir en un déchirement de cataclysme.

Perchée de l'autre côté du précipice, la hutte vacilla, tandis que le sol se dérobait sous elle. La frêle poutre de soutènement chancela, hésitante, puis s'effondra et disparut dans le gouffre, entraînant avec elle le toit de peaux de bêtes et tout ce qui se trouvait à l'intérieur. La petite fille frémit, les yeux exorbités d'horreur, en voyant le monstre à l'haleine putride engloutir tout ce qui avait donné du sens et un sentiment de sécurité aux cinq premières années de son existence.

— Ma-ma, Maaa-maa !..., cria-t-elle soudain consciente de ce qui arrivait, sans pourtant trop savoir si le cri qui résonnait dans le grondement assourdissant de la terre déchirée était bien le sien. Elle grimpa vers le bord de la profonde crevasse, mais un nouveau tremblement la jeta à terre, et elle s'agrippa au sol de toutes ses forces afin de résister aux brusques secousses.

Puis la faille se referma, le grondement s'évanouit ; mais si le sol avait cessé de trembler, il n'en était pas de même pour l'enfant. Allongée à plat ventre contre le sol humide, bouleversée, elle frissonnait de terreur.

La petite fille était seule au milieu d'un désert de hautes herbes et de forêts éparses. Des glaciers enserraient l'horizon, diffusant autour d'eux leur froid redoutable.

La terre trembla de nouveau en se tassant et fit entendre un grondement au plus profond de ses entrailles, comme si elle était en train de digérer un repas englouti trop précipitamment. La petite fille, prise de panique, sursauta, terrifiée à l'idée qu'elle pût s'ouvrir à nouveau. Elle contempla ce qui restait du site où s'élevait son refuge : quelques buissons déracinés jonchant le sol dévasté. Fondant en larmes, elle se précipita vers la rivière, et secouée par les sanglots, se recroquevilla au bord de l'eau.

Mais le rivage humide ne constituait en rien un abri sûr contre les éléments déchaînés. Une autre secousse, beaucoup plus violente que la précédente, ébranla la terre. Le souffle coupé par la vague d'eau glacée qui vint fouetter son petit corps nu, l'enfant bondit. Il lui fallait quitter ces lieux en perpétuelle agitation, mais alors où diriger ses pas ?

Son instinct lui dictait de suivre le cours d'eau, mais les ronces semblaient impénétrables. À travers un voile de larmes, elle porta ses regards de l'autre côté, vers la forêt de grands conifères.

De minces rayons de soleil filtraient à travers les épais branchages. Les buissons étaient plutôt rares dans le sous-bois, mais quelques arbres étaient tombés et d'autres, retenus par ceux qui tenaient encore debout, ployaient dangereusement. La forêt boréale, plongée dans l'obscurité de cet entrelacs inextricable, n'était guère plus accueillante que les épais taillis aux bords de la rivière. En proie aux affres de l'indécision, l'enfant contempla alternativement les deux voies qui s'offraient à elle.

Pressée par les secousses survenant de temps à autre, la petite fille descendit hâtivement le cours d'eau, ne s'arrêtant que pour se désaltérer. Son chemin était jonché de conifères arrachés, exposant à l'air libre leurs racines les moins profondes.

Dans la soirée, elle constata que les ravages du tremblement de terre se faisaient de plus en plus rares, que le nombre des arbres déracinés avait considérablement décru, que les blocs de pierre roulés et disloqués obstruaient moins souvent le passage et que l'eau redevenait limpide. L'enfant s'arrêta lorsqu'il lui devint impossible de distinguer son chemin et, harassée, elle s'écroula sur le sol humide. La marche l'avait considérablement réchauffée, mais l'air froid de la nuit la fit frissonner ; elle se roula en boule et se terra sous un épais tapis d'aiguilles de pin qu'elle amassa sur elle afin de se couvrir.

Malgré les immenses fatigues de la journée, le sommeil gagna difficilement la petite fille. Tant qu'elle avait été obligée de se frayer un chemin à travers maints obstacles, elle était parvenue à tenir sa peur éloignée. Mais à présent, elle resurgissait de plus belle. Les yeux grands ouverts, elle contemplait l'obscurité épaisse autour d'elle. Elle n'osait pas bouger et respirait à peine.

Jamais de sa vie elle n'avait passé la nuit seule, et un feu avait toujours maintenu à distance les ténèbres mystérieuses. Soudain, elle n'y tint plus et donna libre cours à sa détresse, le corps agité de sanglots convulsifs et de hoquets ; puis, elle sombra dans le sommeil. Curieux, un petit animal nocturne s'approcha d'elle pour la flairer, mais l'enfant ne s'aperçut de rien.

La matinée était déjà bien avancée lorsqu'elle se réveilla, mais l'ombre épaisse du sous-bois l'empêchait de s'en rendre compte. La veille, elle s'était écartée de la rivière à la tombée de la nuit et un instant de panique la saisit en se voyant entourée d'arbres.

La soif lui rappela la proximité du cours d'eau qu'elle entendait cascader. Elle se laissa conduire par le bruit et retrouva la rivière avec un immense soulagement. Elle se sentait rassurée de pouvoir suivre une voie toute tracée qui lui permettrait d'étancher sa soif tant qu'elle la longerait. Si la veille l'eau avait suffi à la rassasier, il n'en était plus de même à présent, et la faim commençait à la tarauder.

Elle savait que certaines plantes ou racines étaient bonnes à manger, mais elle ignorait lesquelles. La première feuille qu'elle goûta était amère et lui piqua la langue. Elle la recracha et se rinça la bouche. Cette expérience malheureuse la rendit hésitante et elle préféra boire encore un peu dans l'espoir de calmer sa faim, puis elle se remit en route, en suivant la rive.

Elle se concentrait exclusivement sur l'instant, sur le prochain obstacle à franchir, le prochain affluent à traverser, le prochain tronc d'arbre à escalader. Son cheminement le long du cours d'eau devint alors une fin en soi, non parce qu'il la conduirait quelque part, mais parce que cela constituait l'unique démarche susceptible de ressembler à un but, à un objectif, à une ligne de conduite. Cela valait mieux que de rester inactive.

Peu à peu, la faim se transforma en une douleur sourde et obsédante. À présent, la petite fille pleurait tout en cheminant, son visage sale sillonné de larmes. Son petit corps nu était recouvert de crasse, et ses cheveux, autrefois blonds et soyeux, étaient tout emmêlés et remplis d'aiguilles de pin, de brindilles et de boue séchée.

Sa progression s'avéra plus difficile lorsque la forêt de

conifères fit place à une végétation plus rase, composée de buissons touffus, de hautes herbes et de graminées. Il pleuvait par intermittence et elle se mettait alors à l'abri d'un tronc d'arbre renversé, d'un gros rocher ou d'un affleurement en surplomb, ou bien, tout simplement, poursuivait sa route dans la boue, ruisselante d'eau. La nuit venue, elle se fit un lit de feuilles sèches dans lequel elle se pelotonna pour dormir.

Affaiblie par l'absence de nourriture, elle ne sentait même plus sa faim, mais seulement un tiraillement lancinant au creux de l'estomac et, de temps à autre, quelques vertiges. Elle essaya de ne plus y penser, de ne plus penser à rien, si ce n'est au courant, à suivre le courant.

Le soleil qui pénétrait dans son lit de feuilles la tira de son sommeil. Elle quitta son petit abri tiède et douillet pour aller boire à la rivière, le corps encore couvert de brindilles. Un beau ciel bleu et un soleil resplendissant avaient heureusement remplacé les pluies de la veille. Après avoir marché un moment, la fillette s'aperçut que la rive qu'elle suivait s'élevait progressivement, et lorsqu'elle décida de se désaltérer à nouveau, elle constata qu'un fort escarpement la séparait de l'eau. Elle descendit la pente avec les plus grandes précautions, mais son pied glissa et elle roula jusqu'en bas.

Égratignée et endolorie, elle se retrouva dans la boue, au bord du courant, trop fatiguée, trop faible et trop malheureuse pour faire un mouvement. De grosses larmes ruisselaient le long de ses joues et ses gémissements plaintifs troublaient le silence environnant.

Elle ne se releva qu'au moment où une racine, qui lui labourait douloureusement les côtes, commença à la faire souffrir. Après avoir bu un peu d'eau fraîche, elle se remit en marche, se frayant courageusement un chemin à travers les branches et les souches d'arbres, pataugeant au bord de la rivière qui, déjà gonflée par les pluies printanières, avait doublé de volume en recevant ses affluents.

La petite fille entendit un grondement dans le lointain, bien avant d'apercevoir l'impressionnante cataracte qui déferlait à la confluence de la rivière et d'un autre cours d'eau. Plus loin, les courants rapides bouillonnaient sur les rochers avant de s'enfoncer dans les plaines verdoyantes des steppes.

Incapable de poursuivre sa route plus avant, elle considéra un moment les flots impétueux et décida de les affronter. Il n'y avait pas d'autre solution. L'eau était froide et les courants violents. Elle s'avança dans la rivière, fit quelques brasses et se laissa porter jusqu'à la rive opposée de l'autre cours d'eau.

La température était étonnamment élevée en cette fin de printemps, et lorsque les arbres et les arbustes firent place à la prairie, l'ardeur du soleil se révéla fort agréable. Mais à mesure qu'il s'élevait dans le ciel, ses rayons brûlants prélevèrent leur tribut sur les maigres forces qui restaient à l'enfant. Au cours de l'après-midi, elle eut le plus grand mal à suivre le bande de sable qui courait entre la rivière et une falaise escarpée. La surface miroitante de l'eau réverbérait le vif éclat du soleil, tandis que les pierres blanches gorgées de chaleur l'éblouissaient de leur reflet intense.

Comme hallucinée, elle s'élança le long de la falaise qui s'éloignait brusquement de la rivière. Dans sa course éperdue, elle buta soudain contre une pierre et tomba brusquement. Sa chute lui fit retrouver ses esprits et elle s'assit en frottant ses mains meurtries.

La muraille déchiquetée était parsemée de trous obscurs, de failles étroites et de crevasses. L'enfant jeta un coup d'œil dans l'une d'elles, située à sa hauteur, mais la cavité ne retint pas longtemps son attention. En revanche, la présence d'un troupeau d'aurochs broutant paisiblement l'herbage entre la rivière et la falaise la mit en émoi. Dans sa course folle, elle n'avait pas remarqué les impressionnantes bêtes brunes, le crâne surmonté d'immenses cornes recourbées. Leur vue balaya d'un seul coup tous les sortilèges de son imagination. Elle recula contre la paroi, les yeux rivés sur un gros taureau qui s'était arrêté de paître pour la regarder, puis elle prit la fuite en courant.

Elle jeta un coup d'œil derrière elle, et aperçut une masse en mouvement qui la fit s'arrêter net et retenir son souffle. Une énorme lionne était en train de guetter le troupeau. La petite fille étouffa un cri tandis que le félin monstrueux s'élançait sur un auroch. Après une brève mêlée, la lionne renversa le massif bovidé, le lacérant sauvagement à coups de griffes et le labourant de ses crocs puissants. Ses redoutables mâchoires mirent fin brutalement au mugissement désespéré de sa proie, la gorge tranchée par le fauve. Les pattes de l'auroch remuaient encore spasmodiquement quand la lionne lui déchira la panse et en tira les entrailles rouges et fumantes.

Une vague de panique s'abattit sur la fillette, qui détala à toutes jambes, sans se savoir observée de loin par un autre grand félin. L'enfant s'était aventurée dans le territoire des lions des cavernes. En temps normal, ces dangereux carnassiers auraient dédaigné une proie aussi malingre pour lui préférer un robuste auroch, un gros bison ou même un daim géant plus propres à satisfaire leur appétit féroce. Mais dans sa fuite, l'enfant s'était approchée beaucoup trop près de la caverne qui abritait deux lionceaux nouveau-nés.

Préposée à la garde de ses petits tandis que la lionne chassait, le lion à l'épaisse crinière rugit, menaçant. La fillette poussa un hurlement et, en se retournant, tomba et s'égratigna la jambe, puis parvint à se relever tant bien que mal. À la vue de la bête prête à bondir, elle fit demi-tour et repartit en courant dans la direction opposée.

Le lion des cavernes s'élança avec une aisance pleine de nonchalance, confiant en sa capacité d'attraper le petit intrus qui avait osé violer les limites sacrées de sa tanière. Il s'avançait sans hâte, car sa proie se déplaçait avec une extrême lenteur, comparée à la vitesse de sa course ; et, ce jour-là, il était tout à fait d'humeur à jouer au chat et à la souris.

La petite fille ne dut son salut qu'à l'instinct qui dirigea ses pas vers la cavité qui s'ouvrait dans le flanc de la falaise. À bout de souffle, elle se glissa dans le trou, juste assez large pour lui permettre le passage. C'était une ouverture minuscule, peu profonde, à peine plus grande qu'une simple faille. Elle se tapit à genoux, le dos au mur, aplatie contre la roche.

Le lion rugit de colère. L'enfant frémit et, figée d'horreur, vit s'avancer dans le trou, toutes griffes dehors, la patte tendue du félin. Prise au piège, elle regarda la patte s'approcher d'elle, et poussa un cri de douleur lorsque les griffes acérées s'enfoncèrent dans sa cuisse, y creusant quatre sillons profonds et parallèles.

La fillette se contorsionna pour se mettre hors de la portée du fauve et découvrit, à sa gauche, un léger renfoncement. Elle s'y recroquevilla autant qu'elle put en retenant sa respiration. La patte apparut de nouveau dans l'ouverture, plongeant brusquement la caverne dans l'obscurité, et s'agita dans le vide. Le lion des cavernes rugit longtemps en arpentant vainement les abords de la falaise.

L'enfant passa toute la journée, la nuit et une grande partie du lendemain dans l'espace exigu de la faille, incapable de s'allonger ni même de faire le moindre mouvement. Sa jambe avait enflé considérablement et la blessure infectée la faisait souffrir sans répit. Elle passa l'essentiel de ces heures pénibles à délirer, rongée par la faim et la douleur, hantée par d'effroyables cauchemars où se mêlaient tremblements de terre et griffes pointues. Mais si la douleur ni la faim ne purent la décider à abandonner son refuge, la soif y parvint.

Elle jeta un coup d'œil angoissé par l'étroite ouverture. Agités par le vent, les saules et les pins projetaient leurs longues ombres vespérales au bord de la rivière. La petite fille passa un grand moment à contempler l'étendue d'herbe qui bordait l'eau étincelante avant de trouver le courage de franchir le seuil de son abri. Seules les herbes bougeaient. Tous les lions étaient partis. La lionne, inquiète pour ses petits et perturbée par cette odeur étrangère, s'était résolue à se mettre en quête d'une autre tanière.

L'enfant se glissa hors du trou et se redressa. Le sang lui battit précipitamment les tempes et sa vision se voila de taches dansantes. Chaque pas relançait la douleur insupportable de ses plaies enflammées d'où suintait un pus verdâtre. Elle crut ne jamais parvenir jusqu'à l'eau, mais sa soif était trop lancinante. Elle se laissa tomber sur les genoux et parcourut les derniers mètres en rampant. Étendue de tout son long, elle aspira de longues gorgées d'eau fraîche puis essaya de se relever ; mais elle venait d'atteindre les limites de son endurance. La tête lui tourna soudain, des points lumineux se mirent à danser devant ses yeux, puis un voile noir s'abattit sur elle et elle s'évanouit.

Un charognard qui décrivait de larges cercles, haut dans le ciel, au-dessus de la forme immobile, descendit en vol plané.

II

La colonne traversa la rivière tout près de la cataracte. Vingt personnes de tous âges composaient à présent le Clan qui en comptait trente-six avant que le tremblement de terre eût détruit leur caverne. Deux hommes ouvraient la marche, à quelque distance d'un groupe de femmes et d'enfants encadré par deux vieillards. Des hommes plus jeunes fermaient les rangs.

Ils longeaient le large cours d'eau qui allait entamer sa course sinueuse à travers les steppes lorsqu'ils aperçurent les charognards. S'ils se contentaient de planer au-dessus de leur proie, c'est qu'elle était encore vivante. Les hommes de tête partirent en reconnaissance car un animal blessé constituerait un gibier aisément gagné, du moins si quelque prédateur ne les avait précédés.

Une femme dont la grossesse était déjà fort avancée marchait devant ses compagnes. Quand elle vit les hommes revenir après un simple coup d'œil, elle pensa qu'ils avaient découvert un carnivore puisqu'il était rare que le Clan en mangeât.

Elle était de petite taille. Son ossature épaisse et ses jambes torses lui donnaient une silhouette trapue, mais elle marchait verticalement, bien campée sur ses solides jambes musclées et ses pieds nus et plats. Ses bras, fort longs par comparaison avec sa taille, étaient également arqués. Elle avait un gros nez crochu et une mâchoire prognate qui avançait comme un museau, sans l'ombre d'un menton. Le front bas fuyait sur un crâne long et large soutenu par un cou épais. Une protubérance osseuse derrière la tête en accentuait encore la longueur.

Un léger duvet de poils bruns et frisés lui recouvrait les jambes, les épaules et soulignait le haut de la colonne vertébrale. Il s'épaississait ensuite en une longue chevelure touffue, encadrant un visage déjà tanné par le soleil printanier. Ses grands yeux noirs et ronds, intelligents, profondément enfoncés dans leurs orbites et protégés par une arcade sourcilière saillante, pétillaient de curiosité tandis qu'elle pressait le pas pour aller voir ce que les hommes avaient délaissé.

À vingt ans, la femme était déjà fort âgée pour une première grossesse et tout le monde dans le Clan l'avait crue stérile, jusqu'au moment où l'on put déceler en elle les premiers signes de la vie. Le grand panier qu'elle transportait sur son dos n'en fut pas allégé pour autant. Il soutenait, liés par-dessus et par-dessous, empilés les uns sur les autres, un certain nombre de ballots. De nombreux sacs de corde tressée pendaient à une lanière de cuir nouée autour de la souple peau de bête dont elle était vêtue, drapée de telle manière qu'elle constituait une multitude de replis et de poches bourrés de toutes sortes de choses. L'un de ses sacs se distinguait des autres. Il était en peau de loutre et particulièrement reconnaissable du fait que la fourrure toute entière avait été traitée, laissant intactes les pattes, la queue et la tête.

Au lieu d'ouvrir l'animal en deux, seule une incision avait été pratiquée au niveau de la gorge, de manière à pouvoir extraire les entrailles, la chair et le squelette, et à obtenir ainsi une sorte de sac. La tête, retenue à la nuque par un morceau de peau, servait de capuchon, et une cordelette teinte en rouge, confectionnée avec un tendon, avait été passée dans des trous percés autour du cou, puis serrée et nouée à une lanière de cuir enroulée à la taille de la femme.

En découvrant la petite créature négligée par les hommes, elle se sentit tout d'abord intriguée par ce qui lui semblait un animal sans fourrure. Elle s'en approcha un peu plus, et sursauta vivement tout en agrippant la petite bourse de cuir qui pendait à son cou pour éloigner les mauvais Esprits. Elle palpa les menus objets glissés dans son amulette en invoquant leur protection, puis se pencha de nouveau, hésitant à s'approcher encore, mais toujours incapable de croire à la réalité de ce qui s'offrait à sa vue.

Ses yeux ne la trompaient pourtant pas. Ce n'était pas un animal qui avait attiré les rapaces. C'était une enfant, une enfant maigre et tellement étrange !

La femme regarda autour d'elle, s'attendant à découvrir d'autres bizarreries et elle allait passer son chemin lorsqu'elle entendit un gémissement. Elle s'arrêta, oubliant ses craintes et, s'agenouillant auprès de la fillette, la secoua doucement. Elle tourna l'enfant sur le côté, aperçut les quatre plaies infectées et la jambe enflée, et elle délia prestement la cordelette de la loutre pour y chercher un remède.

L'homme qui marchait en tête se retourna et fit demi-tour en apercevant la femme agenouillée auprès de l'enfant.

— Iza ! Viens ! lui ordonna-t-il. Les lions des cavernes rôdent par ici.

— C'est une enfant, Brun. Elle n'est que blessée, répondit-elle.

Brun jeta un coup d'œil sur la frêle petite fille au large front, au nez fin et au visage étonnamment plat.

— Pas du Clan, rétorqua le chef d'un geste sans réplique, en se détournant.

— Brun, c'est une enfant. Elle est blessée. Elle va mourir si nous la laissons là. Iza s'exprimait avec les mains tout en le suppliant du regard.

Le chef du Clan, beaucoup plus grand que la femme, la dominait de tout son haut, les jambes arquées et musclées, le ventre, le torse puissant et les épaules recouverts de poils bruns évoquant singulièrement la fourrure des animaux. Une épaisse barbe dissimulait sa mâchoire proéminente. Son vêtement de peau de bête, plus court que celui de la femme, était noué différemment et comportait moins de poches et de replis.

Il n'était chargé d'autre fardeau que de ses armes et de la couverture de fourrure qu'il portait sur le dos, retenue par une large bande de cuir ceignant son front fuyant. Une cicatrice sombre, comme un tatouage en forme de U, se détachait sur sa cuisse droite, le symbole de son totem, le Bison. Aucun signe distinctif ne lui était nécessaire pour indiquer son rang. Son maintien et le respect que lui témoignaient les autres suffisaient amplement.

Il posa sur le sol le long tibia de cheval qu'il portait sur son épaule et qui lui servait de massue, et le cala contre sa cuisse. Iza comprit alors qu'il avait pris au sérieux sa requête. Cachant son émotion, elle attendit tranquillement. Il posa par terre sa lourde lance en bois qu'il appuya contre son épaule, la pointe dure et acérée dirigée vers le haut, puis arrangea les bolas qu'il portait autour du cou ainsi que son amulette, afin de mieux répartir le poids des trois boules de pierre.

Brun ne prenait jamais de décision hâtive lorsqu'un événement imprévu survenait dans son Clan, et il devait se montrer tout particulièrement circonspect à présent qu'ils avaient perdu leur abri ; il résista à un premier mouvement de refus. « J'aurais dû prévoir qu'Iza voudrait porter secours à cette créature, pensa-t-il, puisqu'elle est allée jusqu'à exercer ses talents sur de jeunes animaux. Qu'elle appartienne au Clan ou aux Autres, cela ne fait à ses yeux aucune différence. Elle ne voit en elle qu'une enfant blessée. Peut-être est-ce pour cela qu'elle est si bonne guérisseuse.

Mais guérisseuse ou pas, elle n'est qu'une femme. Qu'ai-je donc à me soucier de son trouble ? Iza est bien trop avisée pour en faire étalage, et nous avons assez de problèmes sans nous encombrer d'une étrangère blessée. Mais son totem s'en apercevra et les Esprits aussi. Seront-ils fâchés de voir son affliction ? Lorsque nous trouverons une nouvelle caverne, c'est Iza qui préparera le breuvage pour la cérémonie rituelle. Si elle est troublée, elle pourrait se tromper dans le mélange des ingrédients et les Esprits en colère seraient bien capables de l'induire à le faire, d'autant qu'ils sont déjà fort mécontents. Il faut donc que la cérémonie se déroule parfaitement.

Laissons-là emmener l'enfant, pensa Brun. Elle se lassera vite de porter ce fardeau supplémentaire, et la fillette est dans un tel état que les pouvoirs magiques de ma sœur ne pourront la sauver. » Brun glissa sa fronde à sa ceinture, ramassa ses armes et haussa les épaules d'un air indifférent, laissant à Iza le soin de décider comme elle l'entendait. Il tourna les talons et s'éloigna.

Iza sortit de son panier une couverture de fourrure dont elle enveloppa la fillette. Elle souleva l'enfant évanouie et l'installa sur sa hanche, tout étonnée de sa légèreté en raison de sa taille. D'une tendre caresse, elle rassura la petite fille qui s'était mise à geindre, puis elle reprit sa place derrière les deux hommes.

Les autres femmes s'étaient arrêtées à l'écart de Brun et d'Iza. Lorsqu'elles virent la guérisseuse ramasser quelque chose et la prendre avec elle, leurs mains s'agitèrent avec frénésie et leurs gestes rapides, ponctués par quelques sons gutturaux, témoignèrent de leur intense curiosité. À l'exception du petit sac de loutre, elles portaient le même accoutrement qu'Iza et se trouvaient tout aussi lourdement chargées. Elles transportaient tous les biens que le Clan avait arrachés au tremblement de terre.

Deux des sept femmes portaient leur enfant dans un repli de leur vêtement, à même la peau, ce qui leur permettait de l'allaiter tout en cheminant. Quand le Clan se remit en route, une autre femme prit son petit garçon dans ses bras et le cala sur sa hanche avec une large bande de cuir. Une petite fille un peu plus âgée qui, sans être encore adulte, portait néanmoins un fardeau d'adulte, marchait derrière la femme qui suivait Iza, tout en jetant de furtifs regards à un jeune garçon. Ce dernier faisait tout son possible pour rester à distance des femmes, de façon à donner l'impression d'appartenir au groupe des trois chasseurs fermant la marche et de se distinguer des autres enfants. Il aurait aimé avoir du gibier à porter et il enviait le vieil homme dont l'épaule était chargée d'un gros lièvre abattu à la fronde.

Les chasseurs n'étaient pas les seuls à subvenir aux besoins du Clan en matière de nourriture. Les femmes y pourvoyaient largement et leurs sources d'approvisionnement se révélaient moins aléatoires. En dépit de leurs fardeaux, elles parvenaient tout en marchant à déterrer des racines sans perdre de temps. En quelques mouvements, elles dégageaient les tendres bulbes de tout un parterre de lis, ou bien ceux des massettes qu'elles arrachaient dans l'eau des marais.

En temps normal, les femmes se seraient arrangées pour repérer le lieu où croissaient ces hautes herbes, afin d'y retourner plus tard, à la bonne saison, en cueillir les pousses tendres. Encore plus tard, elles auraient pu mélanger le pollen jaune à la fécule obtenue à partir de vieilles racines pour confectionner des biscuits. Une fois le haut de la plante sec, elles auraient recueilli la bourre, puis fabriqué des paniers avec les feuilles les plus dures et les tiges. Pour l'instant, elles ramassaient ce qu'elles pouvaient, sans toutefois laisser grand-chose leur échapper ; les jeunes pousses et les feuilles tendres du trèfle, l'alfalfa, le pissenlit, les chardons, débarrassés de leurs épines avant d'être cueillis, quelques baies et fruits précoces. Les bâtons pointus dont elles se servaient pour creuser la terre ne restaient jamais inactifs : dans les mains habiles des femmes, ils devenaient de redoutables instruments. Elles les utilisaient comme leviers pour retourner les souches d'arbres sous lesquelles nichaient les lézards d'eau et les gros vers dont le Clan raffolait : grâce à eux, elles attiraient les mollusques des rivières vers le rivage, afin de les attraper plus facilement et elles extrayaient du sol une grande variété de bulbes, de tubercules et de racines.

Tout cela trouvait naturellement place dans l'un des multiples replis de leurs vêtements ou dans un recoin de leur panier. Les grandes feuilles vertes servaient d'emballage protecteur, mais certaines, comme la bardane, étaient cuites avant d'être consommées. Elles ramassaient également du bois sec et des brindilles ainsi que de la boue sèche dans les herbages. Si la variété des aliments était bien plus grande en plein été, il y avait déjà largement de quoi manger, pour qui savait s'y prendre.

Iza leva les yeux vers le vieil homme, la trentaine passée, qui s'approchait d'elle en boitant. Il ne portait ni fardeau ni arme, rien qu'un grand bâton pour s'aider à marcher. Sa jambe droite était paralysée et plus courte que la gauche, mais il parvenait cependant à se mouvoir avec une surprenante agilité.

Son épaule droite et le haut du bras, amputé au niveau du coude, étaient atrophiés. Le côté gauche parfaitement développé et musclé lui donnait l'air bancal. Son énorme crâne, bien plus volumineux que celui des autres membres du Clan, et un accouchement difficile consécutif à cela étaient responsables des malformations qui l'avaient handicapé toute sa vie.

Frère aîné d'Iza et de Brun, il eût été nommé chef du Clan, n'était son infirmité. Il portait le même vêtement de peau que les autres hommes et, sur le dos, une chaude fourrure qui lui servait également de couverture. En revanche, de multiples petites sacoches pendaient à sa ceinture et, sur son épaule, une peau comme celles dont se servaient les femmes contenait un objet volumineux.

Le côté gauche de son visage auquel il manquait l'œil était marqué de hideuses cicatrices mais son œil droit pétillait d'intelligence. En dépit de sa claudication, il se déplaçait avec une aisance qui témoignait de sa grande sagesse et de l'assurance que lui conférait sa position dans le Clan. Il était Mog-ur, le Mog-ur, le magicien le plus puissant, le plus redouté et le plus vénéré de tous les Clans. Il possédait dans un grand nombre de domaines un pouvoir supérieur à celui de n'importe quel chef et en avait parfaitement conscience. Seuls quelques-uns de ses proches l'appelaient encore par son vrai nom.

— Creb, dit Iza, en constatant sa présence à ses côtés avec un geste qui témoignait le plaisir qu'elle ressentait.

— Iza ? demanda-t-il en désignant l'enfant.

La femme ouvrit la peau souple et Creb se pencha sur le petit visage fiévreux. Son œil se porta sur la jambe enflée et les blessures purulentes, puis sur la guérisseuse dont il comprit le regard. La fillette gémit. L'expression de Creb s'adoucit.

— Bien, approuva-t-il. Le mot avait une sonorité rude et gutturale.

Creb demeura auprès d'Iza. Il n'était pas obligé de se conformer aux règles courantes qui déterminaient la position et le statut de chacun ; il pouvait marcher aux côtés de qui bon lui semblait, et même du chef, s'il le désirait. Mog-ur se situait au-dessus de la stricte hiérarchie du Clan.

Brun les conduisit loin au-delà du territoire des lions des cavernes, puis s'arrêta pour examiner les lieux. De l'autre côté de la rivière, la verte prairie déroulait à perte de vue son tapis verdoyant, doucement vallonné. Seuls quelques arbres aux formes tourmentées par les vents constants rétablissaient l'échelle du paysage en soulignant son extrême nudité. À l'horizon, un nuage de poussière révélait la présence d'un important troupeau de bêtes à cornes et Brun regretta amèrement de ne pouvoir lancer ses chasseurs à leur poursuite.

De ce côté-ci de la rivière, la prairie se terminait brusquement, interrompue par la falaise à quelque distance de l'endroit où ils se trouvaient. Le chef décida de mener son Clan aux abords de la paroi rocheuse qui devait être pourvue de nombreuses cavernes. Il leur fallait trouver un abri, et, bien plus important encore, procurer une demeure aux Esprits de leurs totems protecteurs, si toutefois ils n'avaient pas déjà déserté le Clan. Les Esprits étaient fort en colère, comme le prouvait le tremblement de terre, et leur mécontentement était tel qu'il avait entraîné la mort de six membres du Clan et la destruction de leur caverne. Si les Esprits ne se trouvaient pourvus au plus tôt d'une demeure stable, ils abandonneraient le Clan à la merci des Esprits mauvais qui dispensent les maladies et dispersent le gibier. Personne ne connaissait les raisons de leur colère, pas même Mog-ur, en dépit des rites nocturnes qu'il accomplissait pour apaiser leur courroux et l'angoisse du Clan. Chacun était inquiet et Brun tout particulièrement.

Il sentait monter la tension qui pesait sur le Clan, ce Clan placé sous sa responsabilité. Les Esprits, forces obscures aux désirs impénétrables, le déconcertaient profondément et il préférait de loin le monde plus matériel de la chasse. Aucune des cavernes qu'ils avaient visitées jusqu'alors ne pouvait convenir ; il y manquait chaque fois une condition essentielle et Brun commençait à désespérer. Ils gaspillaient de précieuses journées ensoleillées à se chercher un refuge au lieu de les consacrer à amasser les provisions nécessaires pour l'hiver. D'ici peu, Brun se verrait obligé d'abriter son Clan dans une caverne inappropriée et d'attendre l'année suivante pour renouveler ses recherches. Néanmoins, il espérait ardemment ne pas se voir contraint d'affronter cette éventualité éprouvante, physiquement et moralement.

Ils longeaient toujours la falaise lorsque la nuit tomba. En arrivant à la hauteur d'une petite cascade, dont les eaux irisées par la lumière rasante des derniers rayons du soleil dévalaient la paroi rocheuse, Brun ordonna une halte. Les femmes déposèrent leurs fardeaux avec lassitude et partirent ramasser du bois.

Iza étala sa fourrure par terre et, après y avoir étendu l'enfant, courut aider les autres femmes. L'état de la fillette la préoccupait. Sa respiration était faible, et ses plaintes même se faisaient de plus en plus rares. Iza se demandait comment soulager la petite fille. Elle avait examiné les herbes séchées que contenait sa sacoche de loutre et, tout en ramassant du bois, elle inspectait les plantes alentour. À ses yeux, tout ce qui poussait avait un intérêt, médical ou nutritif, et il était peu de plantes qu'elle fût incapable d'identifier.

Les longues tiges des iris prêts à fleurir au bord du ruisseau lui donnèrent une idée, et elle les cueillit. Les feuilles de houblon qui s'enroulaient autour d'un arbre retinrent également son attention, mais elle préféra utiliser la poudre sèche de houblon qu'elle possédait déjà, les petits fruits coniques n'étant pas encore mûrs. Elle détacha d'un aulne la tendre écorce grise, à l'arôme violent et, avant de rentrer, elle arracha plusieurs poignées de feuilles de trèfle.

Une fois le bois amassé et le foyer préparé, Grod, l'homme qui marchait en tête aux côtés de Brun, sortit d'une corne d'auroch un charbon ardent enveloppé de mousse. Le Clan savait faire naître le feu, mais en voyage il était plus sûr de conserver une braise du feu précédent pour allumer le suivant.

Grod avait anxieusement entretenu le brandon rougeoyant tout au long de la marche. Nuit après nuit, le feu avait été allumé à partir d'une braise conservée du feu précédent ; et l'on pouvait remonter ainsi jusqu'au foyer qui brûlait à l'entrée de l'ancienne caverne. Pour qu'une grotte soit considérée comme un lieu de résidence acceptable, le Clan devait y allumer un feu à l'aide d'une braise dont il pouvait suivre la trace jusqu'à sa précédente demeure.

L'entretien du feu ne pouvait être confié qu'à un homme de rang élevé. Si le brandon venait à s'éteindre, il faudrait y voir le signe que les Esprits protecteurs avaient déserté le Clan, ce qui entraînerait la déchéance de Grod qui, de second par le rang, se trouverait ravalé au dernier échelon de la tribu, humiliation qu'il redoutait par-dessus tout. Il considérait sa tâche comme un grand honneur, mais aussi comme une écrasante responsabilité.

Pendant que Grod disposait soigneusement la braise sur un lit de brindilles sèches et qu'il animait la flamme, les femmes vaquaient à diverses occupations. Selon des techniques ancestrales, elles dépecèrent le gibier. Quelques instants plus tard, le feu flambait clair, et la viande embrochée sur des morceaux de bois vert grillait.

Les femmes grattèrent et coupèrent les racines et les tubercules avec les mêmes instruments tranchants dont elles se servaient pour dépecer et découper le gibier. Elles remplirent d'eau les paniers étanches tressés serré et les bols en bois, puis y déposèrent des pierres brûlantes. Dès que les pierres refroidissaient, elles les remettaient dans le feu et en prenaient d'autres qu'elles plongeaient dans l'eau jusqu'à ce qu'elle bouille et que les légumes soient cuits.

Tout en les aidant à la préparation du repas, Iza s'occupait de ses propres potions. Elle mit à chauffer de l'eau dans un bol en bois qu'elle avait taillé dans une vieille souche de nombreuses années auparavant. Après avoir lavé les racines d'iris, elle les réduisit en pâte en les mâchant, et les cracha dans l'eau bouillante. Dans un autre bol, confectionné avec la mâchoire inférieure d'un grand daim, elle pila des feuilles de trèfle, y ajouta quelques pincées de houblon en poudre, et des bouts d'écorce d'aulne, puis versa de l'eau chaude sur le tout. Ensuite, elle écrasa de la viande séchée entre deux pierres qu'elle malaxa avec l'eau de cuisson des légumes dans un troisième bol.

La femme qui marchait dans la file derrière Iza lui jeta un

regard, espérant quelque commentaire de sa part. Tout le Clan brûlait de curiosité. Chacun avait trouvé un bon prétexte pour s'approcher de la fourrure de la guérisseuse depuis l'installation du camp. Les spéculations allaient bon train ; et tous de se demander pourquoi l'enfant se trouvait là, où était le reste de son peuple, et, surtout, pourquoi Brun avait accepté une créature qui, de toute évidence, venait de chez les Autres.

Ébra était bien placée pour savoir ce que ressentait Brun. C'était elle qui, par d'habiles massages, dissipait la crispation de son cou et de ses épaules, et c'était elle également qui devait supporter les quelques rares et brusques accès de nervosité de son compagnon. Brun était réputé pour son sang-froid, et, sans vouloir s'abaisser à le reconnaître, il regrettait profondément ses éclats. Cependant, Ébra elle-même se demandait comment il avait pu accepter l'enfant parmi eux, au moment où il leur fallait redoubler de prudence dans le respect des traditions, afin de ne pas soulever davantage la colère des Esprits.

Malgré sa vive curiosité, Ébra se garda bien de poser la moindre question à Iza ; quant aux autres femmes, leur rang ne permettait à aucune d'y songer. Personne n'avait le droit de déranger une guérisseuse qui procédait à ses préparations et Iza n'était pas d'humeur à bavarder. Tous ses efforts se concentraient sur l'enfant à sauver. Creb témoignait lui aussi de l'intérêt pour la fillette, mais Iza appréciait grandement sa présence.

Elle vit avec reconnaissance le sorcier s'approcher du petit être inconscient, et le contempler un moment avec attention, puis, après avoir posé son bâton contre un gros rocher, faire des passes au-dessus d'elle avec son unique main. La maladie et les accidents représentaient des manifestations mystérieuses de la guerre que les Esprits se livraient entre eux sur le champ de bataille du corps humain. Les pouvoirs magiques d'Iza venaient des Esprits protecteurs qui agissaient par son entremise, mais aucune guérison n'était vraiment complète sans l'intervention du magicien. Si la guérisseuse n'était que l'agent des Esprits, le sorcier entrait directement en relation avec eux.

Iza ne comprenait pas pourquoi elle ressentait de l'intérêt pour une enfant si différente des membres du Clan, mais elle désirait la sauver. Quand Mog-ur eut terminé ses passes magiques, elle prit la fillette dans ses bras et la porta jusqu'à la rivière. Elle l'y plongea jusqu'à la tête, et lava le petit corps couvert de crasse et de boue séchée. La fraîcheur de l'eau ranima la petite fille qui se mit à délirer. Elle tressaillit et s'agita, balbutiant des sons inconnus. Iza la serra contre elle en chuchotant des paroles apaisantes qui ressemblaient à de doux grognements.

Avec l'habileté que lui conférait sa grande expérience, elle nettoya doucement les blessures à l'aide d'un morceau de peau de lapin absorbante, trempée dans la décoction de racines d'iris. Puis, elle recouvrit les plaies avec la pâte qu'elle avait préparée, y déposa la peau de lapin et banda la jambe avec des lambeaux de peau de daim souple pour maintenir l'emplâtre. Elle retira les pierres brûlantes du bol en os contenant le trèfle broyé et l'écorce d'aulne hachée pour faire refroidir le mélange à côté du bol de bouillon chaud.

Creb désigna les bols d'un air intrigué. Il ne s'agissait pas là d'une question directe, car tout Mog-ur qu'il fût, il n'était pas autorisé à s'enquérir des remèdes magiques de la guérisseuse, mais il ne pouvait s'agir tout au plus que d'une simple manifestation d'intérêt. Iza savait qu'il appréciait tout particulièrement ses connaissances. Il lui arrivait d'utiliser les mêmes plantes qu'elle, mais à d'autres fins. Excepté lors des Rassemblements de Clans, où elle avait l'occasion de rencontrer d'autres guérisseuses, Creb était son unique interlocuteur en la matière.

— Ceci est destiné à vaincre les mauvais Esprits qui ont provoqué l'infection, lui fit comprendre Iza par gestes, en montrant du doigt la solution antiseptique de racines d'iris. L'emplâtre fera sortir le poison et favorisera sa guérison. Elle saisit le bol en os et y plongea le doigt pour en vérifier la température. Le trèfle va fortifier son cœur pour l'aider à combattre les mauvais Esprits.

Iza n'utilisait que fort peu de mots articulés ; ils lui servaient essentiellement à souligner ce qu'elle voulait dire. Les membres du Clan étaient incapables d'articuler avec assez d'aisance pour ne s'exprimer que de façon verbale ; c'est pourquoi ils communiquaient surtout par gestes et mouvements du corps, parvenant à nuancer à l'extrême leur langage silencieux, riche en informations.

— Le trèfle se mange. Nous en avons eu hier soir, lui signifia Creb.

— Oui, fit Iza de la tête. Nous en mangerons encore ce soir. Le pouvoir magique réside dans la façon dont il est préparé. Une poignée de trèfle bouillie dans très peu d'eau distille exactement la substance nécessaire. Creb acquiesça d'un air entendu. L'écorce d'aulne purifie le sang, ajouta-t-elle.

— Tu as prélevé aussi quelque chose dans ta sacoche de guérisseuse.

— De la poudre de houblon pour la faire dormir paisiblement. Pendant que les Esprits combattent, il lui faut du repos.

Creb acquiesça de nouveau. Il connaissait bien les vertus soporifiques du houblon qui, utilisé différemment, peut conduire à un agréable état d'euphorie. Si les préparations d'Iza l'intéressaient toujours, il se laissait rarement aller pour sa part aux confidences sur la manière dont il utilisait les plantes pour sa magie. Ce savoir secret était exclusivement réservé aux mog-urs et à leurs acolytes, et en aucun cas aux femmes, fussent-elles guérisseuses. Iza en connaissait plus long que lui sur la propriété des plantes, et ses capacités de déduction l'inquiétaient. Il serait tout à fait anormal qu'elle découvrît trop de choses sur ses propres manipulations.

— Et l'autre bol ? demanda-t-il.

— Ce n'est que du bouillon. La pauvre petite est à moitié morte de faim. Que lui est-il arrivé, crois-tu ? D'où vient-elle ? Où est son peuple ? Elle a dû errer seule pendant des jours.

— Seuls les Esprits le savent, répondit Mog-ur. Es-tu certaine que ton pouvoir opèrera sur elle ? Elle ne fait pas partie du Clan.

— Elle devrait guérir. Les Autres sont aussi des êtres humains. Te souviens-tu de cet homme au bras cassé dont notre mère nous parlait ? Celui que notre grand-mère a sauvé ? Les remèdes magiques du Clan ont eu sur lui d'heureux résultats, bien que, selon mère, il ait mis plus de temps que prévu à se remettre des effets du soporifique.

— Quel dommage que tu n'aies pas connu la mère de notre mère. Ses talents de guérisseuse étaient tels que les membres des autres Clans venaient la consulter. Quel dommage qu'elle ait rejoint le monde des Esprits si peu de temps après ta naissance, Iza. Elle m'a effectivement parlé de cet homme. Il est resté quelque temps avec nous après sa guérison et il chassait avec le Clan. Ce devait être un bon chasseur, car il a été autorisé à participer aux rites de la chasse. Ce sont des êtres humains, c'est vrai, mais ils sont différents de nous.

Tout en berçant tendrement la petite fille sur ses genoux, Iza parvint à lui faire absorber le contenu du bol en os. Il fut plus facile de lui faire boire le bouillon. La fillette murmura quelques paroles incohérentes en essayant de repousser le breuvage amer, mais sa faim était telle qu'elle ne lutta pas longtemps. Iza la tint dans ses bras jusqu'à ce que le sommeil se fût emparé d'elle, puis elle écouta les battements de son cœur et sa respiration. Elle avait fait tout son possible. Peut-être n'était-il pas encore trop tard. À présent, tout dépendait des Esprits et des forces physiques de l'enfant.

Iza vit Brun s'approcher d'elle, l'air mécontent. Elle se leva prestement et alla aider à servir le repas. Une fois sa décision prise, Brun avait cessé de penser à cette étrange enfant ; mais à présent il revenait sur son premier mouvement. Alors qu'il était de règle de s'abstenir de regarder ce que les autres disaient, il ne put éviter de remarquer les commentaires de son Clan. L'étonnement de ses compagnons devant le fait qu'il ait accepté la présence de la fillette le conduisit à s'interroger lui aussi. Il se mit à redouter un redoublement de la colère des Esprits. Il s'apprêtait à aller trouver la guérisseuse quand Creb, qui avait deviné son intention, l'arrêta.

— Que se passe-t-il, Brun ? Tu as l'air préoccupé.

— Iza doit abandonner l'enfant ici même, Mog-ur. Elle ne fait pas partie du Clan ; les Esprits n'apprécieront pas sa présence parmi nous pendant que nous cherchons une nouvelle caverne. Je n'aurais jamais dû lui permettre de l'emmener.

— Mais non, Brun, rétorqua Creb. La bonté n'a jamais irrité les Esprits protecteurs. Tu connais Iza, elle ne supporte pas de voir une souffrance sans intervenir. Ne crois-tu pas que les Esprits la connaissent bien, eux aussi ? S'ils n'avaient pas voulu qu'elle soigne l'enfant, ils ne l'auraient pas mise sur son chemin. Il y a sûrement une raison à cela. Il se peut très bien que la fillette meure, Brun, mais si Ursus veut l'appeler dans le monde des Esprits, laissons-lui l'entière décision. Ce n'est pas le moment d'intervenir. Elle mourra à coup sûr si nous l'abandonnons.

Brun n'était pas convaincu. Quelque chose chez cette enfant le troublait. Cependant, par déférence envers Mog-ur, il acquiesça.

Après le repas, Creb demeura perdu dans un silence contemplatif, en attendant que tout le monde ait terminé de manger pour commencer la cérémonie nocturne, pendant qu'Iza lui préparait une couche pour la nuit. Mog-ur avait interdit aux hommes et aux femmes de dormir ensemble tant qu'ils n'auraient pas trouvé une nouvelle caverne, afin que les hommes consacrent toute leur énergie à la célébration des rites et donnent aux autres le sentiment qu'aucun effort n'était épargné pour les rapprocher du but.

Cet édit ne dérangeait guère Iza dont le compagnon avait péri dans l'éboulement. Elle avait manifesté un chagrin convenable lors de ses funérailles — le contraire eût été néfaste — mais elle n'était pas vraiment affligée de sa disparition. Sa cruauté et ses exigences n'étaient un secret pour personne. Il n'y avait jamais eu la moindre tendresse entre eux. Elle ignorait le parti que Brun lui réservait à présent. Il faudrait bien que quelqu'un subvienne à ses besoins et à ceux de l'enfant qu'elle portait en elle, mais son seul désir était de continuer à préparer les repas de Creb.

La condition de son frère attristait souvent Iza. Il aurait pu prendre une compagne s'il l'avait voulu ; mais elle savait qu'en dépit de ses pouvoirs magiques et de son rang élevé dans le Clan, aucune femme ne regardait jamais son corps difforme et son visage balafré, sans éprouver la plus grande répulsion. Voilà pourquoi il n'avait jamais voulu prendre de compagne, et maintenait le sexe féminin à une certaine distance. Cette attitude réservée ajoutait encore à sa stature. Tout le monde, les hommes y compris, à l'exception toutefois de Brun, redoutait Mog-ur et le considérait avec crainte. Tout le monde, sauf Iza, qui, dès sa naissance, avait appris à connaître sa bonté et sa sensibilité. Mais c'était là un aspect de sa personnalité qu'il dévoilait rarement.

Et c'est précisément la bonté et la sensibilité du grand Mog-ur qui se manifestaient à présent. Au lieu de méditer sur la cérémonie nocturne, il pensait à la petite fille. Son peuple l'avait toujours fortement intéressé, mais le Clan évitant, dans la mesure du possible, de se mêler aux Autres, il n'avait jamais eu l'occasion d'examiner un de leurs enfants. Il lui semblait que le tremblement de terre n'était pas étranger au triste sort de la fillette ; mais il s'étonnait toutefois que les Autres se soient trouvés si proches, eux qui séjournaient d'habitude beaucoup plus au nord.

Creb se releva à l'aide de son bâton, tandis que les hommes commençaient à quitter le campement pour se livrer aux préparatifs de la cérémonie nocturne. Ce rite représentait la prérogative exclusive des hommes, de même que leur devoir. S'il arrivait de temps à autre que les femmes fussent autorisées à participer à la vie religieuse du Clan, cette cérémonie-là leur était absolument interdite. Il n'était pas de plus grand malheur que l'intrusion d'une femme dans les rites secrets des hommes ; elle attirerait ce faisant le mauvais sort sur le Clan, en chasserait les Esprits protecteurs, et signerait l'arrêt de mort de la tribu.

Mais il n'y avait aucun danger de ce côté-là. Jamais une femme n'aurait osé s'aventurer trop près du lieu consacré aux rites. Elles considéraient plutôt le déroulement des cérémonies comme un instant de détente, une interruption pendant laquelle elles se trouvaient déchargées du poids des exigences constantes des hommes, surtout en ces temps difficiles où ils étaient nerveux et toujours présents. À cette époque, ils s'absentaient normalement pour de grandes expéditions de chasse. Si les femmes se désolaient tout autant qu'eux de n'avoir pas encore trouvé une nouvelle caverne, elles ne pouvaient guère y remédier. Brun décidait seul de la direction à suivre, sans leur demander un avis qu'elles auraient été d'ailleurs bien incapables de lui donner.

Elles s'en remettaient entièrement aux hommes pour le commandement du Clan, les responsabilités à assumer et les décisions à prendre. Le Clan, dont la structure avait fort peu évolué en près de cent mille ans, était à présent imperméable à tout changement, et certaines habitudes, fruits d'adaptations successives au milieu, se trouvaient désormais génétiquement ancrées. Les hommes comme les femmes acceptaient leurs rôles sans opposer la moindre résistance. Ils étaient tout aussi incapables de chercher à modifier la nature de leurs rapports que de transformer la structure de leur cerveau.

Après le départ des hommes, les femmes firent cercle autour d'Ébra, en espérant qu'Iza se joindrait à elles et satisferait enfin leur curiosité. Mais la guérisseuse, fatiguée, préféra rester auprès de la fillette. Elle s'allongea à ses côtés et s'enveloppa avec elle dans la fourrure, puis regarda longuement la petite fille endormie à la lueur du feu déclinant.

III

L'enfant se retourna et commença à s'agiter.

— Ma-ma, gémit-elle. Puis, battant l'air de ses bras, elle appela un peu plus fort : Ma-ma !

Iza l'attira contre elle en lui murmurant quelques tendresses. La chaleur de son corps ainsi que les sons apaisants pénétrèrent l'esprit enfiévré de la fillette qui se calma. Elle avait dormi par à-coups, réveillant fréquemment la femme par ses sursauts, ses plaintes et son délire. Les sons étaient étranges, fort différents de ceux prononcés par le Clan. Ils se succédaient aisément, avec une grande facilité, un son entraînant l'autre. Iza était bien incapable de les saisir dans leur totalité car son oreille n'était pas préparée à percevoir leurs subtiles variations.

Qu'a-t-il bien pu arriver à son peuple pour qu'elle se retrouve toute seule ? se demandait-elle. Et comment a-t-elle pu se tirer des griffes d'un lion des cavernes avec quelques simples égratignures ? Iza avait soigné assez souvent ce genre de blessures pour connaître leur provenance.

L'aube commençait à poindre, mais l'obscurité était encore profonde quand la fièvre provoqua enfin un brusque accès de sueur. Iza s'assura que l'enfant était bien couverte et la garda au chaud tout contre elle. Au lever du jour, au moment où les arbres commençaient à se découper sur le ciel pâle, elle se glissa doucement hors de la fourrure. Elle attisa le feu, y ajouta du bois, puis alla remplir un bol d'eau à la cascade et arracher un peu d'écorce de saule. Elle saisit son amulette et remercia les Esprits pour leurs dons ainsi qu'elle avait coutume de le faire. Non seulement le saule était fort répandu, mais son écorce possédait de grandes vertus pour calmer la douleur et apaiser la fièvre.

Tandis qu'Iza était en train de faire chauffer l'eau, le campement commença à sortir de sa torpeur. Une fois la potion d'écorce de saule prête, elle alla trouver l'enfant, auprès de laquelle elle déposa précautionneusement le bol fumant, et se glissa sous la fourrure. Allongée près de la fillette qu'elle regardait dormir, Iza songeait aux Autres. Elle n'avait jamais vu d'aussi près un rejeton de ce peuple. Les femmes du Clan s'enfuyaient et se cachaient toujours à leur approche. Des incidents désagréables survenus lors de rencontres fortuites incitaient les membres du Clan à les éviter autant que possible. Mais leurs rares contacts ne s'étaient pas toujours révélés déplaisants. Iza pensait à sa conversation avec Creb au sujet de l'homme qui, un jour, avait fait irruption dans leur caverne, le bras cassé, fou de douleur. Il avait appris à la longue quelques rudiments de leur mode d'expression, mais se comportait d'étrange façon. Ainsi, il aimait s'entretenir aussi bien avec les femmes qu'avec les hommes et avait traité la guérisseuse avec les marques d'un profond respect, presque avec déférence, ce qui ne l'avait pas empêché de gagner l'estime des hommes.

Soudain, le soleil, qui venait d'apparaître à l'horizon, éclaira de ses rayons le visage de la petite fille, dont les paupières frémirent. En ouvrant les yeux, elle plongea son regard dans deux grands yeux bruns, profondément enfoncés dans leurs orbites, et découvrit un visage dont le bas ressemblait à un museau.

La fillette poussa un cri et referma les yeux précipitamment. Iza serra contre elle l'enfant tremblante de peur, murmurant des sons apaisants, des sons qui semblaient familiers à la petite fille, tout comme la chaleur de ce corps réconfortant. Son tremblement s'atténua progressivement et elle entrouvrit de nouveau les yeux. Cette fois elle ne cria pas. Enfin, elle les ouvrit complètement et examina ce visage terrifiant et totalement inconnu.

Stupéfaite, Iza la regardait aussi. Pendant un instant, elle crut que l'enfant était aveugle. Jamais auparavant, elle n'avait vu des yeux de la couleur du ciel. Ceux des vieillards se voilaient parfois d'une pellicule blanchâtre qui réduisait considérablement la vue. Mais les pupilles dilatées de l'enfant la convainquirent qu'elle voyait parfaitement. Cette couleur bleu-gris doit être courante chez les Autres, pensa-t-elle.

La petite fille restait étendue parfaitement immobile, les yeux grands ouverts. Quand Iza l'aida à s'asseoir, elle grimaça de douleur et tous ses souvenirs refluèrent en force. Elle revit le monstrueux lion et ses griffes pointues ; elle se rappela ses efforts pour gagner le bord de la rivière, étourdie par la soif et la souffrance, mais elle fut incapable de se remémorer ce qui lui était arrivé auparavant. Elle avait complètement refoulé de sa mémoire tout ce qui concernait sa fuite solitaire, la peur et la faim, le tremblement de terre et les êtres chers qu'elle avait perdus.

Iza approcha le bol de ses lèvres. La fillette avait soif mais à la première gorgée elle fit une grimace de dégoût. Mais lorsque la femme lui présenta à boire de nouveau, elle n'opposa aucune résistance. Satisfaite, Iza la laissa pour aider les femmes à préparer le repas du matin. La petite fille la suivit des yeux, et avec stupeur elle vit pour la première fois ce campement où tout le monde se ressemblait.

L'odeur de la nourriture qui cuisait réveilla la faim de l'enfant, et, quand la femme revint avec un petit bol de bouillon de viande épaissi de graines broyées, elle l'avala avec avidité. Puis Iza la coucha et lui ôta l'emplâtre. Les plaies commençaient à sécher et la jambe était déjà moins enflée.

— Bien, dit Iza à haute voix.

La petite fille sursauta au son rauque et guttural du mot, le premier qu'elle entendait prononcer. Cela ne ressemblait pas à un vrai mot, on aurait dit plutôt le grognement de quelque animal. Mais le comportement d'Iza n'avait rien d'animal, il était au contraire très humain, très tendre. La guérisseuse avait déjà préparé un nouveau pansement qu'elle allait appliquer lorsque survint en claudiquant un homme bancal et difforme.

C'était bien là l'homme le plus repoussant que l'enfant avait jamais vu. Mais tous ces gens lui semblaient si bizarres et si laids que ce visage abominablement défiguré ne représentait pour elle qu'un degré supplémentaire dans la laideur.

L'infirme s'assit pour observer la petite fille. Elle lui rendit son regard avec une franche curiosité qui surprit le vieil homme. Les enfants de son Clan avaient toujours eu peur de lui, prompts à s'apercevoir que leurs aînés mêmes le craignaient, et ses manières distantes n'encourageaient pas la familiarité. De plus, les mères menaçaient fréquemment leurs bambins d'appeler Mog-ur s'ils se montraient désobéissants. En approchant de l'âge adulte, la plupart d'entre eux, et plus particulièrement les filles, le redoutaient réellement. C'est beaucoup plus tard que les membres du Clan voyaient leur crainte se transformer en respect. L'œil valide de Creb pétillait d'intérêt devant le regard d'observation sereine que lui portait la petite fille.

— L'enfant va mieux, Iza, remarqua-t-il.

Il avait la voix plus profonde que celle de la femme, mais aux oreilles de l'enfant, les sons qu'il émettait ressemblaient plutôt à des grognements et elle ne remarqua pas les gestes qui les accompagnaient.

— Elle est encore très faible, dit Iza, mais sa blessure va mieux. En dépit de la profondeur de ses plaies, elle n'a pas la jambe trop abîmée et l'infection se résorbe. Elle a été labourée par les griffes d'un lion des cavernes, Creb. As-tu déjà vu un lion des cavernes attaquer une proie et se contenter de lui donner un coup de patte ? Je suis étonnée qu'elle soit encore en vie. Elle doit se trouver sous la protection d'un Esprit très puissant. Mais, ajouta Iza, que sais-je des Esprits ?

Il était inconvenant pour une femme, fût-elle la sœur de Mog-ur, de parler des Esprits. D'un geste, elle le pria de pardonner son audace. Il ne releva pas, ainsi qu'elle s'y attendait, mais considéra l'enfant avec un intérêt accru. Il était arrivé de son côté aux mêmes conclusions, et s'il ne voulait pas l'admettre, l'avis de sa sœur comptait pour lui et venait confirmer ses propres déductions.

Ils levèrent le camp rapidement. Iza, chargée de ses ballots et de son panier, hissa la petite fille sur sa hanche et prit sa place dans le rang derrière Brun et Grod. Du haut de son perchoir, la fillette dévorait des yeux tout ce que faisaient les femmes pendant leur progression. Les arrêts au cours desquels elles ramassaient de quoi se nourrir l'intéressaient tout particulièrement. Et elle portait une vive attention aux plantes, cherchant à percevoir leurs caractéristiques. Les jours de famine, encore proches, avaient fait naître en elle le désir aigu d'apprendre à trouver sa nourriture. Lorsqu'elle montrait une plante du doigt, elle manifestait sa joie si Iza s'arrêtait pour l'arracher. Iza en était heureuse, elle aussi. Cette enfant est vive, pensait-elle. Elle ne pouvait pas savoir auparavant que cette plante est comestible, sinon elle l'aurait mangée.

Aux environs de la mi-journée, ils firent une halte pour se

reposer pendant que Brun inspectait les lieux. Après avoir donné à l'enfant un restant de bouillon qu'elle avait conservé dans une outre, Iza lui tendit à mâcher un morceau de viande séchée. Ils se remirent en route sans avoir découvert de caverne satisfaisante et, vers la fin de l'après-midi, la potion d'écorce de saule ayant cessé d'agir, la jambe de la fillette la fit de nouveau souffrir. Iza l'installa plus à l'aise, et l'enfant s'abandonna en toute confiance, les bras autour du cou de la femme et la tête reposant sur son épaule confortable. Elle ne tarda pas à s'assoupir, bercée par le mouvement régulier de la marche.

Au cours de la soirée, Iza, éreintée par le poids du fardeau supplémentaire qu'elle portait, accueillit avec soulagement la halte qu'ordonna Brun, et déposa l'enfant à terre. La fillette avait les joues en feu et le front brûlant de fièvre et, tout en ramassant du bois, la guérisseuse cueillit au passage quelques plantes pour renouveler ses soins.

La guérison avait beau venir des Esprits et de la magie, les remèdes d'Iza n'en étaient pas moins efficaces. Le Clan vivait depuis la nuit des temps de la chasse et de la cueillette, et au cours des générations s'était constituée une solide base de connaissances sur les vertus curatives des plantes, due au hasard comme à l'expérimentation.

Une fois les animaux dépouillés et dépecés, on observait et comparait leurs organes. La mère d'Iza les lui avait montrés en lui expliquant leur fonction, ainsi que son éducation l'exigeait, mais cela essentiellement pour faire resurgir dans sa mémoire le souvenir de ce qu'en réalité elle savait déjà.

À sa naissance, Iza possédait déjà virtuellement les connaissances léguées par la grande lignée de guérisseuses dont elle était la descendante directe. Elle possédait la capacité de se souvenir des expériences de ses ancêtres comme des siennes propres, et une fois le processus enclenché, il devenait automatique. Elle faisait tout d'abord appel à sa mémoire et aux événements qu'elle avait vécus et dont elle n'oubliait jamais rien ; mais, s'il lui arrivait d'utiliser le savoir ancestral accumulé dans son cerveau, elle ne pouvait se rappeler comment elle l'avait acquis. Ni Brun ni Creb ne possédaient les connaissances médicinales d'Iza, leur sœur.

Au sein du Clan, les souvenirs se répartissaient différemment, en fonction des sexes. Ainsi, les femmes n'avaient pas davantage besoin de connaissances en matière de chasse, que les hommes en matière de plantes. Si la différence entre le cerveau des hommes et celui des femmes était imposée par la nature, elle était consolidée par la culture. Chaque enfant naissait avec un savoir appartenant au genre opposé, mais le perdait faute d'y avoir recours dès qu'il atteignait l'âge adulte.

Mais si la nature tentait de prolonger la race en limitant la taille du cerveau des hommes et des femmes, cette tentative portait en elle les germes de son échec. Les deux sexes étaient non seulement indispensables à la procréation, mais aussi à la vie quotidienne ; l'un ne pouvait survivre sans l'autre, et ils ne pouvaient échanger leurs aptitudes faute de posséder la mémoire correspondante.

Le cerveau des hommes, comme celui des femmes, était doué d'une acuité visuelle particulièrement aiguë. Au fur et à mesure de leur progression, l'environnement géographique s'était considérablement modifié sous les yeux d'Iza, qui, inconsciemment, avait enregistré les moindres particularités du paysage et plus spécialement de la végétation. Elle était capable de discerner de loin les imperceptibles détails du contour d'une feuille ou même la taille d'une plante, et si, par hasard, elle trouvait en chemin quelques végétaux, certaines fleurs, un buisson ou un arbre qu'elle n'avait jamais vus auparavant, ils lui étaient pourtant familiers. Elle parvenait à en faire resurgir le souvenir profondément enfoui dans les replis de sa mémoire. Mais en dépit de cette impressionnante réserve d'informations, elle avait vu récemment une végétation qui lui était complètement inconnue, tout comme l'était d'ailleurs la contrée qu'ils traversaient. Elle aurait aimé l'examiner de plus près, car toute acquisition de connaissances nouvelles était indispensable à leur survie immédiate.

Toutes les femmes étaient curieuses de connaître des plantes inconnues jusqu'alors, et possédaient le talent d'en déterminer les effets et l'usage éventuel. Iza, comme les autres, se livrait à des expériences sur elle-même. Elle en mangeait tout d'abord un petit morceau. Si le goût était désagréable, elle le recrachait immédiatement ; sinon, elle en gardait un petit bout dans la bouche en étudiant soigneusement toutes les sensations de picotement ou de brûlure qui pouvaient survenir ainsi que les altérations de la saveur. Si rien de tel ne se produisait, elle l'avalait et attendait d'en ressentir les effets. Le lendemain, elle en absorbait un plus gros morceau et procédait de même. Si aucune conséquence désagréable ne s'était manifestée à la troisième fois, elle considérait la plante comme un nouvel aliment comestible.

Mais c'étaient les effets notables qui intéressaient plus particulièrement Iza, car ils indiquaient la possibilité d'un éventuel usage curatif. Les autres femmes lui apportaient tout ce qui présentait les caractéristiques de plantes toxiques ou vénéneuses. De telles expériences lui demandaient beaucoup de temps car elle procédait avec précaution, selon ses propres méthodes, et c'est pourquoi elle s'en tenait pour l'instant aux plantes connues tant qu'ils n'auraient pas découvert une nouvelle caverne.

Après le repas, la petite fille s'installa contre un gros rocher et regarda tout le monde s'activer autour d'elle. Une nourriture reconstituante et un nouveau pansement lui ayant fait le plus grand bien, elle se mit à jacasser à l'adresse d'Iza qui n'y comprenait goutte. Les autres membres du Clan jetaient des regards désapprobateurs dans sa direction, mais elle était bien incapable d'en comprendre la signification. Leurs cordes vocales atrophiées leur rendaient impossible toute articulation précise. Les quelques sons qu'ils émettaient pour souligner leurs gestes étaient dérivés des cris qu'ils poussaient en guise d'avertissement ou pour capter l'attention. Leurs moyens de communication, signes de la main, gestes, attitudes étaient très suggestifs mais limités. La volubilité de la fillette atterrait et inquiétait le Clan tout à la fois.

Ils chérissaient les enfants et les élevaient avec une réelle tendresse et une discipline qui se durcissait à mesure qu'ils grandissaient. Les hommes comme les femmes dorlotaient les bébés et mettaient au pas les jeunes enfants en se contentant la plupart du temps de ne pas leur prêter attention. En prenant conscience de la considération dont jouissaient leurs aînés, les jeunes prenaient exemple sur eux et apprenaient très tôt à se conformer strictement aux usages établis. L'un d'entre eux consistait précisément à éviter de proférer un son inutile. En raison de sa taille, la fillette paraissait plus que son âge et elle semblait indisciplinée et mal élevée aux yeux du Clan.

Mais Iza, qui était parvenue à estimer approximativement son âge réel, se laissait attendrir plus facilement et pensait qu'elle aurait largement le temps de lui enseigner les bonnes manières.

Creb vint s'asseoir auprès de l'enfant pendant qu'Iza versait de l'eau bouillante sur les roses trémières qu'elle avait cueillies. La petite étrangère l'intéressait au plus haut point, et les préparatifs de la cérémonie nocturne n'étant pas encore achevés, il venait voir comment elle se remettait. Ils restèrent un long moment à s'étudier avec une intensité égale. Le vieil homme considérait avec curiosité pour la première fois un rejeton des Autres. Quant à la petite fille, c'était ce visage ridé qui l'intriguait. Au cours de sa brève existence, elle n'avait jamais eu l'occasion de voir un être aussi monstrueusement défiguré, et impétueusement, avec l'audace spontanée des enfants, elle tendit la main.

Creb fut stupéfait lorsqu'il sentit cette main le caresser. Aucun des enfants du Clan ne l'avait jamais ainsi touché. Aucun adulte non plus d'ailleurs. Tout le monde évitait son contact, de peur de se voir communiquer en quelque sorte sa difformité. Seule Iza, qui le soignait lors des attaques d'arthrite qui le terrassaient un peu plus violemment chaque hiver, ne semblait ressentir aucune répugnance. Elle n'était pas dégoûtée par son corps contrefait et ses horribles cicatrices, ou terrorisée par son pouvoir et par son rang. La douce caresse de la petite fille émut profondément ce vieux cœur solitaire. Il désira communiquer avec elle et se demanda un instant comment y parvenir.

— Creb, dit-il en se désignant du doigt.

Iza les regardait tranquillement en attendant que les fleurs infusent. Elle était heureuse de l'intérêt que portait son frère à l'enfant et l'usage qu'il venait de faire de son vrai nom ne lui avait pas échappé.

— Creb, répéta-t-il, en se frappant la poitrine.

La fillette tendit le visage en avant, en essayant de comprendre ce qu'il voulait qu'elle fît. Creb répéta son nom pour la troisième fois. Soudain, son visage s'éclaira, et elle se redressa en souriant.

— Grub ? répondit-elle en roulant les r comme lui.

Le vieillard approuva d'un signe ; elle n'était pas trop loin de la bonne prononciation. Puis, il la montra du doigt. Elle fronça légèrement les sourcils, incertaine de ce qu'il voulait à présent. Il se frappa la poitrine en disant son nom, puis frappa celle de la fillette. Le large sourire qui illumina l'enfant fit à Creb l'effet d'une grimace, et quant au mot polysyllabique qui tomba de ses lèvres, il était non seulement imprononçable, mais quasiment incompréhensible. Il refit les mêmes gestes en s'approchant pour l'entendre mieux.

— Ay-rr, répéta-t-il, hésitant. Ay-lla, Ayla ? C'était le mieux qu'il pût faire. Bien peu nombreux étaient les membres du Clan capables d'une approximation aussi proche de la réalité. Elle sourit de nouveau en secouant la tête de haut en bas. Ce n'était pas exactement ce qu'elle avait dit, mais elle accepta ce nom, comprenant que le vieil homme ne pouvait pas mieux prononcer.

— Ayla, répéta Creb pour s'habituer à la sonorité.

— Creb ? dit la petite fille en le tirant par le bras pour qu'il la regarde. Puis elle désigna la femme.

— Iza, dit Creb. Iza.

— Iiiia-sa, répéta-t-elle, prenant grand plaisir à ce jeu. Iza, Iza, dit-elle encore en regardant la femme.

Iza acquiesça solennellement. Elle se pencha et toucha l'enfant comme Creb l'avait fait pour l'entendre dire une nouvelle fois son nom. La fillette répéta son vrai nom, au grand désespoir d'Iza qui ne put en prononcer la moindre syllabe. La petite fille, désolée, jeta un coup d'œil à Creb et répéta son nom à la manière du vieil homme.

— Aaay-ghha, dit la femme avec difficulté. Aaay-ya ?

— Non, Aaay-llla, reprit Creb très lentement pour qu'Iza puisse mieux saisir.

— Aaaya-lla, prononça la femme en faisant de grands efforts pour imiter Creb.

La petite fille sourit. Peu lui importait que son nom ne fût pas très bien prononcé ; Iza avait eu tant de mal à répéter celui que lui avait indiqué Creb qu'elle l'accepta désormais comme le sien. Elle serait donc Ayla. L'enfant tendit spontanément les bras vers la femme et l'embrassa.

Iza la serra doucement contre elle, puis la repoussa. Il lui faudrait apprendre à la fillette que les démonstrations d'affection n'avaient pas cours en public. Ayla se tourna alors vers l'homme qui était à l'origine de ce début de communication et ne le trouva plus aussi laid. Elle se sentait irrésistiblement attirée vers lui, et lui passant les bras autour du cou, elle posa sa joue contre la sienne.

Ce geste affectueux ébranla profondément Creb. Il résista au désir de l'étreindre à son tour car il était impensable qu'on le vît embrasser cette étrange fillette hors des limites du foyer familial. Mais il la laissa toutefois presser une petite joue ferme et douce contre son visage encombré d'une barbe broussailleuse avant de se dégager.

Creb ramassa son bâton et s'en aida pour se relever. En s'éloignant, il songeait à l'enfant. « Je vais lui apprendre à parler et à communiquer correctement, pensa-t-il. Je ne peux tout de même pas laisser son éducation aux mains d'une femme. »

Le lendemain matin, en examinant la jambe d'Ayla, la guérisseuse constata une nette amélioration de son état. Grâce à ses soins avisés, l'infection s'était à peu près résorbée et les quatre sillons parallèles se refermaient peu à peu en s'atténuant, bien que les cicatrices soient destinées à subsister toujours. Iza considéra l'emplâtre inutile, mais prépara néanmoins une infusion d'écorce de saule. Avec son aide, Ayla essaya de se lever, et au bout de quelques pas, la douleur se fit déjà moins vive.

Une fois debout, la fillette se révéla encore plus grande que ne le pensait Iza. Ses jambes, fines, droites et fuselées où pointaient des genoux arrondis incitèrent la guérisseuse à croire qu'elles devaient être déformées, car tous les membres du Clan avaient les jambes fortement arquées. Mais à part une légère claudication, l'enfant ne semblait guère éprouver de difficultés à marcher. Comme les yeux bleus, les jambes droites devaient être une caractéristique normale chez les Autres, se dit Iza.

La guérisseuse enveloppa la petite fille dans la couverture et la hissa sur sa hanche au moment du départ ; elle n'était pas suffisamment guérie pour marcher normalement, mais de temps à autre, Iza la laissait faire quelques pas toute seule. La fillette montrait un appétit féroce et commençait à grossir, ce qui la rendait lourde à porter. Et c'est avec soulagement qu'elle se débarrassait de son lourd fardeau, d'autant que le chemin devenait de plus en plus pénible.

Le Clan abandonna derrière lui la vaste étendue des steppes pour traverser une contrée vallonnée qui fit bientôt place à d'abruptes montagnes dont les sommets enneigés se rapprochaient sensiblement chaque jour. Si d'épaisses forêts croissaient sur les pentes, il ne s'agissait plus des conifères de la forêt boréale, mais d'arbres aux troncs noueux, à larges feuilles caduques. La température s'était réchauffée bien plus vite que ne le laissait présager la saison, à la grande surprise de Brun. Les hommes avaient troqué leur fourrure contre un pagne court en cuir, laissant le torse nu. Les femmes n'avaient pas changé de vêtements, trouvant plus commode de porter leurs ballots vêtues de peaux pour se protéger des frottements.

Le paysage n'avait plus rien de commun avec la froide prairie qui entourait leur ancienne caverne. Iza dut recourir de plus en plus souvent à ses connaissances ancestrales tandis que le Clan traversait les vallées ombreuses et les collines boisées. L'écorce brun foncé des chênes, des hêtres, des pommiers et des érables alternait avec celle plus tendre et plus souple des saules, des bouleaux, des peupliers, et aux épais taillis d'aulnes et de noisetiers. L'air avait une senteur particulière qui semblait portée par une douce brise tiède en provenance du sud. Des chatons pendaient encore aux branches feuillues des bouleaux. Les pétales fragiles tombaient en pluie rose et blanche, promesse précoce d'un automne fructueux.

Le Clan décida de faire halte après avoir atteint le sommet d'un escarpement. Au-dessous, le paysage ondoyant des collines s'interrompait brusquement devant les steppes qui s'étendaient jusqu'à l'horizon. De leur poste d'observation, les hommes pouvaient distinguer de nombreux troupeaux en train de paître les hautes herbes. De rapides chasseurs, non encombrés de femmes lourdement chargées, pourraient fort bien gagner ces étendues herbeuses en moins d'une matinée et y choisir leurs proies parmi une grande variété de gibier. Le ciel était encore dégagé vers l'est, au-dessus de la vaste prairie, mais de gros nuages noirs et menaçants arrivaient du sud. Ils ne tarderaient pas à rencontrer la chaîne de montagnes et à éclater en orages sur le Clan.

Brun et ses hommes tenaient conseil, hors de portée des femmes et des enfants qui, cependant, à leurs airs préoccupés et à leurs gestes, comprirent vite ce qui les tourmentait. Ils étaient en train de se demander s'ils ne feraient pas mieux de rebrousser chemin. Non seulement la région leur était totalement inconnue, mais ils s'éloignaient beaucoup trop des steppes pour leur goût. Certes, ils avaient croisé de nombreux animaux dans les bois au pied des collines, mais ce n'était rien par comparaison avec les superbes troupeaux engraissés dans les riches herbages des plaines. Il était infiniment plus facile de chasser le gibier à découvert qu'à l'abri des épaisses forêts où les prédateurs eux aussi vivaient dissimulés.

Iza devina qu'ils allaient probablement revenir sur leurs pas, après avoir escaladé en vain les pentes raides de la montagne. Les nuages qui s'amoncelaient et la pluie menaçante jetaient un voile sinistre sur les voyageurs désemparés. Iza déposa Ayla sur le sol et se débarrassa de son fardeau. Profitant pleinement de la liberté de mouvement que lui offrait de nouveau sa jambe en voie de guérison, l'enfant gambadait joyeusement. Quelques instants plus tard, Iza la vit disparaître derrière un énorme rocher. Elle ne tenait pas à ce que la fillette s'éloigne trop. La discussion des hommes pouvait prendre fin d'un moment à l'autre, et Brun verrait assurément d'un fort mauvais œil leur départ retardé par sa faute. Elle s'élança à sa recherche, et à peine le rocher contourné, aperçut Ayla ; mais ce qu'elle découvrit derrière la fillette lui fit battre le cœur à tout rompre.

Elle fit aussitôt demi-tour, jetant force regards par-dessus son épaule. N'osant pas interrompre Brun et ses hommes, en plein conseil, elle attendit impatiemment que la discussion prît fin. Brun devina en la voyant qu'il se passait quelque chose d'exceptionnel. Dès le départ des hommes, Iza se précipita vers lui et s'assit les yeux baissés, position qui indiquait son désir de lui parler. Il était libre de lui accorder la parole ou de la refuser ; le choix lui appartenait entièrement. S'il ignorait sa présence, elle n'aurait pas le droit de lui dire ce qui la préoccupait.

Brun se demanda ce qu'elle voulait. Il avait remarqué la fugue de la petite fille ; rien ou presque de ce qui se passait dans le Clan ne lui échappait, mais des problèmes plus pressants l'occupaient. Il doit s'agir de l'enfant, pensa-t-il avec déplaisir, tout en s'apprêtant à négliger la requête d'Iza. Quoi qu'en dise Mog-ur, il n'était pas content que la fillette voyage avec eux. En levant les yeux, Brun vit que le sorcier le regardait et s'efforça de deviner ses pensées, sans parvenir à pénétrer son visage impassible.

Puis le chef considéra la femme assise à ses pieds, incapable de dissimuler son intense agitation. Brun n'était pas insensible à sa sœur qu'il estimait tout particulièrement. Elle s'était toujours bien conduite, donnait l'exemple aux autres femmes et l'avait rarement importuné avec des demandes futiles. Peut-être devrait-il la laisser parler ; il n'était pas obligé de satisfaire à sa prière. Il tendit le bras et lui tapa sur l'épaule.

Iza, à ce geste, cessa de retenir sa respiration. Il l'autorisait à parler ! Il avait mis si longtemps à se décider qu'elle était persuadée de recevoir un refus. Elle se releva et, montrant le rocher du doigt, elle prononça un seul mot :

— Caverne !

IV

Brun tourna les talons et se dirigea vers le rocher. À peine l'eût-il contourné, qu'il s'arrêta net, fasciné par ce qui s'offrait à sa vue. Une bouffée d'enthousiasme l'envahit soudain. Une caverne ! Et quelle caverne ! Il sut dès le premier instant que c'était celle qu'il cherchait, mais il lutta néanmoins pour contrôler son émotion et refréner ses espoirs. Il s'obligea à concentrer son attention sur les possibilités qu'elle offrait ainsi que sur son emplacement et ne remarqua même pas la petite fille.

Vue de loin, l'entrée de la caverne, de forme vaguement triangulaire, laissait déjà présager un espace intérieur plus que suffisant pour y loger à l'aise tout le Clan. Elle était orientée plein sud, bénéficiant ainsi du soleil pendant la majeure partie de la journée. Brun inspecta rapidement les environs. Deux falaises escarpées, l'une au nord et l'autre au sud-est, protégeaient un petit cours d'eau qui coulait le long d'une pente douce, ajoutant ainsi un élément positif supplémentaire à sa liste déjà longue. C'était là le site le plus exceptionnel qu'il eût jamais vu. Contenant sa joie, il fit signe à Grod et à Creb de venir le rejoindre pour examiner la caverne de plus près.

Les deux hommes se précipitèrent vers leur chef, suivis par Iza qui venait chercher Ayla. Elle en profita, elle aussi, pour y jeter un coup d'œil circonspect et hocha la tête avec satisfaction. L'émotion réprimée de Brun s'était communiquée aux autres et ils avaient deviné la découverte d'une caverne offrant de nombreux avantages.

Brun et Grod se saisirent de leurs lances en s'approchant de la grotte. Ils ne remarquèrent aucun signe de vie humaine, ce qui ne signifiait pas pour autant qu'elle fût inhabitée. Des oiseaux entraient et sortaient inlassablement, voletant, gazouillant, et décrivant de larges cercles. Leur présence est de bon augure, pensa Mog-ur. Ils s'avancèrent avec précaution, en longeant l'entrée, tandis que Brun et Grod cherchaient attentivement des empreintes ou des excréments d'animaux. Les plus récents dataient de plusieurs jours. Les impressionnantes marques de dents laissées sur de gros ossements par de puissantes mâchoires en disaient long sur les hôtes de ces lieux : une bande de hyènes avait trouvé refuge dans la caverne. Les charognards avaient attaqué un vieux daim dont ils avaient traîné la carcasse à l'intérieur pour finir leur repas en paix et dans une relative sécurité.

Sur le côté ouest de l'entrée se trouvait une petite mare, alimentée par une source, tapie au milieu d'un épais taillis ; un ruisseau en partait et se jetait dans le cours d'eau un peu plus bas. Brun suivit le bras d'eau jusqu'à sa source qui surgissait quelques pas plus haut d'une anfractuosité dans la roche moussue formant un des côtés de la caverne. L'eau vive jaillissait, fraîche et pure. Brun rejoignit ses compagnons, en comptant la mare dans la liste des avantages du lieu. Le site en lui-même était excellent, mais c'est de la caverne elle-même que dépendait la décision. Les deux chasseurs et le sorcier boiteux se préparèrent à y pénétrer.

Les hommes franchirent le seuil de l'entrée triangulaire percée dans la montagne et pénétrèrent à l'intérieur sur le qui-vive, sans quitter la paroi rocheuse. Une fois leurs yeux accoutumés à l'obscurité, ils regardèrent autour d'eux avec stupéfaction. Un haut plafond voûté surplombait une immense salle suffisamment spacieuse pour contenir plusieurs Clans comme le leur. Ils longèrent la roche dans l'espoir de découvrir des ouvertures susceptibles de les conduire plus avant dans les tréfonds de la montagne. Au fond de la salle, une seconde source jaillissait du mur pour former une petite mare sombre. Juste au-delà, la paroi de la caverne tournait brusquement en direction de l'entrée et, en suivant le côté opposé, les trois hommes aperçurent, à la lueur croissante du jour, une faille noire. D'un geste, Brun signifia à Greb de s'arrêter et, s'approchant de la fissure avec Grod, en scruta les profondeurs. Il y faisait nuit noire.

— Grod ! s'écria Brun avec autorité, joignant le geste propre à lui faire comprendre ce dont il avait besoin.

Le chef en second sortit précipitamment de la caverne. Il passa rapidement en revue la végétation qui croissait alentour et se dirigea vers un petit bosquet de sapins argentés. Des coulées de résine solidifiée faisaient des plaques brillantes sur les troncs. Grod arracha un morceau d'écorce où bientôt perlèrent des gouttes de résine, puis il cassa quelques branches mortes encore accrochées au sapin, et coupa d'un coup de hache à la pierre effilée un rameau vert qu'il dépouilla. Il enroba la pointe du rameau avec l'écorce résineuse et des brindilles sèches et, après avoir extrait précautionneusement le charbon ardent de la corne d'auroch suspendue à sa ceinture, il l'approcha de la résine et se mit à souffler dessus. Un instant plus tard, il courait vers la caverne, une torche enflammée à la main.

Grod, la torche haut levée, et Brun, brandissant sa massue, prêt à toute éventualité, disparurent dans la faille obscure. Ils suivirent en silence un étroit passage qui tourna brusquement et déboucha soudain sur une seconde caverne. Au fond de celle-ci, plus petite que la précédente et presque ronde, ils découvrirent un amoncellement d'ossements. Brun s'avança pour voir de plus près et, les yeux écarquillés, fit un signe à Grod. Les deux hommes rebroussèrent chemin.

Appuyé sur son bâton, Mog-ur attendait, inquiet. Lorsque Brun et Grod débouchèrent du passage, il remarqua avec surprise l'agitation inaccoutumée du chef. Sur un geste de lui, Creb suivit les deux hommes à l'intérieur de la faille. En arrivant dans la petite grotte, Grod leva sa torche, et le sorcier se précipita vers les ossements parmi lesquels il se mit à fouiller, à genoux. Ayant aperçu un grand objet oblong, il tira un crâne. Il n'y avait aucun doute possible. Le crâne, à l'arche frontale fortement marquée, était absolument identique à celui que Mog-ur transportait dans ses affaires. Le sorcier s'assit par terre et plongea son regard dans les deux orbites noires avec un mélange d'incrédulité et de respect. Ursus lui-même avait séjourné dans cette caverne. À en juger par la quantité d'ossements, les ours des cavernes avaient passé plusieurs hivers en ces lieux. Mog-ur comprenait enfin l'excitation de Brun. Que le Grand Ours des Cavernes eût hiberné dans cette grotte, il ne pouvait y avoir meilleur présage. Chance et protection étaient assurées au Clan qui y résiderait.

C'était une caverne parfaite, bien située, spacieuse, pourvue d'une annexe idéale pour y célébrer les rites secrets du Clan. Mog-ur imaginait déjà les cérémonies. Cette petite grotte serait son domaine réservé. Leur quête était enfin terminée, le Clan avait trouvé une demeure, à condition que la première chasse soit fructueuse.

Lorsque les trois hommes quittèrent la caverne, le soleil brillait dans le ciel tandis que le vent chassait rapidement les derniers nuages. Brun y vit un heureux présage. Mais il aurait également trouvé de bon augure le plus formidable déluge, tant sa satisfaction était grande. Il regarda un moment le panorama qui s'étendait à ses pieds. Dans l'échancrure de deux collines brillait une vaste étendue d'eau, et il comprit alors la raison de la douceur du climat et du changement de végétation.

La caverne se trouvait au pied d'une chaîne de montagnes situées à l'extrémité sud d'une péninsule qui avançait dans une mer intérieure. La péninsule était reliée en deux points au continent, au nord par une large bande de terre, et à l'est par une langue étroite de marais salants, faisant la jonction avec la région des hautes montagnes. Les marais les séparaient également d'une autre mer intérieure, plus petite, située au nord-est.

Le site de la caverne était idéal. Non seulement la température y était plus élevée que n'importe où alentour, mais on y trouvait du bois en abondance pour affronter sans crainte les rigueurs de l'hiver. La grande mer proche offrait poissons et crustacés. La forêt tempérée était un paradis pour qui savait y cueillir les fruits, les noix, les baies, les graines et les légumes de toutes sortes. Les sources et les ruisseaux constituaient une réserve d'eau fraîche inépuisable. Mais le principal avantage de cette situation résidait dans la proximité des steppes dont les vastes pâturages engraissaient les gigantesques troupeaux de ruminants qui fourniraient au Clan non seulement de la viande, mais aussi des peaux pour les vêtements et les os pour l'outillage.

Lorsque les trois hommes rejoignirent les autres, il leur fut inutile de les informer qu'ils étaient parvenus au terme de leur voyage. Tout le monde le savait déjà. Iza, quant à elle, n'avait jamais douté que Brun choisirait cette caverne. Et à présent, pensait-elle, il ne pourra plus exiger le départ d'Ayla. Sans elle, il aurait décidé de rebrousser chemin. Le totem de l'enfant est décidément aussi puissant que bénéfique et la chance qu'il apporte avec lui s'étend aux membres de notre Clan.

Brun lui aussi pensait à l'enfant et reconnaissait en son for intérieur que si Iza lui avait appris l'existence de la caverne, elle ne l'aurait jamais découverte si elle ne s'était mise à la recherche d'Ayla. Pourquoi les Esprits avaient-ils guidé ses pas ? Mog-ur avait raison. Les Esprits ne désapprouvaient pas la pitié d'Iza ni la présence d'Ayla parmi eux. On pouvait dire au contraire qu'ils se révélaient favorables à cela.

Brun jeta un regard à l'homme estropié qui aurait dû devenir chef à sa place. Il était heureux qu'il soit Mog-ur aujourd'hui, le Mog-ur. Brun ne connaissait rien à la magie, et le monde mystérieux des Esprits lui était à peu près étranger, mais il était le chef et sa compagne avait donné le jour à un fils superbe. C'est avec fierté qu'il pensa à Broud, le garçon qu'il élevait pour devenir le chef à sa suite. Je l'emmenerai à la chasse pour la fête de la caverne, décida-t-il soudain. Ce sera sa chasse d'âge d'homme. S'il réussit sa première prise, nous pourrons célébrer en même temps les rites de son accession à l'âge adulte. Broud a l'âge requis, il est fort et brave, un peu obstiné parfois, mais il apprend à se contrôler. Brun avait besoin d'un chasseur supplémentaire, et Broud avait déjà douze ans, ce qui était largement suffisant. Il partagera les souvenirs des hommes dans la nouvelle caverne, pensa-t-il, et Iza préparera le breuvage.

— Creb, appela Brun. Le sorcier se retourna et s'approcha du chef en boitant. Tu sais que la fillette, enfin, l'enfant qu'Iza a recueillie, ne fait pas partie du Clan. Tu m'as conseillé de laisser Ursus décider de son sort, mais qu'allons-nous faire d'elle à présent ? Elle n'appartient pas au Clan ; elle n'a pas de totem, et les nôtres ne laisseront jamais une étrangère assister à la cérémonie d'inauguration de la caverne. Je vois bien qu'Iza désire la garder auprès d'elle, et qu'abandonnée dans la nature, elle ne pourrait survivre. Mais que faire pour la cérémonie ?

Creb, qui n'attendait que ce moment opportun, était prêt à répondre aux objections de Brun.

— L'enfant possède un totem, Brun, un totem très puissant. Nous ne savons pas encore lequel. Elle a été attaquée par un lion des cavernes et en a réchappé avec quelques méchants coups de griffes, en tout et pour tout.

— Un lion des cavernes ! Peu de chasseurs s'en seraient sortis à si bon compte.

— En effet, et elle a erré seule pendant longtemps. Elle était près de mourir de faim ; et pourtant elle n'est pas morte. Elle a été placée sur notre chemin pour qu'Iza la découvre. Et n'oublie jamais, Brun, que tu ne t'y es pas opposé. Elle est encore bien jeune pour subir une épreuve, poursuivit Mog-ur, mais je pense que son totem voulait voir si elle est digne de lui. Il est non seulement puissant, mais il porte chance. Nous pourrions partager sa chance ; peut-être la partageons-nous déjà.

— Tu veux parler de la caverne ?

— C'est elle qui l'a vue en premier. Nous étions prêts à rebrousser chemin ; tu nous a conduits si près, Brun...

— Les Esprits m'ont conduit, Mog-ur. Ils désiraient une nouvelle demeure.

— Oui, je sais, mais ils ont d'abord révélé l'existence de la caverne à la fillette. J'ai réfléchi, Brun, il reste encore deux bébés qui ne possèdent pas de totems. J'ai pensé que nous pourrions célébrer en même temps la consécration de la caverne et la révélation de leurs totems. Cela leur portera bonheur et fera plaisir à leurs mères.

— Quel rapport avec la petite fille ?

— Lorsque j'interviendrai pour découvrir leurs totems, je demanderai également quel est celui de la fillette. S'il se révèle à moi, nous pourrons la faire participer à la cérémonie et l'accepter dans le Clan. Alors, plus rien ne s'opposera à sa présence parmi nous.

— L'accepter dans le Clan ! Mais elle est née chez les Autres. Qui a parlé de l'accepter dans le Clan ? Ursus ne permettra jamais une chose pareille. Ça ne s'est jamais vu ! objecta Brun. Je me demandais simplement si les Esprits l'autoriseraient à séjourner parmi nous jusqu'à ce qu'elle soit assez grande pour se débrouiller toute seule.

— En la sauvant, Iza s'est appropriée une partie de son Esprit, Brun. C'est comme si elle était venue une seconde fois à la vie, au sein du Clan. Creb, voyant avec quelle difficulté le chef admettait cette idée, se pressa de conclure. Les membres d'un clan ont le droit de se joindre à un autre Clan, Brun. Il n'y a rien d'anormal à cela. Il fut un temps où tous les jeunes de Clans différents se regroupaient pour en former de nouveaux. Souviens-toi, n'avons-nous pas vu deux petits Clans fusionner lors du dernier Rassemblement ? L'acceptation d'un étranger ne date pas d'hier.

— C'est vrai, mais cette fillette ne fait partie d'aucun Clan. Tu ne sais même pas encore si l'Esprit de son totem te parlera, Mog-ur ; et s'il le fait, sais-tu seulement si tu le comprendras ? Pour ma part, je ne comprends même pas ce qu'elle dit. Crois-tu vraiment découvrir son totem ?

— Je vais faire mon possible en demandant à Ursus de m'aider.

Les Esprits savent se faire comprendre, Brun. Si elle doit appartenir au Clan, son totem me le fera savoir.

Brun resta silencieux quelques instants, réfléchissant aux paroles de Mog-ur.

— Même si tu découvres son totem, quel chasseur voudra d'elle plus tard ? Iza et son enfant à naître constituent déjà une charge bien assez lourde et les chasseurs ne sont pas nombreux parmi nous. Le compagnon d'Iza n'est pas le seul à avoir péri dans le tremblement de terre. Le fils de Grod a été tué ; c'était un chasseur jeune et fort. Le compagnon d'Aga n'est plus, la laissant avec deux enfants et sa vieille mère à nourrir. Quant à Oga, poursuivit Brun avec émotion, elle a perdu le compagnon de sa mère, mort encorné par un mouflon, puis sa mère dans l'éboulement de la caverne. Dans quelque temps, je la donnerai à Broud, ce qui lui fera plaisir. Tu vois que les hommes ont déjà suffisamment de bouches à nourrir sans se charger en supplément de cette fillette, Mog-ur. Si je l'accepte dans le Clan, à qui vais-je donner Iza ?

— À qui comptais-tu la donner de toutes façons, Brun ? dit le sorcier. Mais avant que le chef, mal à l'aise, ait pu lui répondre, il enchaîna : Iza et l'enfant ne seront un fardeau pour aucun chasseur, Brun. Je m'occuperai d'elles.

— Toi !

— Et pourquoi pas ? Ce sont deux femmes. Il n'y a pour l'instant aucun garçon à former. Ma position de mog-ur m'autorise à recevoir une part de toutes les chasses, n'est-ce pas ? Je n'ai jamais réclamé mon dû, car je n'en ai jamais eu besoin, mais aujourd'hui, je peux le faire. Ne serait-il pas beaucoup plus simple que tous les chasseurs me remettent la part qui revient de droit au Mog-ur pour qu'ainsi je subvienne aux besoins d'Iza et de la fillette, plutôt que de charger l'un d'eux du soin de s'occuper d'elles ? J'avais l'intention de faire part de mon désir de fonder un foyer avec Iza dès que nous aurions trouvé une nouvelle caverne, à moins qu'un autre homme ne la désire, bien évidemment. Voilà des années que je partage le feu de ma sœur ; il me serait fort pénible de voir cette situation changer. En outre, Iza soulage mes maux. Si son enfant est une fille, je la prendrai également avec moi. Si c'est un garçon, eh bien, nous verrons à ce moment-là...

L'idée fit son chemin dans l'esprit de Brun. Elle ne lui déplaisait pas vraiment. Cela arrangerait tout le monde, en effet.

— D'accord, répondit-il avec un geste d'acquiescement. Si tu parviens à découvrir son totem, Mog-ur, nous accepterons la fillette dans le Clan et elle pourra vivre avec Iza dans ton foyer, au moins jusqu'à la naissance de l'enfant d'Iza. Et, pour la première fois de sa vie, Brun se surprit à souhaiter qu'un enfant à naître soit une fille plutôt qu'un garçon.

Une fois sa décision prise, Brun se sentit soulagé. Il pouvait enfin se consacrer aux problèmes réellement importants qui se posaient. Il se dépêcha de rejoindre le Clan qui attendait impatiemment de son chef la confirmation de ce qu'ils avaient tous deviné, et donna le signal.

— Notre voyage est terminé. Nous avons trouvé une caverne.

— Iza, dit Creb à la femme qui préparait une décoction d'écorce de saule pour Ayla. Je ne mangerai pas ce soir.

Iza baissa la tête pour signifier qu'elle avait compris. Elle savait qu'il allait méditer pour se préparer à la cérémonie.

Mog-ur quitta le campement affairé. Il désirait trouver un endroit tranquille. Une brise tiède soufflait aux abords du rapide cours d'eau qui cascadait vers la mer intérieure. Seuls quelques nuages isolés troublaient la limpidité du ciel en cette fin d'après-midi. Creb se fraya un chemin à travers les épais taillis, brandissant son bâton, à l'affût des bruits furtifs et des mouvements qui agitaient les buissons.

Soudain, un animal surgit de l'écran de verdure, son corps robuste supporté par de courtes pattes trapues. Des canines pointues se dressaient comme des défenses, de chaque côté de son groin. Le nom de la bête lui revint en mémoire, quoique Creb n'en eût jamais vu auparavant. Un sanglier. Le cochon sauvage le regarda d'un air belliqueux en grattant le sol, puis se détourna et disparut dans l'épaisseur des fourrés. Rassuré, Creb poursuivit son chemin en longeant le ruisseau. Parvenu auprès d'un banc de sable étroit, il déplia sa couverture, y déposa le crâne de l'ours des cavernes et s'assit en lui faisant face. Il exécuta les gestes rituels, requérant l'assistance d'Ursus, puis chassa de son esprit toutes les préoccupations qui ne concernaient pas exclusivement les enfants dont il devait découvrir le totem.

Ces enfants avaient toujours intrigué Creb. Souvent, assis parmi les siens et apparemment plongé dans ses pensées, il les observait à l'insu de tous. L'un d'eux, un petit garçon costaud de six mois environ, avait coutume de brailler d'un air agressif chaque fois qu'il avait faim. Depuis sa naissance, Creb l'avait toujours vu fourrer son petit nez dans la douce poitrine de sa mère pour y trouver son sein, puis pousser de faibles grognements de plaisir en tétant. Le petit Borg lui fit penser au cochon sauvage qu'il venait d'entendre grogner tout en fouillant la terre de son groin. Le sanglier était un animal intelligent, digne de respect, dont les redoutables défenses se révélaient capables d'infliger de sérieuses blessures à qui le mettait en colère, et dont les courtes pattes devenaient d'une surprenante vivacité lorsqu'il décidait de charger. Il n'est de chasseur qui aurait dédaigné un tel totem. Le Sanglier donc, décida Creb, convaincu que le totem de l'enfant lui était apparu afin qu'il se souvienne de lui.

Satisfait de son choix, Mog-ur tourna son attention vers l'autre enfant. Ona, dont la mère avait perdu son compagnon lors du tremblement de terre, était née peu avant le cataclysme. Les filles avaient besoin de totems plus paisibles, moins puissants que ceux des mâles, si elles désiraient porter des enfants. Creb songeait à Iza dont le totem, l'Antilope, avait longtemps mis en échec celui de son compagnon. Ona était une enfant tranquille et facile, qui posait souvent sur lui un regard grave. Ses petits yeux tout ronds examinaient chaque chose avec un vif intérêt silencieux, sans que rien leur échappât, semblait-il. L'image d'un hibou lui traversa l'esprit. Était-ce un totem trop puissant ? Le hibou chasse, pensa-t-il, mais il ne s'attaque qu'aux petits animaux. Lorsqu'une femme possède un totem puissant celui de son époux doit être plus puissant encore. Le Hibou, donc. Toutes les femmes doivent prendre des époux aux totems puissants, et peut-être aura-t-elle besoin d'un homme capable de lui assurer une forte protection ! Est-ce la raison pour laquelle je n'ai jamais eu de compagne ? se demanda Creb. Quelle protection peut bien apporter un chevreuil ? Il y avait longtemps que Creb n'avait pensé à son totem, le doux et timide Chevreuil. Il gîte lui aussi dans les forêts impénétrables, tout comme l'ours, se rappela-t-il soudain ; le sorcier était l'un des rares à posséder deux totems, le Chevreuil était celui de Creb, Ursus celui de Mog-ur.

Ursus Spelaeus, l'ours des cavernes, massif herbivore qui surpassait largement en taille ses cousins omnivores, près de deux fois plus petits que lui et trois fois plus légers, le plus gros ours qui ait jamais existé, est généralement lent à se mettre en colère. Mais un jour, une femelle irritée attaqua un petit garçon sans défense et boiteux qui musardait un peu trop près de ses oursons. La mère de Creb le découvrit déchiqueté et en sang, un œil arraché ainsi que la moitié du visage, et ce fut elle qui le ramena à la vie. Elle amputa au niveau du coude le bras paralysé et inutile, broyé par l'énorme bête à la force redoutable. À quelque temps de là, le Mog-ur en exercice choisit pour acolyte l'enfant estropié et défiguré, lui apprenant qu'Ursus l'avait choisi, éprouvé et considéré digne de lui, emportant l'un de ses yeux en signe de ce qu'il se trouvait désormais sous sa protection. Il devait maintenant se sentir fier de ses cicatrices, lui recommanda-t-il, car elles représentaient les marques de son nouveau totem.

Ursus ne permit jamais à l'Esprit de Creb d'être englouti par une femme pour produire un enfant ; l'Ours des Cavernes n'offre sa protection qu'après avoir éprouvé ses élus. Si ces derniers étaient fort peu nombreux, les survivants à ses épreuves l'étaient encore moins. La perte d'un œil était un lourd tribut à payer, mais Creb n'en ressentait aucune amertume. Il était le Mog-ur et possédait l'intime conviction qu'Ursus n'avait jamais, au grand jamais, investi les précédents sorciers d'un pouvoir aussi formidable que le sien.

Saisissant son amulette, il pria l'Esprit du Grand Ours de lui révéler celui du totem protecteur de la fillette née parmi les Autres. Il se concentra sur l'enfant et sur le peu de choses qu'il savait d'elle. Elle est intrépide, pensa-t-il. Elle m'a ouvertement manifesté son affection, sans peur ni crainte de la censure du Clan. Voilà qui est rare chez une fille ; les filles ont plutôt tendance à se cacher derrière leur mère. Elle est curieuse et vive. Une image commença à se former dans son esprit, mais il la chassa. Non, c'est une fille, elle a besoin d'un totem féminin. Malgré ses efforts de concentration, l'image demeura persistante. Il voyait une troupe de lions en train de se chauffer paresseusement au soleil, paisiblement allongés dans les steppes. Parmi les lionceaux, l'un d'eux était une petite lionne, destinée à devenir la chasseresse de la troupe. Elle jouait avec intrépidité et donnait des coups de pattes audacieux sur le museau d'un gros lion qui la repoussait tendrement. Les lions des cavernes élèvent eux aussi leurs petits avec amour et fermeté, pensa Creb, en se demandant pourquoi lui était apparue cette scène.

Mog-ur fit encore quelques efforts pour dissiper sa vision, mais la scène ne s'évanouit nullement.

— Ursus, serait-ce le Lion des Cavernes ? interrogea Creb d'un geste. C'est un totem trop puissant pour une femme. À quel homme pourra-t-elle s'accoupler ?

Le Lion des Cavernes n'était le totem d'aucun homme du Clan, et en général, dans les autres clans, d'un nombre extrêmement restreint de mâles. Il vit en imagination la maigre fillette, aux bras et aux jambes droits, au visage plat et au front bombé, si pâle ; même ses yeux étaient trop clairs. Elle deviendrait une femme hideuse et aucun homme ne voudrait d'elle. Si elle était destinée à vivre seule, elle aurait besoin de la protection d'un totem très puissant. Mais quand même, le Lion des Cavernes !

Il est vrai que sans la protection de son totem, elle serait morte depuis longtemps, dévorée par ce lion énorme. Il l'avait attaquée sans la tuer... Voulait-il l'éprouver ? Une idée commençait à germer dans l'esprit de Creb. Brun lui-même ne pourrait faire la moindre objection. Le Lion des Cavernes l'avait marquée à la cuisse gauche de quatre sillons parallèles dont elle porterait toute la vie les cicatrices. Les rites de l'âge adulte exigent que Mog-ur marque du signe de son totem le corps d'un jeune homme. Or, le signe du Lion des Cavernes est justement quatre entailles parallèles dans la cuisse !

Les garçons sont marqués sur la cuisse droite ; mais Ayla est une fille et les cicatrices sont bien les mêmes, songea-t-il. Que n'y ai-je pensé plus tôt ! Le Lion, conscient de la difficulté qu'aurait le Clan à accepter une étrangère, l'a marquée du signe de son totem. Il désire qu'elle vive avec nous, c'est pourquoi il l'a éloignée de son peuple. Mais pour quelle raison ? Le sorcier se sentit soudain mal à l'aise, envahi par une vague appréhension mêlée d'un étrange espoir.

Jamais un totem ne s'était imposé à l'esprit de Mog-ur d'une manière aussi impérieuse et c'est précisément ce qui l'inquiétait. Le Lion des Cavernes est son totem, pensa-t-il. Il l'a choisie exactement comme Ursus m'a choisi. Mog-ur plongea son regard dans les sombres orbites du crâne placé devant lui, et avec une sincère humilité, il s'émerveilla de la façon dont les Esprits parvenaient à se faire comprendre. Tout était clair à présent. Un profond soulagement l'envahit en même temps qu'une immense fatigue.

V

Le camp silencieux se préparait pour la nuit à la faible lueur des braises du foyer. Iza vérifiait le contenu de ses bourses de peau rangées en bon ordre sur sa couverture, tout en jetant des regards inquiets dans la direction où elle avait vu disparaître Creb. Elle n'aimait pas le savoir seul, dans des bois inconnus, sans armes pour se défendre. La fillette dormait déjà, et à mesure que la nuit tombait, son inquiétude grandissait.

Quelques instants plus tôt, elle était allée se rendre compte de la variété des plantes qui poussaient aux alentours de la caverne, désireuse de réapprovisionner et d'étendre sa pharmacopée. Si elle ne se séparait jamais du petit sac en loutre où elle serrait des feuilles séchées, des fleurs, des racines, des graines et des écorces, elle considérait tous ces ingrédients comme des remèdes de premiers secours.

Iza vit enfin arriver le vieux magicien et, soulagée, lui fit chauffer son repas et mit de l'eau à bouillir pour son infusion favorite. Il s'approcha péniblement puis s'assit à ses côtés pendant qu'elle rangeait ses herbes.

— Comment va l'enfant ce soir ? lui demanda-t-il par gestes.

— Mieux. Elle n'a presque plus mal. Elle t'a réclamé, répondit Iza.

— Tu lui feras une amulette demain matin, Iza.

La femme baissa la tête en signe d'acquiescement, et se précipita pour surveiller le repas, incapable de rester en place tant sa joie était grande. Ayla allait donc vivre parmi eux. Creb a parlé à son totem, conclut-elle, le cœur battant. Les mères des deux autres enfants leur avaient confectionné des amulettes ce jour même, au vu et au su de tous, afin que le Clan apprenne que leurs rejetons connaîtraient bientôt leurs totems. Iza se demandait quel serait celui d'Ayla, mais s'abstint de poser la moindre question à Creb, qui d'ailleurs ne lui aurait sans doute pas répondu.

Elle déposa le repas aux pieds de son frère, et de l'infusion pour tous les deux. Assis l'un près de l'autre, ils se sentaient envahis par une douce et réconfortante tendresse.

— Les chasseurs partiront dans la matinée, dit Creb. S'ils font bonne chasse, la cérémonie se déroulera le lendemain. Tu seras prête ?

— Je viens de vérifier, il me reste suffisamment de racines. Je serai prête, lui indiqua Iza, en montrant sa petite sacoche. Le cuir en avait été teint en brun-rouge foncé, avec une poudre d'ocre rouge mélangée à la graisse d'ours qui avait servi à tanner la peau. Aucune autre femme ne possédait rien de teint en rouge sacré, mais toutes portaient sur leurs amulettes une petite marque d'ocre rouge. Je me purifierai demain matin, ajouta-t-elle.

Ils restèrent un long moment silencieux, puis Creb posa son bol et regarda sa sœur.

— Mog-ur va s'occuper de toi et de la fillette ; de ton enfant à naître aussi, si c'est une fille. Tu vas partager mon feu dans la nouvelle caverne, Iza, dit-il. Et, après avoir saisi son bâton, il se releva péniblement et alla se coucher.

Une telle révélation stupéfia Iza au plus haut point. Son compagnon ayant disparu, elle savait qu'un autre homme allait devoir se charger d'elle. Elle avait essayé vainement d'y penser le moins possible, et parmi les possibilités qui s'offraient à elle, sans qu'elle puisse d'ailleurs faire son propre choix, les unes ne la tentaient guère et les autres lui paraissaient inconcevables.

Il y avait Droog, seul depuis la mort de la mère de Goov. Iza le respectait ; il était le meilleur tailleur d'outils du Clan. Si n'importe qui était capable de tailler un bloc de silex pour confectionner une hachette ou un grattoir, Droog possédait quant à lui un réel talent. D'un seul coup, il faisait voler des éclats de la taille et de la forme qu'il avait choisies. Ses couteaux, ses grattoirs et autres instruments étaient hautement prisés. Si elle avait été libre de le faire, Iza aurait choisi Droog entre tous.

Malheureusement, il était plus probable qu'Aga serait donnée au tailleur de pierres. Elle était plus jeune qu'Iza et déjà mère de deux enfants. Son fils, Vorn, aurait bientôt besoin de la présence d'un mâle pour assumer son éducation en matière de chasse, et il fallait à la petite Ona un homme qui prenne soin d'elle. Droog accepterait sûrement de prendre aussi Aba, la vieille mère d'Aga.

Il était impensable, par ailleurs, qu'elle fût unie à Goov, le fils de Droog. Il était beaucoup trop jeune, et Brun ne lui donnerait jamais une vieille femme pour compagne.

Iza avait songé à partager le foyer de Grod et d'Uka qui vivaient avec Zoug, le compagnon de la mère de Grod. Grod était un homme distant et laconique, mais dépourvu de toute cruauté, et sa loyauté envers Brun ne faisait aucun doute. Il n'aurait pas déplu à Iza de devenir la seconde compagne de Grod. Mais Uka était la sœur d'Ébra et n'avait jamais pardonné à Iza son rang qui lui portait ombrage. En outre, elle ne s'était jamais consolée de la mort de son jeune fils, et sa fille Ovra ne parvenait pas à atténuer son chagrin. Ce foyer était trop mélancolique pour le goût d'Iza.

Quant au foyer de Crug, elle y avait à peine songé. Ika, sa compagne, la mère de Borg, était une jeune femme ouverte et aimable. Mais Iza ne s'était jamais bien entendue avec Dorv, le compagnon de la mère d'Ika, qui partageait le foyer des jeunes gens.

Restait Brun, dont elle ne pouvait devenir la seconde épouse, du fait qu'elle était sa sœur.

L'éventualité de partager le foyer de Creb ne l'avait pas effleurée un seul instant. Il n'était pas dans le Clan d'homme ou de femme auxquels elle fût plus attachée. De plus, il aimait Ayla, elle en était persuadée. C'était là un arrangement parfait, à moins qu'elle ne donnât le jour à un garçon.

Iza envisagea un moment de prendre une potion pour perdre l'enfant qu'elle attendait et s'assurer ainsi, une fois pour toutes, de ne pas avoir un garçon. Mais sa grossesse était déjà bien avancée et elle s'aperçut qu'elle désirait vraiment ce bébé. Malgré son âge, Iza avait de fortes chances de mener cet enfant à terme, et les enfants étaient trop précieux pour qu'on s'en débarrasse aussi légèrement. Je vais demander à mon totem que ce soit une fille, décida-t-elle.

Iza tenait de sa mère de nombreux remèdes magiques et secrets qu'elle avait utilisés sans jamais en parler à personne. L'un d'entre eux était destiné à empêcher la conception, à empêcher l'Esprit du totem d'un homme de concevoir un enfant.

Son compagnon la croyait dotée d'un totem trop puissant pour une femme et s'en plaignait fréquemment aux autres. Mais Iza désirait par-dessus tout l'humilier aux yeux du Clan. Et, en dépit des sévères corrections qu'il lui administrait dans le but de soumettre le totem de sa compagne, elle continua à faire usage de ses potions magiques. Toutefois, lorsqu'elle se découvrit enceinte, elle accepta son sort avec résignation et se raccrocha à l'espoir de donner le jour à une fille, non seulement pour continuer à humilier son époux, mais aussi pour prolonger sa lignée de guérisseuses.

Iza rangea sa sacoche et se glissa dans la fourrure, auprès de l'enfant qui dormait paisiblement. Ayla est vraiment favorisée par la chance, pensa-t-elle. Elle a découvert la nouvelle caverne, elle obtiendra le droit de rester avec moi, et nous allons partager le feu de Creb. Puisse sa chance me faire donner le jour à une fille. Iza serra la fillette dans ses bras en se blottissant contre le petit corps chaud.

Le lendemain, après le repas matinal, Iza fit signe à l'enfant de la suivre pour chercher des plantes le long du cours d'eau. Elle aperçut bientôt une clairière de l'autre côté de la rivière et passa sur l'autre rive. Il y poussait de grandes plantes aux feuilles mates, pourvues de petites fleurs vertes disposées en grappes épaisses. Iza cueillit quelques-unes de ces plantes aux racines rouges, puis se dirigea vers les marais où elle découvrit des joncs et, un peu plus haut, des saponaires. Ayla la regardait faire avec intérêt, désolée de ne pouvoir communiquer avec elle, la tête pleine de questions qu'elle était incapable de formuler.

De retour au campement, Iza remplit d'eau et de pierres brûlantes un panier finement tressé où elle ajouta les tiges de joncs. Puis, elle découpa avec un éclat de silex un morceau circulaire dans une couverture dont la peau, bien que souple, était assez rigide. À l'aide d'un instrument pointu, elle perça des petits trous au bord du cercle, dans lesquels elle passa une sorte de lien confectionné avec une écorce filandreuse torsadée qu'elle tira ensuite pour obtenir une petite bourse. Enfin, d'un coup de couteau, elle trancha un bout de la longue lanière de cuir qui maintenait fermé son vêtement, après en avoir mesuré la longueur en le passant autour du cou d'Ayla.

Une fois que l'eau se fut mise à bouillir, Iza ramassa les

plantes qu'elle venait de cueillir ainsi que le bol d'osier tressé, et retourna au ruisseau. La femme et la fillette longèrent son cours jusqu'à ce qu'elles découvrent un endroit où la rive descendait en pente douce dans l'eau. Iza se mit alors à écraser la racine de saponaire à l'aide d'un gros caillou rond dans une anfractuosité de la roche en forme de cuvette et il se forma bientôt une riche mousse savonneuse. Puis, elle ôta ses vêtements et ceux de la petite fille.

Ayla fut enchantée quand Iza la prit par la main pour la conduire dans l'eau. Mais après une immersion rapide, la femme la prit dans ses bras et la déposa sur le rocher où elle la savonna des pieds à la tête. Elle la rinça ensuite dans le courant après lui avoir appliqué une lotion à base de fougère, destinée à exterminer la vermine tapie dans ses cheveux. Ensuite Iza procéda sur sa personne aux mêmes ablutions pendant que la fillette jouait dans l'eau.

Après avoir musardé un long moment au soleil pour se sécher, la guérisseuse s'aperçut qu'il se faisait tard. Et soudain, consciente de ses responsabilités, elle décida qu'il était grand temps de songer à préparer l'amulette d'Ayla ainsi que le breuvage à base de racines.

— Ayla, cria-t-elle à l'enfant qui jouait encore dans l'eau.

La fillette arriva en courant, sans plus se préoccuper de sa jambe pratiquement guérie. Iza se dépêcha de s'envelopper dans sa peau de bête et, ramassant son grattoir et la petite bourse de sa confection, elle gagna avec Ayla la crête qui surplombait la rivière. Elle avait remarqué un fossé de terre rouge de l'autre côté. Parvenue sur les lieux, elle gratta le sol avec son bâton pour en détacher quelques particules d'ocre rouge qu'elle ramassa et tendit à Ayla. La fillette les examina, sans trop savoir ce qu'on attendait d'elle, et finit par en toucher une. Iza prit la pincée de terre et la serra dans la bourse qu'elle referma. Avant de se remettre en route, elle scruta les environs et aperçut de petites silhouettes qui se déplaçaient au loin dans la plaine au pied de la colline. Les chasseurs étaient partis de fort bonne heure ce matin-là.

Les six hommes s'étaient mis en route dès les premières lueurs de l'aube. De leur position dominante, ils virent le soleil pointer timidement à l'horizon puis étendre franchement ses rayons sur la campagne environnante. Ils couvrirent rapidement la distance qui les séparait des steppes.

Laissant derrière eux les collines, ils approchèrent du troupeau sous le vent et, une fois à proximité, se tapirent dans les hautes herbes. L'odeur douceâtre des bovidés agglutinés en masse compacte leur parvint aux narines, tandis que la terre vibrait du grattement de milliers de sabots.

Brun examina un long moment ces animaux aux robustes encolures surmontées d'une grosse bosse, aux flancs étroits, au crâne crépu d'où s'élançaient deux immenses cornes noires. Il étudia chaque bête afin de choisir sa proie. À le voir, il eût été fort difficile de deviner l'état de tension extrême dans lequel il se trouvait. Il participait à la chasse la plus importante de sa vie, celle dont dépendait leur installation dans la nouvelle caverne. Une bonne chasse, non seulement fournirait la viande indispensable au festin qui allait accompagner la cérémonie d'inauguration, mais serait la preuve que les totems du Clan approuvaient leur choix. Si les chasseurs rentraient bredouilles, le Clan se verrait contraint de repartir en quête d'une caverne plus digne des Esprits protecteurs. C'est ainsi que les totems se faisaient comprendre quand un choix était malheureux. Brun se sentait toutefois rassuré devant ce troupeau de bisons, incarnations de son propre totem.

Il jeta un coup d'œil à ses chasseurs qui attendaient anxieusement son signal. L'attente constituait de loin le moment le plus pénible, mais un mouvement prématuré pouvait compromettre l'issue de l'expédition. Dans la mesure du possible, Brun entendait bien mettre toutes les chances de son côté. Il surprit l'expression inquiète de Broud et, l'espace d'un instant, regretta de lui avoir confié la mise à mort. Puis il se rappela avec tendresse l'orgueil qui brillait dans les yeux du garçon lorsqu'il lui avait demandé de se préparer à sa première chasse.

Broud surprit le regard de Brun et maîtrisa aussitôt son anxiété, ou du moins la dissimula du mieux qu'il put. Il lui appartenait d'infliger au moins à la bête la première blessure efficace pour que la chasse lui revienne de droit. Broud serra fort sa lance et saisit son amulette en priant le Rhinocéros de lui donner courage et force.

Brun avait l'intention de laisser Broud courir sa chance, mais il avait prévu de rester à proximité de la bête pour la tuer lui-même en cas d'échec. Il espérait ne pas en arriver là. Broud était orgueilleux, mais Brun n'entendait aucunement sacrifier la caverne pour épargner une humiliation au fils de sa compagne.

Brun remarqua un jeune bison qui se tenait légèrement à l'écart du reste du troupeau. S'il avait déjà atteint son plein développement, il était encore jeune et inexpérimenté. Le chef attendit qu'il s'éloigne encore un peu et, une fois l'animal bien isolé, il donna le signal.

Les hommes se dispersèrent instantanément, Broud à leur tête. Brun les regarda se poster à intervalles réguliers, sans pour autant quitter des yeux le jeune bison. Sur un autre signe de lui, les hommes se précipitèrent vers le troupeau en poussant des hurlements et en agitant les bras. Pendant que les bêtes apeurées se regroupaient, Brun se mit à harceler celle qu'il avait isolée. Monopolisant toute son énergie, il poussait le bison aussi vite que ses jambes le lui permettaient, crachant et toussant, aveuglé par la poussière qui lui remplissait les narines et lui coupait le souffle. Hors d'haleine, à bout de forces, il vit que Grod venait prendre le relais.

Le bison vira de bord, aiguillonné par la poursuite de Grod. Les hommes couraient pour former un grand cercle destiné à rabattre la bête vers Brun qui, haletant, s'efforçait de lui couper toute issue. Le vaste troupeau cavalait à la débandade à travers la prairie. Il ne restait plus que le jeune bison pris de panique, fuyant devant une créature d'une force dérisoire comparée à la sienne, mais douée d'une intelligence et d'une détermination suffisantes pour compenser la différence. Grod, épuisé, céda à son tour la place à Droog.

L'endurance des chasseurs était considérable, mais le jeune bison luttait de toutes ses forces, inépuisables. Droog, de loin l'homme le plus grand du Clan, poussa la bête en avant et, dans un dernier sursaut d'énergie, l'empêcha de rejoindre le troupeau qui s'éloignait. Au moment où Crug prit le relais, l'animal accusait visiblement la fatigue. Il le força encore un peu, le touchant au flanc de sa lance.

Lorsque Goov prit sa suite, l'énorme bête titubante ralentit l'allure. Le bison éperdu courait à l'aveuglette, suivi de près par Goov qui s'efforçait d'user ses dernières forces. Brun s'avança également et entendit Broud pousser un cri au moment où il s'élançait à la poursuite du bison. Sa course fut de courte durée. La bête n'en pouvait plus. Elle ralentit, puis s'arrêta net, les flancs fumants, la tête baissée, la gueule écumante. Sa lance bien en main, le jeune garçon s'approcha du taureau épuisé.

Avec la justesse d'appréciation que lui conférait une longue expérience, Brun jugea d'un coup d'œil la situation et décida de laisser entièrement à Broud l'honneur de la chasse. Sans donner au bison le temps de reprendre son souffle, le garçon fondit sur lui, la lance levée. Avec une dernière pensée pour son totem, il prit son élan et la planta profondément dans le flanc de la bête. La pointe durcie au feu perça le cuir épais et fracassa une côte, portant un coup prompt et fatal à l'animal. Le bison beugla de douleur et, les jambes flageolantes, fit un effort désespéré pour charger son adversaire. Brun prévint la menace en s'élançant aux côtés de son fils et en abattant sa massue sur le crâne de la bête de toute la force de ses muscles puissants. Le bison s'écroula sur le flanc, battit l'air de ses sabots et, après quelques soubresauts, cessa de bouger.

Broud resta quelques secondes stupéfait et légèrement étourdi, puis poussa un hurlement de triomphe. Il avait réussi sa première chasse ! Il était enfin un homme ! Exultant, il saisit sa lance, profondément enfoncée dans le flanc de l'animal, et en l'arrachant, sentit un jet de sang chaud lui gicler au visage. Brun, plein de fierté, lui tapa sur l'épaule.

— Bien joué, lui signifia-t-il d'un geste éloquent, tout heureux de pouvoir compter dans ses rangs ce nouveau chasseur, ce vaillant chasseur qui faisait sa joie et sa fierté, le fils de sa compagne, l'enfant de son cœur.

La caverne leur appartenait désormais. La cérémonie rituelle scellerait définitivement une possession que la mise à mort de Broud leur avait assurée : les totems étaient satisfaits de leur choix. Broud brandit sa lance maculée de sang tandis qu'accouraient les chasseurs, tout joyeux à la vue de la bête abattue. Brun dégaina son couteau, prêt à ouvrir le ventre du bison pour l'étriper avant de le transporter à la caverne. Il ôta le foie, le découpa en tranches et en donna un morceau à chacun des chasseurs. C'était un morceau de choix, exclusivement réservé aux hommes, destiné à leur conférer force et acuité visuelle. Puis il trancha le cœur qu'il enterra auprès de l'animal pour en faire présent à son totem.

En mâchant le foie chaud et cru, Broud goûta pour la première fois la saveur de l'âge adulte et crut que son cœur allait exploser de bonheur. Il allait être intronisé en tant qu'homme dans le Clan lors de la cérémonie sanctifiant la caverne. Il conduirait la danse de la chasse, il participerait aux rites secrets de la petite caverne, et il aurait allègrement donné sa vie rien que pour avoir vu l'orgueil qui se lisait sur le visage de Brun. Broud savourait déjà l'intérêt qu'il susciterait au sein du Clan, sans compter le respect et l'admiration qui lui reviendraient assurément. Le Clan entier ne résonnerait que du récit de ses prouesses. Cette nuit serait sa nuit.

Les hommes attachèrent deux à deux les pattes du bison, au-dessus de la jointure des genoux. Grod et Droog lièrent leurs lances ensemble, imités par Crug et Goov, et obtinrent ainsi deux perches fort résistantes qu'ils glissèrent transversalement entre les pattes avant et entre les pattes arrière. Brun et Broud saisirent chacun l'animal par une corne ; Grod et Droog se placèrent de part et d'autre du bison pour porter la perche avant et Crug et Goov procédèrent de même pour celle de derrière. Au signal de leur chef, les six hommes se mirent en branle, moitié traînant, moitié soulevant l'énorme bête. Le voyage du retour dura plus longtemps que celui de l'aller. Les porteurs peinaient de toutes leurs forces pour transporter leur fardeau à travers les steppes jusqu'à la caverne.

Oga, qui guettait le retour des chasseurs, les aperçut au loin dans les plaines. En arrivant dans la montagne, ils découvrirent que le Clan au complet les attendait pour les escorter pendant la fin du trajet. La position de Broud en tête du cortège indiquait clairement la part qu'il avait prise dans cette chasse. L'enthousiasme était général et Ayla elle-même, sans trop comprendre ce qui se passait, se sentait déborder d'allégresse.

VI

— Le fils de ta compagne s'est bien comporté, Brun. Ce fut une belle mise à mort, dit Zoug, tandis que les chasseurs déposaient l'énorme animal devant la caverne. Tu peux te sentir fier de ton nouveau chasseur.

— Il s'est montré vaillant et courageux, répondit Brun, en tenant Broud par les épaules, les yeux brillants de fierté.

Zoug et Dorv admirèrent le jeune bison avec un soupçon de nostalgie pour les plaisirs de la chasse et l'excitation du succès, oubliant les dangers et les découragements qui accompagnent souvent la périlleuse aventure de la poursuite du gros gibier. Incapables de se joindre à l'expédition des jeunes, les deux vieillards avaient passé la matinée à écumer les bois environnants à la recherche de petit gibier.

— Je vois que Dorv et toi n'avez pas perdu votre temps, à en juger par le fumet du repas qui se prépare, ajouta Brun. Quand nous serons installés dans la nouvelle caverne, nous tâcherons de trouver un endroit pour entraîner les chasseurs à tirer à la fronde, Zoug. Le Clan aura tout à gagner à ton enseignement.

Le chef désirait faire savoir aux anciens combien ils étaient encore précieux pour la communauté. Quand les chasseurs rentraient bredouilles, il arrivait fréquemment aux plus vieux d'approvisionner le Clan en viande fraîche, tout particulièrement pendant les longs mois d'hiver, où la fronde se révélait une arme particulièrement efficace par temps de neige. Ils apportaient alors un agréable changement dans l'alimentation du Clan, généralement obligé de puiser dans ses réserves de viande séchée.

Depuis la mort de sa compagne, Zoug partageait le foyer de Grod et travaillait à parfaire son tir à la fronde, qui restait pour les hommes du Clan l'arme la plus difficile à manier. La puissante musculature de leurs bras légèrement arqués ne les empêchait guère de se livrer à des exercices précis et délicats comme l'exigeait le maniement de la fronde, mais l'épaisseur de leurs articulations restreignait considérablement l'agilité de leurs membres.

Pendant que Zoug et Dorv arpentaient les collines à la recherche de petit gibier, les femmes avaient également exploré les alentours, et le fumet appétissant du repas aiguisait la faim des chasseurs qui n'eurent pas longtemps à attendre.

Une fois rassasiés, les hommes firent le récit de leur chasse tant pour leur propre plaisir que pour celui de Zoug et Dorv. Broud, fier de son nouveau rang dans le Clan et des chaudes louanges qu'on lui prodiguait, remarqua que Vorn le regardait avec admiration. Jusqu'alors, ils étaient encore des enfants tous les deux. Broud se revit à attendre le retour des chasseurs, comme Vorn le faisait encore. Il ne lui arriverait jamais plus désormais de se sentir tenu à l'écart par les hommes lorsqu'il les écoutait raconter leurs histoires ; il ne serait jamais plus soumis aux ordres de sa mère et des autres femmes lui commandant d'aider aux tâches ménagères. A présent, il était un homme, un chasseur. Il ne lui restait plus qu'à attendre la cérémonie qui se déroulerait conjointement à celle de l'inauguration de la caverne pour voir son statut d'adulte confirmé.

Certes, il se trouvait au rang le plus bas de la hiérarchie, mais ne s'en préoccupait guère. Cela ne durerait pas : sa place dans le Clan était fixée d'avance. En tant que fils de la compagne du chef, le commandement du Clan lui reviendrait un jour. Aujourd'hui, Broud pouvait se permettre de se montrer bon et généreux envers le petit Vorn.

— Vorn, je pense que tu es assez grand, lui fit-il comprendre avec de grands gestes emphatiques afin de souligner sa virilité. Je vais te fabriquer une lance. Il est grand temps que tu commences ton entraînement pour la chasse.

Vorn se tortilla de plaisir, les yeux brillants d'admiration devant le jeune homme élevé depuis peu au rang convoité de chasseur.

— C'est vrai, acquiesça-t-il vigoureusement. Je suis grand à présent, Broud. Puis, montrant la lance à la pointe rougie de sang : Je peux toucher ?

Brout mit la pointe de la lance à la hauteur du petit garçon qui tendit une main timide et effleura le sang séché de l'énorme bison gisant devant la caverne.

— Tu as eu peur, Broud ? demanda-t-il.

— Brun dit que tous les chasseurs sont un peu nerveux la première fois, répondit Broud, sans vouloir avouer ses appréhensions.

— Vorn ! Ah, te voilà enfin ! Je croyais que tu devais aider Oga à ramasser du bois, s'exclama Aga en apercevant son fils qui avait échappé à l'attention des femmes. Vorn suivit sa mère à contrecœur sans quitter des yeux sa nouvelle idole. Brun avait assisté à la scène avec satisfaction. Il voyait dans l'attitude du fils de sa compagne la marque d'un chef, capable de manifester de l'intérêt pour un petit garçon. Plus tard, Vorn s'en souviendrait.

Broud regarda Vorn qui traînait les pieds dans le sillage de sa mère. La veille encore, se rappela-t-il, Ébra était venue lui demander de l'aider. Désormais, ma mère ne peut plus me commander, pensa-t-il. Je ne suis plus un enfant, je suis un homme. Elle doit m'obéir...

— Ébra ! apporte-moi de l'eau ! ordonna-t-il sur un ton impérieux, redoutant quelque peu que sa mère ne lui signifie tout de même d'aller chercher du bois. Après tout, il serait réellement considéré comme un homme après la cérémonie seulement.

Ébra contempla, rayonnante de fierté, son garçon qui venait de s'acquitter si brillamment de sa périlleuse mission, son fils, aujourd'hui devenu un homme. Elle se précipita vers la mare près de la caverne et revint aussitôt avec de l'eau, en dévisageant ses compagnes d'un air hautain.

L'empressement et l'orgueil de sa mère adoucirent la crispation de Broud qui la gratifia d'un grognement de reconnaissance. La réponse d'Ébra lui fit presque autant plaisir que le regard d'Oga posé sur lui.

Oga avait eu le plus grand mal à se remettre de la mort de sa mère, suivie de peu par celle du compagnon de celle-ci. Le couple chérissait tendrement la jeune fille, en dépit de son sexe. La compagne de Brun s'était montrée très gentille avec elle lorsqu'elle vint vivre dans le foyer du chef. Mais Oga avait peur de Brun, plus sévère que le compagnon de sa mère. Quant à Ébra, elle avait peu de temps à consacrer à la petite orpheline. Mais un soir qu'elle songeait seule près du feu, Broud, le fier, était venu s'asseoir à côté d'elle et l'avait prise par les épaules.

Débordante de gratitude envers lui qui, auparavant, n'avait jamais porté la moindre attention à sa personne, Oga vivait depuis ce jour dévorée par le désir de devenir la compagne du jeune homme.

Le soleil de cette fin d'après-midi était encore chaud et aucun souffle de vent ne venait troubler l'air chargé de l'inlassable bourdonnement des mouches qui se relayaient autour des reliefs du repas. Ayla, assise auprès d'Iza, ne l'avait pas quittée de toute la journée, mais à présent la guérisseuse devait accomplir certains rites en compagnie de Mog-ur, afin de se préparer au rôle important qu'elle aurait à jouer lors de la cérémonie d'inauguration de la caverne, fixée pour le lendemain. Elle conduisit la petite fille aux cheveux blonds auprès des femmes occupées à creuser un large trou qu'elles tapisseraient de pierres avant d'y allumer un grand feu qui brûlerait toute la nuit. Au matin, elles déposeraient au fond le bison dépecé et coupé en quartiers enveloppés de feuilles, puis recouvert d'argile sous laquelle il cuirait jusqu'au soir.

Les femmes s'arrêtèrent de travailler en voyant arriver Iza, tenant Ayla par la main.

— Il faut que je voie Mog-ur, dit Iza en poussant gentiment Ayla vers le groupe ; puis elle s'éloigna rapidement après avoir fait comprendre à la petite fille qu'elle ne devait pas la suivre.

C'était le premier contact d'Ayla avec les autres membres du Clan. Loin de la présence réconfortante d'Iza, elle resta clouée sur place, les yeux baissés. A l'encontre de toute bienséance, tout le monde examina avec insistance la fillette maigrichonne, saisissant cette occasion qui se présentait pour la première fois.

— Elle peut ramasser du bois, fit comprendre d'un geste Ébra à Ovra.

Elle se dirigea vers un bouquet d'arbres en appelant d'un signe Oga et Vorn fascinés par Ayla. Ovra fit le même geste à l'adresse d'Ayla qui ne comprit pas très bien ce que l'on attendait d'elle, mais qui, après quelque hésitation, se décida à suivre les deux enfants.

Ayla regarda Oga et Vorn occupés à ramasser des branches mortes tandis qu'Ovra élaguait de plus grosses bûches avec sa hachette de pierre. Oga faisait la navette entre le tas de bois et les rondins que taillait Ovra. Elle s'efforçait de traîner une énorme bûche quand Ayla se porta à son aide en prenant l'autre extrémité. Les deux petites filles se dévisagèrent un long moment.

Quoique fondamentalement différentes, elles possédaient de nombreux points communs. Issues d'une origine identique, leurs ancêtres avaient suivi une évolution différente qui conférait aux deux enfants une intelligence vive, mais totalement dissemblable. Elles étaient à peu près de la même taille, bien que l'aînée soit deux fois plus âgée que sa compagne. L'une était fine et blonde, l'autre courtaude et brune. Mais avant la fin de la journée, elles avaient complètement oublié leurs différences, partageant toutes les corvées et trouvant même le moyen de s'amuser ce faisant.

Ce soir-là, elles dînèrent côte à côte, découvrant les premières joies de l'amitié. Heureuse de ce qu'Oga ait accepté Ayla comme compagne de jeu, Iza attendit la dernière minute pour la coucher. Les deux fillettes se séparèrent et Oga se glissa dans la fourrure d'Ébra, obligée, ainsi que le reste du Clan, à dormir séparée de son compagnon jusqu'à leur emménagement dans la nouvelle caverne. Ainsi en avait décidé Mog-ur.

Iza ouvrit les yeux aux premiers rayons du soleil. Elle resta allongée à écouter le chant intarissable des oiseaux saluant le jour nouveau. D'ici peu, pensa-t-elle, elle s'éveillerait dans la caverne. Non qu'il lui coûtât de dormir à la belle étoile, mais il lui tardait de retrouver la sécurité des parois d'une grotte. Elle pensa à la cérémonie qui allait se dérouler et elle se leva promptement, sans faire de bruit.

Creb était déjà réveillé. Iza se demanda même s'il avait dormi, car elle le trouva exactement comme il était la veille, assis devant le feu. Elle mit de l'eau à chauffer, et quand elle lui apporta son infusion de menthe, d'alfa et d'ortie, Ayla était déjà assise auprès du vieil homme.

Vers la fin de l'après-midi, des fumets exquis s'échappaient des multiples feux où mijotait le festin, aux abords de la caverne. Le repas de fête promettait d'être à la hauteur des circonstances. Ayla avait passé la journée à errer autour des plats fumants ; Iza et Creb semblaient extrêmement affairés ; quant à Oga, elle aidait les femmes à la cuisine. Personne n'avait le temps ni le moindre désir de s'occuper de la petite fille qui, après s'être fait rabrouer à plusieurs reprises, s'efforça de se tenir à distance.

Tandis que le soleil couchant allongeait les ombres autour de la caverne, un silence attentif s'abattit sur le Clan. Tout le monde s'approcha de la fosse où mijotaient les quartiers de bison. Ébra et Uka commençaient déjà à retirer l'argile chaude qui recouvrait la bête ; et, ôtant la couche de feuilles roussies, elles découvrirent l'appétissant gibier. La viande fut extraite du foyer avec précaution, tant la chair cuite à point risquait de se détacher. Puis le soin de la découper et de servir échut à Ébra, la compagne du chef, qui, avec orgueil, offrit le premier morceau à son fils.

Broud s'avança pour recevoir son dû, sans afficher la moindre modestie. Une fois les hommes servis, les femmes, puis les enfants, reçurent leur part, la dernière étant réservée à Ayla, et un grand silence s'instaura au sein du Clan fort occupé à dévorer la viande savoureuse.

Ce fut un interminable festin où chacun eut tout le loisir de se resservir autant qu'il le voulait. Si les femmes avaient travaillé dur, le nombre des éloges les récompensèrent largement de leur peine, ainsi que la pensée de ne plus avoir à cuisiner de plusieurs jours.

À la tombée de la nuit, l'atmosphère doucement paresseuse de l'après-midi se chargea peu à peu de fébrilité. Sur un regard de Brun, les femmes firent rapidement disparaître les reliefs du repas et prirent place autour du foyer éteint, à l'entrée de la caverne. La disposition apparemment spontanée des membres du Clan obéissait cependant à des règles très strictes, correspondant au statut de chacun. Assises d'un côté de la fosse, les femmes avaient pris place en fonction de leur rang ; de l'autre côté, les hommes s'étaient placés selon leur position hiérarchique, mais Mog-ur ne se trouvait pas parmi eux.

Brun fit signe à Grod qui s'avança dignement, sans se presser, et sortit de sa corne d'auroch le charbon ardent provenant en ligne directe du feu allumé dans l'ancienne caverne. La survie de ce feu était étroitement liée à celle du Clan, et les hommes se devaient de le maîtriser parfaitement, car il était essentiel en ces régions froides. La fumée même possédait, croyaient-ils, certaines vertus, comme celle d'éloigner les forces du mal et d'assainir la caverne.

Avec une gravité à la mesure de l'importance de sa tâche, Grod s'agenouilla, déposa la braise rouge sur un tas de brindilles, puis se mit à souffler dessus. Le bois sec s'embrasa d'un seul coup et soudain, sortant de nulle part, un personnage effrayant surgit des flammes, à ce qu'il sembla. Un crâne blanc surmontait son visage rouge vif qui paraissait flotter au milieu du brasier.

Les chasseurs frappèrent en cadence le sol de leurs lances tandis que Dorv marquait le rythme sur une grande calebasse en bois. Broud s'accroupit, la main en visière pour se protéger d'un soleil imaginaire, bientôt imité par les autres chasseurs qui mimèrent avec lui la chasse au bison. Grâce à la finesse et à la précision de leur pantomime, parfaite par des siècles de communication par gestes, ils parvinrent à recréer l'intense émotion de la chasse. L'étrange fillette blonde était captivée par la fascination de la scène. Les femmes se sentaient transportées dans les plaines torrides où elles entendaient le tonnerre des sabots raclant le sol, partageant l'exaltation de la mise à mort avec les chasseurs.

Broud avait pris la direction de la danse. Sensible aux réactions de son auditoire et à la peur des femmes, il accusait de plus belle ses mimiques, savourant le plaisir de se voir le centre de l'attention générale. Mog-ur, qui le regardait à travers les flammes, n'était pas le moins impressionné ; s'il avait souvent entendu les hommes faire le récit de leurs chasses, il ne partageait réellement leur émotion qu'à l'occasion de ces fêtes.

Le dernier bond du jeune homme le fit atterrir devant le puissant sorcier, accompagné par un dernier roulement de tambour. Le vieux magicien et le jeune chasseur se firent face. Mog-ur lui aussi connaissait bien son rôle. Le maître de cérémonie, dont la silhouette bancale malgré la peau d'ours qui l'enveloppait se détachait sur le fond du brasier, attendit que l'excitation de la danse se fût apaisée. Son visage teinté d'ocre rouge lui donnait l'apparence d'un être surnaturel.

Seuls les craquements du feu, la brise soufflant à travers les arbres et le cri d'une hyène dans le lointain venaient troubler le silence de la nuit. Les yeux brillants, le cœur battant, Broud ne parvenait pas à reprendre son souffle, après la danse exténuante, mais aussi en raison de la peur incontrôlable qui l'envahissait soudain. Il savait ce qui l'attendait, mais plus le temps passait, plus ses frissons se transformaient en tremblements. Le moment où Mog-ur allait imprimer dans sa chair la marque de son totem était arrivé.

Il allait pénétrer dans le monde des Esprits, bien plus terrifiant que tous les bisons de la terre, qui sont au moins des créatures réelles et palpables, appartenant au monde visible, sans rien de commun avec le monde surnaturel puissant et invisible, capable de faire trembler la terre. Le jeune homme souhaitait de tout son cœur que Mog-ur en finisse au plus vite.

En réponse au désir muet de Broud, le sorcier leva le bras, les yeux rivés sur le croissant de lune. Alors, il adressa un appel passionné au monde des Esprits, capables de comprendre les gestes lents et éloquents de ce corps difforme et de cet unique bras. Lorsqu'il eut terminé, le Clan fasciné était pénétré de l'Esprit des totems protecteurs.

Soudain, avec une rapidité qui fit sursauter plus d'un membre de l'assistance, le sorcier fit surgir de sa fourrure une pierre acérée qu'il brandit au-dessus de sa tête. D'un geste vif, il la plongea sur la poitrine de Broud, comme s'il allait lui porter un coup fatal. Mais il lui fit seulement deux entailles superficielles incurvées, se rejoignant en un point, telle la corne du Rhinocéros.

Broud ferma les yeux, mais ne tressaillit pas quand le couteau lui laboura la chair. Le sang jaillit, laissant des sillons rouges le long du torse. Puis Goov vint se placer à côté du sorcier, tenant un bol d'onguent à base de graisse de bison mélangée à de la cendre de frêne. Mog-ur fit pénétrer la pommade noirâtre dans les entailles, interrompant l'hémorragie et assurant ainsi la formation d'une cicatrice noire. Elle indiquerait que Broud était un homme ; un homme placé sous l'éternelle protection du Rhinocéros, aussi puissant qu'imprévisible.

Ayla assista au rite, fascinée et terrorisée par la vue du sang. Elle essaya de s'enfuir lorsqu'Iza la conduisit auprès du sorcier, se demandant ce qu'allait lui faire ce personnage vêtu d'une peau d'ours. Aga, portant Oga dans les bras, et Ika avec Borg, s'approchèrent aussi de Mog-ur, ce qui la rassura.

Goov tenait à présent un panier d'osier coloré par l'ocre rouge sacrée réduite en poudre et mélangée avec de la graisse animale. Mog-ur s'adressa de nouveau à la lune, haute dans le ciel, en exécutant les gestes conventionnels pour demander aux Esprits de veiller sur les enfants dont le totem allait leur être révélé. Puis, plongeant ses doigts dans la pâte rouge, il dessina une spirale sur la hanche du petit garçon, évoquant la queue d'un sanglier. Un murmure étouffé s'éleva de l'assistance qui, par gestes, commentait éloquemment le bien-fondé d'un tel choix.

— Esprit du Sanglier, Borg se trouve désormais sous ta protection, indiqua par signes le sorcier tout en passant autour du cou de l'enfant une petite bourse attachée avec une lanière de cuir.

Ika baissa la tête en signe d'approbation. Elle était satisfaite de ce totem fort et respectable.

Le sorcier s'adressa de nouveau aux Esprits, puis dessina un cercle rouge sur le bras d'Ona.

— Esprit du Hibou, mima-t-il, Ona se trouve désormais sous ta protection.

Mog-ur passa au cou de la petite fille l'amulette que lui avait confectionnée sa mère et une fois encore les gestes et les grognements allèrent bon train. Aga était heureuse pour sa fille, convenablement protégée d'ores et déjà, et qui plus tard se verrait à coup sûr attribuer un compagnon au totem encore plus puissant.

Le groupe se pressa vers l'avant avec curiosité quand Iza prit Ayla dans ses bras. La fillette n'était plus le moins du monde effrayée. En s'avançant, elle avait reconnu Creb sous l'inquiétant maquillage rouge. La tendresse se lisait dans les yeux du sorcier lorsqu'il posa son regard sur elle.

À la grande surprise de l'assistance, le sorcier n'exécuta aucun des gestes auxquels on s'attendait, mais ceux qu'il avait coutume d'accomplir lorsqu'il devait donner son nom à un nouveau-né, sept jours après sa naissance. Non seulement la fillette allait connaître son totem, mais elle allait être adoptée par le Clan ! Mog-ur traça une ligne rouge sur le visage de l'enfant, partant du milieu du front et descendant le long de l'arête du nez.

— L'enfant s'appelle Ayla, déclara-t-il en prononçant lentement son nom, de manière que le Clan et les Esprits le comprennent bien.

Iza se retourna vers l'assistance, le cœur battant, aussi stupéfaite que les autres devant cette révélation. Cela signifie donc, pensa-t-elle, qu'Ayla est ma fille, mon premier enfant. Seule la mère a le droit de présenter son enfant pour qu'il reçoive un nom.

Tous les membres du Clan défilèrent devant Iza, qui portait la fillette de cinq ans comme un bébé, et tous répétèrent le nom avec plus ou moins d'exactitude. Puis, Iza se retourna vers le sorcier qui, une fois encore, appela les Esprits. Utilisant à son avantage l'attention impatiente du Clan, Mog-ur décrivit délibérément de larges mouvements lents, pour bien faire durer l'expectative. Puis prenant du bout des doigts une noisette de pâte rouge, il traça une ligne sanglante sur la cuisse d'Ayla, exactement superposée à la première des cicatrices laissées par les griffes du félin.

Le Clan, interdit, se sentait complètement dérouté. Quelle signification pouvait bien revêtir ce dessin ? Le magicien plongea de nouveau la main dans le panier rouge et dessina une seconde ligne sur la cicatrice suivante. Ayla sentit Iza frémir. Personne ne bougea, chacun retenant sa respiration. Au troisième tracé, Brun jeta un regard insistant à Mog-ur. A la quatrième ligne, tout le monde avait compris, mais personne ne pouvait en croire ses yeux. Après tout, ce n'était pas la bonne jambe. Alors Mog-ur leva la tête et regarda Brun.

— Esprit du Lion des Cavernes, Ayla se trouve désormais sous ta protection.

Le geste consacré balaya les derniers doutes. Les mains s'agitèrent en tous sens, révélant la stupeur du Clan, quand Mog-ur passa l'amulette au cou d'Ayla. Comment était-ce possible ? Une fille pouvait-elle posséder l'un des plus puissants totems masculins, le Lion des Cavernes ?

Le regard de Creb à son frère était aussi ferme qu'intraitable. Ils s'affrontèrent ainsi un long moment en un combat silencieux. Mais Mog-ur se sentait sûr des raisons qui avaient inspiré son choix. Il s'était contenté de reconnaître le signe que lui avait fait le Lion des Cavernes en commençant lui-même par marquer la petite fille. Brun n'avait jusqu'alors jamais mis en question les révélations reçues par son frère, mais cette fois-ci, il se sentait floué par le magicien. Mécontent, il fut le premier à détourner les yeux.

Stupéfaite, Iza baissa la tête en signe d'acceptation. Puisque Mog-ur l'avait décidé, il devait en être ainsi. Elle savait que le totem d'Ayla était puissant, mais de là à penser au Lion des Cavernes ! A présent, elle était convaincue que la petite fille ne trouverait jamais de compagnon, et cette certitude l'encouragea dans sa décision de lui transmettre son savoir de guérisseuse, afin qu'elle puisse jouir d'un statut particulier.

Le Clan se trouvait dans un émoi indescriptible, que trahissaient des gestes et des sons précipités. Iza, gênée, reprit sa place, environnée par les yeux étonnés des hommes aussi bien que des femmes. Comme un regard trop insistant était considéré comme une inconvenance, tous s'efforçaient de ne pas fixer Iza et la fillette, tous, sauf un.

Il y avait plus que de l'étonnement dans les yeux de Broud. La haine qu'Iza y lut l'effraya, et elle tenta de s'interposer entre Ayla et le regard malveillant de l'orgueilleux jeune homme. Broud n'était plus le centre de l'attention générale ; plus personne ne parlait de lui. Oubliée sa chasse, oubliés sa danse merveilleuse et son courage exemplaire lorsque Mog-ur lui avait gravé sur le torse la marque de son totem. Plus personne ne faisait attention à lui. Il entendit certains rappeler que la caverne avait été découverte grâce à Ayla. Ayla était en train de lui voler son plaisir, l'admiration et le respect qu'il méritait du Clan.

Entre-temps, Iza était retournée au campement pour ôter sa peau de bête et prendre l'écuelle en bois et les racines séchées qu'elle avait préparées pour la cérémonie. Après avoir rempli d'eau l'écuelle, elle regagna le gigantesque feu de joie qui crépitait de plus belle depuis que Grod y avait ajouté des branchages.

Lorsque la guérisseuse s'avança devant le sorcier, elle était complètement nue, à l'exception de son amulette et des raies tracées sur son corps à la peinture rouge. Un large cercle accentuait encore la plénitude de son ventre ; des cercles plus petits soulignaient également ses seins et ses fesses. Ces symboles énigmatiques, connus de Mog-ur seul, étaient destinés à sa protection aussi bien qu'à celle des hommes.

Iza se tenait aux côtés de Mog-ur, si près du sorcier qu'elle pouvait distinguer les gouttelettes de sueur qui perlaient sur son visage à se tenir trop près du feu dans sa peau d'ours. Sur un signe imperceptible de lui, elle leva l'écuelle en se tournant face au Clan. C'était une écuelle très ancienne, exclusivement consacrée à certains rites depuis des générations. Il y avait très longtemps de cela, une guérisseuse avait soigneusement évidé et façonné un petit billot taillé dans un arbre, puis l'avait longuement poli, en le ponçant avec du sable et une pierre ronde. L'intérieur de l'écuelle avait pris une patine blanche due à de fréquents usages à l'occasion des rites où l'on s'en servait pour contenir le breuvage cérémoniel.

Iza mit les racines séchées dans sa bouche et les mâcha lentement, en prenant bien soin de ne pas en avaler. Puis elle cracha la pulpe ainsi obtenue dans l'écuelle remplie d'eau et remua le mélange jusqu'à ce qu'il devienne d'un blanc laiteux. Cette plante, bien que connue, était relativement rare et présentait, fraîche, de piètres qualités narcotiques. Mais la guérisseuse en avait fait sécher les racines pendant au moins deux ans, suspendues la tête en haut, contrairement à la pratique courante. Si seules les guérisseuses étaient habilitées à préparer ce breuvage, seuls les hommes avaient le droit de le boire.

Selon une très ancienne légende, transmise de mère en fille, en des temps très reculés seules les femmes absorbaient cette drogue puissante. Mais bientôt, les hommes les privèrent de ce privilège ainsi que de celui d'exécuter les rites correspondants, mais ils ne purent leur arracher le secret de sa préparation. Les guérisseuses qui le possédaient refusèrent avec intransigeance de le dévoiler à quiconque, si ce n'est à leurs descendantes directes.

Une fois la boisson prête, Iza fit un signe de tête à Goov qui s'avança avec un bol de datura destiné aux femmes. Ils échangèrent cérémonieusement les écuelles et les hommes se retirèrent dans la petite caverne, Mog-ur en tête.

Après leur départ, Iza fit passer le datura à la ronde parmi les femmes. La guérisseuse savait utiliser cette plante à des fins différentes : selon le mode de préparation, elle pouvait servir d'anesthésiant, de calmant, de soporifique ou de sédatif pour les enfants. Lors des rares occasions où les femmes s'offraient le luxe d'une cérémonie, c'est ainsi qu'Iza s'assurait de leur sommeil profond.

Les femmes couchèrent leurs enfants tout ensommeillés avant de retourner auprès du feu. Après avoir bordé Ayla dans sa fourrure, Iza retourna l'écuelle dont Dorv s'était servi pendant la danse de la chasse et se mit à battre un rythme lent et régulier dont elle faisait varier la sonorité en frappant à son gré sur les bords ou bien au centre de l'instrument.

Au début, les femmes demeurèrent assises, sans bouger, habituées à manifester la plus grande réserve en présence des hommes. Mais petit à petit, à mesure qu'elles ressentaient les effets de la drogue et prenaient conscience de l'absence de leurs compagnons, certaines commencèrent à se balancer en suivant le rythme solennel. Ébra fut la première à se lever. Elle exécuta des pas complexes tout autour d'Iza qui accéléra le tempo, éveillant le désir d'un grand nombre de femmes. Quelques instants plus tard, elles avaient toutes rejoint la compagne du chef et, avec une débauche de tourbillons, de sauts, de bonds et de contorsions, elles dansèrent jusqu'à l'aube où elles s'écroulèrent épuisées et s'endormirent sur place.

Les hommes commencèrent à quitter la caverne aux premières lueurs du jour. Enjambant le corps inerte des femmes, ils gagnèrent leurs couches pour sombrer aussitôt dans un sommeil sans rêves.

Lorsque le soleil apparut à l'horizon, Creb sortit de la caverne en claudiquant et contempla le spectacle de ces corps abandonnés. Il avait eu le privilège d'assister une fois à la cérémonie des femmes. Le vieux magicien, dans sa sagesse, comprenait leur besoin de détente. Il savait les hommes extrêmement curieux d'apprendre ce qui mettait leurs compagnes dans un tel état d'épuisement, mais il ne leur avait jamais rien révélé.

Mog-ur s'était souvent demandé s'il serait capable de faire remonter la pensée des femmes jusqu'à leurs origines premières. Leurs souvenirs étaient de nature différente, mais elles avaient la même capacité que les hommes de se rappeler leurs connaissances ancestrales. Pourraient-elles partager les rites des mâles, se demandait Mog-ur, bien décidé cependant à ne pas risquer de déchaîner la colère des Esprits pour en avoir le cœur net. Le Clan irait à sa perte le jour où une femme serait admise aux cérémonies masculines.

Creb se dirigea péniblement vers le campement où il retrouva sa fourrure. Il aperçut une masse de cheveux blonds étalés sur celle d'Iza et se prit à repenser aux événements survenus depuis l'éboulement de l'ancienne caverne. Comment cette étrange fillette était-elle parvenue à gagner aussi vite son affection ? Il se sentait blessé par les sentiments hostiles de Brun à l'égard d'Ayla. Quant aux regards haineux de Broud, ils ne lui avaient pas échappé. Les dissensions au sein de ce petit groupe homogène et fermé avaient gâté la fête et fait naître un certain malaise chez lui.

Le vieillard se rendit compte en s'allongeant combien il était fatigué. Depuis le tremblement de terre, pour la première fois, il pouvait se laisser aller au repos. La caverne était désormais la leur et les totems intronisés dans leur nouvelle demeure où le Clan pourrait emménager dès le lendemain matin. Le sorcier bâilla, s'étira, puis ferma son œil unique.

VII

Les membres du Clan prirent possession de leur nouvelle caverne avec un certain sentiment de respect à l'égard de ces lieux. Les angoisses de leur quête et le souvenir de leur ancienne grotte s'estompèrent bientôt et ils se livrèrent avec plaisir aux occupations quotidiennes des étés courts et chauds : la chasse, la cueillette et la constitution de réserves de nourriture en vue de la saison froide.

Une fois la caverne adoptée et les cérémonies achevées, les tâches de Mog-ur se trouvèrent soudain allégées. De temps à autre, il lui incombait encore la responsabilité d'une cérémonie à l'occasion d'une expédition de chasse, d'un rite destiné à éloigner les mauvais Esprits ou encore, lorsque quelqu'un était blessé ou malade, afin de requérir l'assistance des Esprits protecteurs pour seconder les remèdes magiques d'Iza.

Par une belle journée, les chasseurs partirent, emmenant avec eux la plupart des femmes. Ils ne seraient pas de retour avant plusieurs jours et, pour cette raison, les femmes les accompagnaient afin de préparer la chair des bêtes abattues : le gibier se transportait plus facilement une fois séché et prêt à être conservé pendant l'hiver. La chaleur du soleil et le vent qui balayait constamment les steppes desséchaient rapidement la viande découpée en fines lanières. La fumée abondante que produisaient les feux d'herbes sèches et de bouse était plutôt destinée à éloigner les mouches qui pondaient dans la viande fraîche et la faisaient s'avarier. En outre, les femmes auraient la charge de la majeure partie des fardeaux sur le chemin du retour.

Depuis leur emménagement dans la caverne, Creb avait passé le plus clair de son temps en compagnie d'Ayla, essayant de lui apprendre leur langage. Elle répétait sans aucune difficulté les termes rudimentaires que les enfants avaient souvent le plus grand mal à prononcer, mais le système complexe des mimiques et des signes en usage dans le Clan lui était totalement étranger. Creb avait bien essayé de lui faire comprendre le sens de certains gestes, mais pour y parvenir, il lui manquait un langage commun. Le vieillard avait eu beau se creuser la cervelle, il n'était pas arrivé à communiquer ce savoir à la petite fille, ce qui la rendait tout aussi malheureuse que lui.

Consciente de la présence d'un obstacle infranchissable, elle faisait des efforts désespérés pour allonger la liste des quelques mots qu'elle connaissait. Elle comprenait bien que les membres du Clan possédaient d'autres moyens d'expression que le langage parlé, mais elle ne savait lesquels. Toute la difficulté résidait dans le fait qu'elle ne distinguait pas les signes. A ses yeux non avertis, ils représentaient des mouvements désordonnés et non des gestes précis, chargés d'une signification propre. Elle n'avait tout simplement pas conscience du double système de communication de ce peuple et se révélait incapable de concevoir l'existence d'un tel mode d'expression, totalement étranger au champ de ses propres expériences.

Creb, sans trop y croire, pensait avoir compris d'où provenaient les difficultés d'Ayla. Il appela la petite fille, dont l'intelligence ne faisait aucun doute à ses yeux. Ils longèrent le cours du ruisseau, empruntant un petit sentier tracé par le passage des êtres humains qui allaient chasser, pêcher ou fouiller la terre aux alentours. Ils parvinrent ainsi au lieu de prédilection du vieil homme : une clairière au milieu de laquelle trônait un grand chêne feuillu dont les grosses racines apparentes offraient un siège ombragé et confortable. Il commença la leçon en désignant le chêne du bout de son bâton.

— Chêne, répondit aussitôt Ayla.

Creb acquiesça puis montra le ruisseau.

— Eau, dit la fillette.

Le vieillard acquiesça de nouveau, puis fit un geste de la main en répétant le dernier mot. La combinaison des deux signifiait alors « eau courante, rivière ».

— Eau ? répéta la petite fille en hésitant, croyant qu'il avait voulu lui faire comprendre qu'elle devait recommencer.

Creb fit non de la tête. Maintes fois, il avait procédé à ce genre d'exercices avec les enfants du Clan. Il essaya quelque chose de nouveau en désignant les pieds d'Ayla.

— Pieds, dit-elle.

— Oui, approuva d'un signe le sorcier, pensant qu'il devrait lui faire voir le geste en même temps qu'elle entendait le mot. Se levant, il la prit par la main et fit quelques pas avec elle. Il fit un mouvement tout en prononçant le mot « pieds ». « Bouger les pieds, marcher », tel était le sens qu'il voulait lui faire saisir. Elle tendit l'oreille, attentive, pensant qu'une nuance lui avait échappé dans l'intonation.

— Pieds ? avança timidement l'enfant, déjà convaincue qu'elle ne donnait pas la bonne réponse.

— Non, non, non ! Marcher ! Bouger les pieds ! mima de nouveau le sorcier en la regardant droit dans les yeux et en accentuant son geste. Il la fit encore avancer en lui montrant les pieds du doigt, désespérant qu'elle comprenne un jour.

Ayla sentit les larmes lui monter aux yeux. Pieds ! Pieds ! Elle savait bien que c'était le bon mot, mais pourquoi s'obstinait-il à faire non de la tête ! Quand allait-il cesser de lui agiter la main sous le nez ? Qu'avait-elle fait de mal ?

Le vieil homme la fit de nouveau avancer, lui désigna les pieds, refit le geste de la main, répéta le mot. Elle s'arrêta pour le regarder. Il refit encore le mouvement, en l'exagérant à tel point qu'il faillit en modifier le sens, et répéta encore le mot. Il était penché vers elle, la regardant fixement, agitant la main devant son visage. Geste, mot. Geste, mot.

Alors une vague idée se mit à germer dans l'esprit d'Ayla. Sa main ! Il ne cesse de bouger la main ! Et elle leva la sienne avec hésitation.

— Oui, oui ! C'est ça, approuva vigoureusement Creb. Fais le geste ! Bouger ! Bouger les pieds ! mima-t-il encore une fois.

Ayla le regarda faire, puis essaya de l'imiter. Creb a dit « oui » ! Il veut donc me voir faire ce geste ! pensa-t-elle.

Elle exécuta le mouvement en prononçant le mot, sans trop comprendre sa signification, mais heureuse d'avoir au moins compris ce qu'on voulait d'elle. Creb lui fit faire demi-tour et se dirigea vers le chêne en boitant lourdement. Il répéta encore la combinaison geste-mot.

Et tout à coup, une lueur de compréhension lui permit d'effectuer le rapprochement attendu. Bouger les pieds ! Marcher ! Voilà ce que cela veut dire ! Le geste de la main accompagnant le mot « pieds » signifie « marcher ». Les idées se bousculaient dans sa tête. Combien de fois avait-elle vu les membres du Clan agiter les mains. Elle revoyait Iza et Creb, face à face, bougeant les mains en prononçant quelques mots de temps à autre, mais sans cesser de faire des gestes. Est-ce donc ainsi qu'ils se parlent ? Est-ce pour cette raison qu'ils disent si peu de mots ? Parlent-ils avec leurs mains ?

Creb s'assit, tandis qu'Ayla s'installait en face de lui, s'efforçant de reprendre son calme.

— Pieds, dit-elle en joignant le geste à la parole.

— Oui, répondit-il, émerveillé.

Elle s'éloigna de quelques pas et, revenant vers lui, elle fit le geste convenu en prononçant le mot « pieds ».

— Oui, oui ! C'est bien ça ! s'exclama-t-il, heureux qu'elle ait enfin compris.

La petite fille resta quelques secondes tranquille, puis traversa en courant la clairière et revint vers lui un peu haletante.

— Courir, mima-t-il devant la fillette attentive. Le mouvement était légèrement différent du précédent.

— Courir, essaya-t-elle timidement d'exprimer par son geste.

Elle n'était pas très loin de la réalité, mais son mouvement était encore indécis, bien qu'elle en eût saisi l'esquisse générale. Il acquiesça vivement et faillit tomber de son siège rudimentaire car Ayla se jeta sur lui pour l'embrasser.

Le vieux magicien jeta des regards inquiets autour de lui. Les manifestations d'affection étaient exclusivement réservées à l'intimité du foyer. Mais Creb savait qu'ils étaient seuls. L'infirme, en rendant ses caresses à la petite fille, se sentit envahi par une bouffée de bien-être et de douce chaleur qu'il n'avait jamais ressentie jusqu'alors.

Un nouveau monde s'ouvrit soudain pour la petite Ayla. Elle possédait une sensibilité et un talent de mime étonnants qu'elle mit à profit avec acharnement pour copier les mouvements de Creb. L'infirmité du magicien, l'obligeant à modifier les gestes conventionnels pour les exécuter avec son bras unique, poussa Iza à prendre en charge l'éducation d'Ayla quand il fallut lui apprendre à communiquer des nuances plus fines. Bien qu'elle apprît beaucoup plus vite qu'un petit enfant, Ayla dut commencer par les rudiments indispensables à l'expression des besoins élémentaires. Restée trop longtemps sans possibilité de communication, elle était bien décidée à rattraper le temps perdu, aussi vite que possible.

La vie du Clan prit à ses yeux un relief nouveau, à mesure que se développaient ses moyens d'expression et ses capacités de compréhension. Elle passa de longs moments à regarder les autres s'exprimer en s'efforçant de les comprendre. Au début, le Clan supporta patiemment sa curiosité importune, mais plus le temps passa, plus les regards désapprobateurs jetés dans sa direction témoignèrent que de si mauvaises manières devenaient intolérables. Il était fort inconvenant de regarder comme d'écouter quelqu'un qui ne s'adressait pas à vous, et la bienséance commandait de détourner les yeux lorsque deux personnes conversaient. Un soir, au milieu de l'été, après le repas, un incident éclata.

Le Clan se trouvait à l'intérieur de la caverne, réuni autour des feux que chaque famille avait allumés. La dernière lueur du soleil faisait ressortir la silhouette des arbres à l'épais feuillage sombre, bruissant dans la brise vespérale. Du feu qui flambait à l'entrée de la caverne, maintenant à distance les prédateurs curieux, chassant les mauvais Esprits et atténuant l'humidité de l'air, s'élevaient des volutes de fumée et des vagues de chaleur frémissantes.

Ayla, assise dans les limites du foyer de Creb, plongeait ses regards sur le foyer de Brun. Broud, qui se sentait dans un mauvais jour, était en train de passer son humeur sur sa mère et sur Oga en exerçant sur elles ses prérogatives masculines. Pour lui, cette journée avait mal commencé et s'était terminée plus mal encore. Après avoir passé de longues heures à l'affût de sa proie, il avait perdu tout le bénéfice de sa patience en ratant son coup, et le renard roux, dont il avait promis la fourrure à Oga, averti par le bruit de la pierre, avait disparu dans les fourrés. Les regards compréhensifs et compatissants d'Oga avaient aggravé encore les blessures de sa fierté outragée.

Les femmes, épuisées par les corvées de la journée, finissaient d'accomplir leurs tâches ménagères et Ébra, exaspérée par les constantes exigences de son fils, fit un signe discret à Brun, auquel la conduite impérieuse de Broud n'avait pas échappé. Certes, le garçon avait le droit de se comporter ainsi, mais Brun estimait qu'il manquait de discernement. Point n'était besoin de faire courir les femmes sous les prétextes les plus futiles, alors qu'elles se trouvaient déjà écrasées de besogne.

— Broud, laisse les femmes tranquilles. Elles ont bien assez de travail, prévint Brun à l'aide de quelques gestes, sans proférer un mot.

Cette réprimande, exprimée devant Oga, et venant précisément de Brun, était plus qu'il n'en pouvait supporter. Broud alla se réfugier à la limite du foyer pour bouder quand il croisa le regard d'Ayla qui ne l'avait pas quitté des yeux... Elle l'avait surpris en train de se faire réprimander comme un enfant, et cette indiscrétion le mit dans une fureur noire. Ses malheurs de la journée lui revinrent en mémoire et, outrepassant délibérément les conventions, Broud jeta un regard haineux à la petite fille qu'il détestait.

Creb avait perçu la légère altercation survenue entre Brun et son fils car rien ne lui échappait de ce qui survenait dans la caverne. La plupart du temps, tel un bruit de fond, ces menus événements le frappaient inconsciemment, mais tout ce qui touchait à Ayla éveillait son attention. Il savait qu'il avait fallu à Broud un effort considérable pour oser transgresser les règles et regarder chez son voisin. Broud était mû par les plus mauvaises intentions et, Creb le voyait bien, ressentait une haine prodigieuse à l'égard de la fillette à laquelle il était grand temps d'apprendre à se conduire convenablement.

— Ayla ! appela-t-il sèchement, tandis que la petite fille sursautait devant ce ton inaccoutumé. Ne regarde pas chez les autres, lui fit-il comprendre par gestes.

— Pourquoi ? répondit-elle, interloquée.

— Il est interdit de regarder les autres. Si tu les examines, ils ne sont pas contents, grommela Creb, sachant que Broud les observait du coin de l'œil, sans chercher à dissimuler le plaisir malin qu'il prenait à savourer la réprimande que Mog-ur infligeait à la fillette.

— C'est que je veux apprendre à parler, mima Ayla, surprise et affligée.

— Il est défendu de regarder dans le foyer du voisin, lui signifia Creb sévèrement. Il est inconvenant de parler aux hommes sans y avoir été invitée. C'est interdit, Ayla. Compris ?

En la traitant ainsi durement, Creb avait l'intention de se faire comprendre une fois pour toutes sur ce sujet. Il vit Broud se rapprocher du feu, de toute évidence de fort meilleure humeur.

Ayla était effondrée. Jamais auparavant Creb n'avait fait preuve de dureté envers elle. Elle le croyait content de ses progrès à apprendre leur langue, et voilà qu'il lui interdisait de regarder les autres pour en apprendre davantage. Les larmes se mirent à couler doucement le long de ses joues.

— Iza, appela Creb, consterné. Viens vite ! Ayla a quelque chose aux yeux.

Les membres du Clan ne pleuraient que lorsqu'ils avaient une poussière dans l'œil ou s'ils avaient pris froid. Mais ils n'avaient jamais vu des yeux se remplir de larmes de chagrin. Iza arriva en courant.

— Regarde ! ses yeux coulent ; il y a sûrement une escarbille dedans, regarde bien, insista-t-il.

Iza souleva délicatement la paupière d'Ayla et examina l'œil attentivement.

— Tu as mal à l'œil ? demanda-t-elle à la petite fille, après avoir constaté l'absence de toute inflammation.

— Non, je n'ai pas mal, répondit l'enfant en reniflant. Elle ne comprenait pas ce qui les préoccupait tant, mais elle était heureuse que l'on prît soin d'elle, malgré la colère de Creb. Pourquoi Creb est-il méchant ? articula-t-elle entre deux sanglots.

— Tu dois apprendre les bonnes manières, expliqua Iza, l'air sévère. Il n'est pas poli de regarder chez les autres pour voir ce qu'ils disent. Tu dois apprendre : quand l'homme parle, la femme baisse la tête, comme cela, lui montra Iza. Seuls les bébés regardent, mais toi, tu es une grande fille, Ayla.

— Creb n'est pas content ? Creb ne s'occupera plus de moi ? demanda Ayla en fondant en larmes de plus belle.

— Mais non, Creb continuera à prendre soin de toi. Et moi aussi, lui répondit Iza, sentant le désarroi profond de la petite fille. Creb cherche seulement à t'apprendre les coutumes du Clan, ajouta-t-elle en la prenant dans les bras. Elle serra un long moment contre elle la fillette qui donnait libre cours à son chagrin, puis elle lui sécha les yeux avec une peau douce et s'assura qu'ils n'étaient pas affectés.

— Qu'a-t-elle aux yeux ? s'enquit Creb. Elle est malade ?

— Elle pensait que tu ne l'aimais plus, que tu étais en colère contre elle. C'est ce qui a dû lui faire mal aux yeux. Les yeux clairs comme les siens sont probablement plus fragiles que les nôtres. Mais je n'y vois aucune inflammation et elle n'a pas mal. Je crois que la tristesse est responsable de ses larmes, expliqua Iza.

— La tristesse ? C'est la tristesse qui lui fait mal aux yeux ? Parce qu'elle croyait que je ne l'aimais plus ?

Honteuse, Ayla s'approcha de l'infirme, la tête basse, puis elle leva vers lui deux grands yeux ronds et tristes, encore mouillés de pleurs.

— Je ne regarderai plus chez les autres, déclara-t-elle par gestes. Tu n'es pas fâché ?

— Non, répondit-il de la même manière. Je ne suis pas fâché, Ayla. Mais à présent, tu fais partie du Clan, tu appartiens à mon foyer. Tu dois apprendre notre langue et nos coutumes aussi. Tu comprends ?

— Tu vas continuer à t'occuper de moi ? demanda-t-elle. Tu m'aimes ?

— Oui, Ayla, je t'aime.

Un large sourire illumina le visage de la petite fille qui tendit les bras vers le vieil homme et l'embrassa, puis grimpa sur ses genoux et s'y pelotonna tendrement.

Épuisée par tant d'émotions, Ayla s'abandonna au sommeil, rassurée par la chaude présence du vieil homme. Il remplaçait dans son cœur celle d'un homme dont le souvenir subsistait toujours dans un recoin de sa mémoire. En contemplant le visage paisible et confiant de la fillette blottie contre lui, Creb sentit naître à son égard un amour sincère, aussi profond que s'il se fût agi de sa propre fille.

— Iza, appela-t-il doucement en serrant contre son cœur l'enfant endormie, avant de la tendre à la femme.

Iza adorait son frère infortuné. Elle connaissait mieux que personne les trésors de bonté, dissimulés derrière une apparence rebutante, que renfermait son cœur. Elle était heureuse qu'il eût enfin trouvé quelqu'un à aimer, quelqu'un dont il fût aimé, et sa joie resserra encore les liens qui l'unissaient à la fillette.

Depuis son enfance, Iza n'avait plus jamais ressenti un bonheur semblable. Seule venait l'assombrir la peur lancinante de donner le jour à un garçon qui serait alors élevé par un chasseur. Malgré les prières ferventes qu'elle adressait quotidiennement à son totem, elle ne parvenait pas à dominer son inquiétude.

À mesure que l'été avançait, la petite fille commença non seulement à comprendre le langage, mais aussi les coutumes de son peuple adoptif, grâce à la douce patience de Creb et à sa propre volonté. Apprendre à détourner les yeux quand il le fallait, de manière à laisser les membres du Clan jouir de la seule intimité possible, telle fut la première des nombreuses et difficiles leçons qu'elle dut assimiler. Il lui fallut aussi maîtriser sa curiosité naturelle et son enthousiasme débordant pour afficher la docilité de rigueur parmi les femmes.

Creb et Iza en apprirent aussi beaucoup. Ainsi, ils découvrirent que lorsqu'Ayla faisait, en retroussant les lèvres, certaine grimace souvent accompagnée de sons étranges, elle voulait leur communiquer sa joie. Mais ils ne s'habituèrent jamais à la voir pleurer quand elle était triste. Iza en conclut que cette particularité était propre aux yeux clairs qui caractérisaient les Autres. Pour plus de sécurité, elle les lui baignait avec une décoction de plante bleue qu'elle trouvait dans les bois.

Ayla ne pleurait pas souvent et faisait tout son possible pour retenir des larmes qui, elle le savait, non seulement affligeaient les deux êtres qu'elle aimait, mais représentaient aux yeux du Clan une anomalie inacceptable. Elle tenait par-dessus tout à se faire accepter par le Clan, encore hostile et méfiant devant ses particularités.

Si les hommes éprouvaient une extrême curiosité à son égard, il était incompatible avec leur dignité de manifester le moindre intérêt pour cette enfant du sexe féminin, et Ayla s'appliqua à les ignorer de la même manière. Quant à Brun, s'il lui témoignait un peu plus d'intérêt que les autres, il lui faisait toujours peur. Elle le trouvait sévère et hermétique à ses avances, contrairement à Creb. Elle ne pouvait pas savoir combien Mog-ur paraissait plus distant et rébarbatif que Brun aux yeux du Clan, consterné par l'intimité qui semblait régner entre le magicien et la petite étrangère. Mais s'il était quelqu'un qu'elle n'aimait pas du tout, c'était le jeune homme qui vivait au foyer de Brun.

Ce fut avec les femmes qu'elle parvint d'abord à se lier d'amitié, du fait qu'elle passait la majeure partie de son temps en leur compagnie. À l'exception des moments où elle se trouvait dans le foyer de Creb ou de ceux pendant lesquels la guérisseuse l'emmenait cueillir des plantes, Iza et Ayla partageaient la vie des femmes du Clan. Au début, Ayla se contentait de suivre Iza partout où elle allait et regardait les femmes dépecer les animaux, tanner les peaux, découper en spirale des lanières de cuir dans une peau, tresser des paniers, des nattes ou des filets, façonner des bols dans des rondins de bois, cueillir les plantes sauvages, préparer les repas, conserver la viande, faire sécher les plantes pour l'hiver et répondre aux désirs de tout homme qui leur demandait un service. Mais lorsque les femmes découvrirent le féroce appétit de connaissances de la petite fille, elles ne se contentèrent pas de lui apprendre leur langue, mais s'appliquèrent à lui transmettre leur savoir pratique.

Ayla n'était pas aussi forte que les femmes et les enfants du Clan, car elle ne possédait pas leur puissante musculature, mais elle était étonnamment adroite et souple. S'il lui était difficile d'accomplir certaines tâches pénibles, elle se montrait extrêmement habile à son âge pour tresser les paniers ou découper des lanières d'une largeur parfaitement régulière. Elle gagna rapidement l'amitié d'Ika, qui l'autorisa bien vite à s'occuper du petit Borg lorsqu'elle s'aperçut de l'intérêt qu'Ayla portait à l'enfant. Ovra, malgré sa réserve, ainsi qu'Uka se montraient particulièrement compatissantes envers cette enfant qui avait perdu toute sa famille. Mais Ayla n'avait pas de compagne de jeu.

Son premier élan d'amitié envers Oga se refroidit après l'inauguration de la caverne, car la jeune fille se vit obligée de choisir entre Broud et Ayla. Si elle ressentait une profonde sympathie envers cette enfant, dont le destin était comparable au sien, elle ne pouvait ignorer plus longtemps les sentiments de Broud à son égard. Et elle préféra éviter la compagnie de la petite orpheline, afin de plaire à l'homme dont elle espérait faire son compagnon.

Ayla n'aimait pas particulièrement jouer avec Vorn, à peine d'un an son cadet. Leurs jeux ne faisaient que reproduire les rapports entre adultes, dont Ayla avait le plus grand mal à accepter le comportement. Lorsqu'elle refusait d'y participer, elle s'attirait à la fois la colère des hommes et celle des femmes, et plus spécialement celle d'Aga, la mère de Vorn. Elle était fière que son fils se conduise déjà « comme un homme » et faisait grand cas des sentiments hostiles de Broud envers Ayla. Si un jour Broud devenait le chef du Clan, son fils serait alors son favori et peut-être son second. Aga ne négligeait aucun moyen pour mettre son fils en avant, allant jusqu'à réprimander la petite fille quand Broud se trouvait dans les parages.

L'été chaud mais trop court s'acheva, cédant la place aux gelées matinales de l'automne, à son air vif et piquant, aux couleurs flamboyantes qui éclaboussaient les forêts. Quelques neiges précoces, vite balayées par de fortes pluies saisonnières, annoncèrent l'arrivée du froid. Puis, lorsqu'il ne resta plus aux branches dénudées que quelques feuilles tenaces, un bref intermède ensoleillé vint rappeler une dernière fois les chaleurs de l'été avant l'arrivée des vents glacés et des froids rigoureux interdisant la plupart des activités en plein air.

Le Clan se tenait dehors, savourant la tiédeur du soleil. Installées devant la caverne, les femmes vannaient le grain moissonné dans les steppes de la vallée. Un brutal coup de vent fit tourbillonner un amas de feuilles mortes, prêtant une apparence de vie aux vestiges tournoyants de la richesse estivale. Profitant de la rafale, les femmes firent sauter le grain dans leurs larges paniers à fonds plats, laissant la balle s'envoler.

Iza était penchée derrière Ayla et lui montrait comment procéder. Ayla sentait parfaitement le ventre dur de la femme dans son dos, et elle sentit également la violente contraction qui obligea Iza à s'arrêter soudain. Un instant plus tard, la femme quitta le groupe, suivie par Ébra et Uka. La petite fille jeta un regard inquiet aux hommes qui venaient d'interrompre leur conversation pour suivre des yeux les trois femmes, s'attendant à quelque remontrance. Mais bizarrement, ils s'abstinrent de tout commentaire. Ayla en profita pour suivre le mouvement.

À l'intérieur de la caverne, Iza reposait sur sa fourrure, entourée d'Ébra et d'Uka. Ayla se demandait pourquoi elle s'alitait ainsi au milieu de la journée, s'inquiétant d'autant plus qu'elle voyait une expression douloureuse sur le visage de sa mère adoptive. Ébra et Uka bavardaient avec Iza de choses et d'autres, s'entretenant des réserves pour l'hiver et du changement de saison. Mais Ayla en savait assez pour deviner à leurs mines qu'il se passait quelque chose d'inhabituel, et elle décida que rien ne l'empêcherait d'élucider ce mystère. Elle attendit donc, assise aux pieds d'Iza.

Vers la fin de l'après-midi, Ika vint voir la guérisseuse avec Borg sur la hanche, puis Aga avec sa fille Ona. Les deux femmes s'installèrent pour tenir compagnie à Iza tout en allaitant leurs enfants. Ovra et Oga les rejoignirent sans tarder, curieuses et inquiètes à la fois.

Quelque temps après, les femmes allèrent préparer le repas du soir. Uka resta auprès d'Iza, tandis qu'Ébra et Oga ne cessaient de lui jeter des regards discrets tout en faisant la cuisine. Ébra servit le repas de Creb et de Brun, puis apporta de quoi manger à Uka, Iza et Ayla ; Ovra s'occupa du repas du compagnon de sa mère, mais elle regagna rapidement le foyer d'Iza en compagnie d'Oga. Elles tenaient fermement à voir ce qui allait se passer et s'assirent à côté d'Ayla.

Iza s'était contentée de quelques gorgées d'infusion. Sans grand-faim, Ayla grignota quelques miettes, l'estomac serré. Elle n'avait toujours pas compris ce qui allait se produire, se demandant pourquoi Iza ne se levait pas pour préparer le repas de Creb, et pourquoi Creb se trouvait dans le foyer de Brun au lieu de prier les Esprits pour qu'elle guérisse vite.

Le travail avait commencé. Iza respirait par saccades, sans lâcher la main des deux femmes. Tous les membres du Clan se tenaient sur le qui-vive tandis que la nuit tombait. Les hommes, groupés autour du feu qui brûlait chez Brun, auraient semblé en grande discussion, si les regards furtifs qu'ils jetaient aux femmes de temps en temps n'avaient trahi leur véritable préoccupation. Les femmes allaient et venaient auprès d'Iza, attendant que leur guérisseuse accouchât.

Il faisait déjà grand-nuit quand, soudain, un redoublement d'activité troubla le silence attentif. Ébra étendit une autre peau sous Iza tandis qu'Uka soutenait la femme qui haletait violemment, en poussant très fort et en hurlant de douleur. Ayla tremblait d'émotion, assise entre Ovra et Oga. Iza prit une profonde inspiration, et, grinçant des dents, tous les muscles bandés, elle poussa si vivement que le sommet de la tête du nouveau-né apparut. Une dernière poussée expulsa une masse sanguinolente, puis elle accoucha d'un tout petit enfant humide qui gigotait comme un ver.

Iza se laissa retomber sur sa couche, épuisée, pendant qu'Ébra soulevait le bébé et, lui glissant le doigt dans la bouche, en chassait la glaire avant de le déposer sur le ventre de sa mère. Puis elle donna de petites claques sur les pieds du nouveau-né qui ouvrit aussitôt la bouche et poussa un braillement sonore annonçant son éveil à la vie. Ébra attacha un morceau de tendon teint en rouge au cordon ombilical qu'elle coupa avec les dents pour le détacher du placenta et souleva l'enfant pour le montrer à sa mère. Puis elle retourna dans son foyer pour faire part à son compagnon de l'heureuse naissance et lui dévoiler le sexe de l'enfant.

VIII

— Je suis navrée de t'apprendre, commença Ébra en faisant le signe convenu pour exprimer son affliction, qu'Iza vient de donner le jour à une fille.

Mais cette nouvelle fut loin d'affliger Brun. Au contraire, il se sentit soulagé, bien qu'il ne l'aurait jamais admis. L'arrangement proposé par Creb fonctionnait à merveille et le chef n'avait aucune envie d'y changer quoi que ce soit. Mog-ur avait entrepris une tâche estimable en décidant de faire l'éducation de la petite étrangère, et il y parvenait bien mieux qu'on aurait pu s'y attendre. Ayla apprenait rapidement la langue gestuelle et les habitudes du Clan. Creb découvrait, de son côté et à un âge avancé, les joies de la famille, et la naissance d'une fille garantissait la présence d'Iza à ses côtés. Quant à Iza, pour la première fois depuis son installation dans la nouvelle caverne, elle se sentait immensément soulagée. Elle était heureuse du sexe de l'enfant et que son âge n'ait pas nui à son accouchement.

Uka emmaillota la nouveau-née dans une peau de lapin moelleuse et la déposa dans les bras de sa mère. Ayla n'avait toujours pas bougé. Elle regardait Iza avec une ardente curiosité. La femme lui fit signe.

— Viens ici, Ayla. Tu veux voir le bébé ?

— Oui, dit-elle, en s'approchant timidement.

La minuscule réplique d'Iza avait la tête recouverte d'un léger duvet brun. La protubérance osseuse de la nuque était particulièrement visible sans l'épaisse masse de cheveux qui la dissimulerait bientôt. Son crâne était néanmoins plus rond que celui des adultes et se terminait abruptement au-dessus des frêles arcades sourcilières. Ayla caressa la joue de l'enfant qui tourna la tête vers elle en faisant de petits bruits de succion.

— Elle est belle, lui signifia Ayla, encore émerveillée par le miracle auquel elle venait d'assister. Tu crois qu'elle cherche à s'exprimer, Iza ? demanda-t-elle en voyant la petite fille agiter ses minuscules poings fermés.

— Non, pas encore, mais elle ne tardera pas et c'est toi qui lui apprendras, répondit Iza.

— Oh oui ! Je lui apprendrai à parler comme Creb et toi m'avez appris.

— J'en suis sûre, Ayla.

Ayla demeura auprès de sa mère adoptive, veillant sur son sommeil et celui de l'enfant. Ébra avait enveloppé le placenta dans une peau disposée à cet effet juste avant la délivrance, et l'avait caché dans un recoin jusqu'au moment où Iza pourrait sortir l'enterrer dans un endroit connu d'elle seule. Si l'enfant avait été mort-né, elle l'aurait enseveli en même temps et personne n'aurait jamais fait la moindre allusion à sa naissance.

Si l'enfant, bien que vivant, naissait malformé, ou bien si pour une raison quelconque le chef ne le jugeait pas acceptable au sein du Clan, le devoir de la mère était considérablement plus éprouvant. Elle devait alors soit emporter son bébé pour l'enterrer, soit le laisser exposé aux éléments et aux bêtes féroces. Il était extrêmement rare qu'un enfant anormal soit autorisé à vivre ; s'il était du sexe féminin, ce n'était en pratique jamais le cas. Si c'était un garçon premier-né et si le père désirait le garder, la décision de le laisser vivre pendant sept jours avec sa mère, pour tester ses forces, appartenait au chef. Tout enfant encore en vie passé ce délai devait, selon une coutume qui avait force de loi, recevoir un nom et être accepté dans le Clan.

Cette menace avait pesé sur les premiers jours de la vie de Creb. Sa mère avait survécu de justesse à sa naissance et il revint à son compagnon, alors chef du Clan, la responsabilité de décider si cet enfant vivrait ou non. Mais sa décision lui fut dictée par la santé de la mère plus que par celle de l'enfant, dont la tête difforme et les membres paralysés témoignaient amplement des difficultés de l'accouchement. Il ne pouvait exiger de sa compagne qu'elle se débarrasse de l'enfant, car son état de faiblesse l'en empêchait. Or, l'usage voulait que si la mère ne pouvait le faire disparaître elle-même, la tâche en incombait à la guérisseuse : mais la mère de Creb était aussi la guérisseuse du Clan... C'est ainsi qu'accrochée à un fil ténu débuta la vie de

Mog-ur, le sorcier le plus habile et puissant de tous les Clans.

À présent, c'était au tour du vieil infirme de s'approcher avec son frère d'Iza et de son enfant. Obéissant à un geste péremptoire de Brun, Ayla se leva prestement et se tint à distance sans rien perdre de la scène. Iza se redressa sur sa couche et, après avoir démailloté le bébé, le présenta à Brun, en prenant bien soin de ne regarder aucun des deux hommes. Ils examinèrent la nouveau-née vagissante, mécontente d'avoir été retirée du sein chaud de sa mère.

— L'enfant est normale, déclara gravement Brun. Elle peut rester avec sa mère. Si elle est encore en vie le jour où on lui donnera un nom, elle sera acceptée dpans le Clan.

Iza n'avait désormais plus rien à craindre. Elle allait demeurer pendant sept jours confinée dans les strictes limites du foyer de Creb, à l'exception de quelques sorties indispensables, entre autres pour enterrer le placenta. Entre-temps, personne ne reconnaîtrait officiellement l'existence de son enfant.

Iza consacra son temps à allaiter et à s'occuper de sa fille et, lorsqu'elle se sentit plus forte, elle entreprit de ranger l'endroit où elle conservait la nourriture, celui où elle faisait la cuisine, celui où elle dormait et celui où elle entreposait ses remèdes, dans la limite des pierres qui bornaient le foyer de Creb, son territoire personnel dans la caverne.

Le rang de Mog-ur au sein de la hiérarchie du Clan le faisait bénéficier d'un foyer particulièrement bien situé : suffisamment près de l'entrée pour profiter de la lumière du jour et de la chaleur du soleil en été, mais assez éloigné cependant pour ne pas se trouver trop exposé aux vents glacials de l'hiver. De plus, une saillie dans la paroi offrait une protection supplémentaire contre les bourrasques néfastes aux rhumatismes et à l'arthrite dont il souffrait.

Outre la chasse, il incombait aux hommes quelques autres tâches comme celle d'édifier un coupe-vent à l'entrée de la caverne, à l'aide de peaux tendues sur des piquets plantés dans le sol. Il leur fallait aussi paver les alentours de galets lisses et plats pour éviter que la pluie et la neige fondue ne transforment les lieux en un vaste bourbier. Quant au sol des foyers, il était en terre battue recouverte çà et là de nattes pour s'asseoir ou servir les repas.

Iza était en train de se faire une infusion pour favoriser la montée du lait et atténuer les crampes douloureuses qui lui contractaient le ventre. Quelques mois auparavant, elle avait fait provision de ces feuilles longues et étroites aux petites fleurs verdâtres, en prévision de la naissance de son enfant. Impatiente d'aller enfouir dans les bois les peaux souillées de sang qu'elle avait utilisées depuis son accouchement, la femme guettait l'arrivée d'Ayla pour lui confier la garde du bébé pendant son absence.

Mais Ayla ne se trouvait nulle part aux abords de la caverne. Elle était partie chercher dans la rivière des galets bien ronds dont Iza avait besoin pour la cuisine et qu'il fallait ramasser avant que la glace ne fige le cours d'eau. Pensant ainsi faire plaisir à Iza, la fillette, agenouillée au bord de l'eau, triait les galets. En relevant la tête, elle aperçut une petite tache de fourrure blanche sous un buisson. Et, après avoir écarté les branchages, elle vit un jeune lapin gisant sur le flanc, une patte cassée rouge de sang séché.

L'animal blessé, haletant de soif, se révélait incapable de bouger. Ayla prit la petite bête dans ses bras et se mit à la bercer comme un nouveau-né. Surprise par l'angle inhabituel que formait la patte cassée et en sang, elle décida sur-le-champ de l'apporter à Iza et, oubliant tous ses projets, elle regagna la caverne, en emportant sa découverte.

L'entrée d'Ayla réveilla Iza qui somnolait. La fillette lui tendit le lapin en lui montrant ses blessures. S'il était déjà arrivé à Iza de soigner des animaux blessés, elle ne s'était jamais permis de les introduire dans la caverne.

— Ayla, les animaux ne peuvent pénétrer ici.

Les yeux remplis de larmes, Ayla baissa la tête et, tristement, s'apprêta à sortir en serrant le lapin contre son cœur.

— Enfin, maintenant qu'il est là, montre-le-moi que je voie ce qu'il a, ajouta Iza, en constatant la déception de la petite fille qui, radieuse, lui tendit aussitôt la petite bête. Lorsque Creb arriva un peu plus tard il resta stupéfait en voyant Ayla serrer dans ses bras le lapin blessé pendant qu'Iza allaitait son enfant. Après avoir remarqué l'attelle qui retenait la patte de l'animal, il croisa le regard de sa sœur qui semblait lui dire : « Que pouvais-je faire d'autre ? » Voyant la fillette tout absorbée par son jouet vivant, le sorcier et la guérisseuse s'entretinrent par gestes.

— Pourquoi a-t-elle apporté ce lapin ? demanda Creb.

— Il était blessé. Elle voulait que je le soigne. Elle ne sait pas qu'il ne faut pas introduire d'animaux chez nous. Mais elle n'a rien fait de mal ; tout cela provient d'un bon sentiment. Je pense qu'elle a des dispositions pour devenir guérisseuse. Creb, ajouta-t-elle après une pause, je voulais te dire deux mots à son sujet. Elle n'est pas très jolie, tu sais...

— Elle est gentille, répondit Creb en jetant un regard sur Ayla. Mais tu as raison, elle n'est pas très jolie, reconnut-il. Je ne vois pas le rapport avec ce lapin ?

— Quelle chance a-t-elle de trouver un compagnon plus tard ? Aucun homme ne voudra d'elle. Que se passera-t-il alors ?

— J'y ai bien pensé, mais qu'y pouvons-nous ?

— En devenant guérisseuse, elle se ferait un rang, proposa Iza, et je la considère comme ma fille.

— Mais elle ne descend pas de ta lignée, Iza. Elle n'est pas de ton sang. C'est ta propre fille qui te succédera.

— C'est vrai, mais qu'est-ce qui m'empêche de former Ayla en même temps ? Tu lui as bien donné un nom quand elle était dans mes bras le jour où tu as révélé son totem, n'est-ce pas ? Cette cérémonie en a fait ma fille. Elle a été acceptée par le Clan, n'est-il pas vrai ? demanda Iza avec ferveur, qui s'empressa de poursuivre sans laisser à Creb le temps de répondre par la négative. Je suis persuadée qu'elle a des dons réels de guérisseuse, Creb. Elle s'intéresse déjà à tout ce que je fais et me pose mille questions quand je prépare mes remèdes.

— Elle pose à propos de tout plus de questions que personne d'autre, coupa Creb. Il faut lui apprendre que cela ne se fait pas, ajouta-t-il.

— Mais regarde la, Creb. Elle trouve un animal blessé et le rapporte à la caverne. C'est bien une preuve, non ?

Creb était silencieux, perdu dans ses pensées.

— Son entrée dans le Clan ne modifie nullement ses origines, Iza. Elle est née parmi les Autres, comment pourrait-elle apprendre tout ce que tu sais ? Elle ne possède pas tes souvenirs.

— Oui, mais elle apprend très vite, tu l'as constaté toi-même.

Regarde comme elle a vite su parler. Tu serais étonné de découvrir tout ce qu'elle sait déjà. De plus, elle a la main sûre et une grande douceur. Ce lapin se sent en sécurité auprès d'elle. Nous ne sommes plus jeunes toi et moi, Creb, ajouta Iza en se penchant vers lui. Que lui arrivera-t-il le jour où nous aurons rejoint le monde des Esprits ? Veux-tu qu'elle passe sa vie de foyer en foyer, à charge pour tout le monde, promise au rang le plus bas dans le Clan ?

Creb s'était déjà posé les mêmes questions, mais, incapable de trouver une solution satisfaisante, il avait écarté ce problème de ses préoccupations.

— Penses-tu vraiment pouvoir la former pour en faire une guérisseuse ? lui demanda-t-il, perplexe.

— Je peux fort bien commencer avec ce lapin. Je vais lui montrer comment faire et la laisserai le soigner toute seule. Je suis sûre qu'elle est capable d'apprendre, malgré l'absence des souvenirs.

— Je vais y songer, Iza, conclut Creb.

La fillette était en train de bercer le lapin en fredonnant. Elle se souvint tout à coup avoir vu Creb faire certains gestes pour demander aux Esprits d'appuyer les remèdes magiques d'Iza, et elle apporta le petit animal au sorcier.

Interloqué, Mog-ur contempla le visage sérieux de la petite fille. Il n'avait jamais eu l'occasion d'invoquer les Esprits pour guérir un animal et se sentait plutôt réticent, mais il n'eut pas le cœur de lui refuser son secours, et, après avoir inspecté les alentours, il exécuta quelques passes rapides.

— Maintenant, je suis sûre qu'il guérira, s'exclama Ayla sur un ton convaincu. Puis, voyant qu'Iza avait fini d'allaiter, elle lui demanda à tenir le bébé.

— D'accord, mais fais bien attention, lui conseilla Iza.

Ayla berça la petite fille comme elle l'avait fait pour le lapin.

— Comment vas-tu l'appeler, Creb ? demanda-t-elle au magicien.

Bien que particulièrement avide de connaître la réponse, Iza ne se serait jamais permis une telle question.

— Je ne sais pas encore, et tu devrais te montrer moins curieuse, Ayla, la réprimanda Creb. Puis se tournant vers Iza, il lui proposa de garder le lapin.

Iza lui fit un signe de consentement, heureuse des bonnes dispositions de son frère. Elle était certaine que Creb ne s'opposerait pas à ce qu'elle forme Ayla, dût-il ne jamais lui signifier ouvertement son accord.

Ovra vint leur apporter le repas du soir et fut stupéfaite d'apercevoir le lapin. La jeune fille s'empressa d'aller rapporter l'incroyable nouvelle à sa mère.

Un instant plus tard, Brun se présenta et fit signe à Creb qu'il désirait lui parler. Creb s'attendait à cela. Ils se dirigèrent ensemble vers le feu qui flambait à l'entrée de la caverne, à l'écart de leurs foyers respectifs.

— Mog-ur..., commença le chef avec quelque hésitation.

— Oui.

— J'ai pensé que nous pourrions célébrer certaines unions. J'ai décidé de donner Ovra à Goov ; quant à Droog, il veut bien se charger d'Aga et de ses enfants, et accepte également la présence de la vieille Aba dans son foyer, expliqua Brun, sans trop savoir comment faire pour aborder le sujet de la présence du lapin dans le foyer du magicien.

— Je me demandais justement ce que tu attendais, répondit Creb, sans lui laisser la possibilité de s'exprimer sur le problème qui lui tenait à cœur.

— Il fallait que j'attende un peu. Il n'était pas question de me priver de deux hommes en pleine période de chasse. Quel est à ton avis le meilleur moment pour la cérémonie ? demanda Brun.

— Je vais bientôt donner un nom à la fille d'Iza, nous pourrions célébrer les unions en même temps, proposa Creb.

— Je vais prévenir les intéressés, déclara Brun en se balançant d'un pied sur l'autre, contemplant alternativement la voûte de la grotte et le sol en terre battue, puis le fond de la caverne, pour éviter de regarder Ayla et son lapin. Brun savait qu'en abordant ce sujet, il reconnaîtrait par là même avoir observé ce qui se passait chez son frère et ne pouvait trouver une façon convenable de lui en parler. Creb attendait sans mot dire.

— Que fait ce lapin chez toi ? demanda brusquement Brun en quelques gestes rapides, conscient de sa position délicate.

Creb se retourna ostensiblement vers son foyer où Iza, qui avait compris ce qui se passait, s'occupait activement du bébé, comme pour rester à l'écart de toute l'affaire. Quant à Ayla, la responsable du conflit, elle ne prêtait pas la moindre attention aux deux hommes.

— Il est tout à fait inoffensif, rétorqua évasivement Creb.

— Mais que fait-il dans la caverne ? réitéra le chef.

— C'est Ayla qui l'a apporté, pour qu'Iza lui soigne une patte cassée, répondit Creb comme s'il s'agissait de la chose la plus naturelle.

— Personne n'a jamais introduit d'animaux dans la caverne, dit Brun, exaspéré de ne pouvoir trouver une objection plus péremptoire.

— Quel mal y a-t-il à cela ? Il ne restera pas longtemps ici. Juste le temps de guérir, répliqua Creb avec le plus grand calme.

Brun avait beau chercher, il n'arrivait pas à trouver une bonne raison pour obliger Creb à se débarrasser de l'animal. Il se trouvait dans les limites de son foyer et aucun code n'interdisait formellement la présence d'animaux dans la caverne. Le fait ne s'était tout simplement jamais produit.

En fait, le lapin n'était qu'un prétexte. Le désarroi de Brun venait de la présence d'Ayla dans le Clan. Depuis qu'Iza avait décidé de garder l'enfant, toute une série d'incidents et de conflits inhabituels se produisaient à cause d'elle. Brun n'avait aucune expérience sur la façon de composer avec sa présence et se voyait soudain incapable de faire part à Creb de ses doutes et de sa détresse. Devant la gêne de son frère, Creb chercha à lui fournir une raison sérieuse de garder l'animal.

— Brun, le Clan qui nous a reçus lors du dernier Rassemblement avait recueilli un ourson dans sa caverne, lui rappela le magicien.

— Cela n'a rien à voir. Il était destiné à la Fête de l'Ours. Et puis les ours vivaient dans les cavernes bien avant les hommes, mais pas les lapins !

— Peut-être, mais cet ourson a quand même été introduit dans une caverne.

Il faisait beau mais froid à la veille de la cérémonie au cours de laquelle Creb allait donner un nom à la fille d'Iza. Le vieillard recommençait à souffrir, perclus de rhumatismes, et sentit qu'un orage se préparait. Désireux de profiter encore une fois du temps clair avant l'arrivée des neiges tenaces, il partit se promener dans le petit sentier qui longeait le ruisseau. Ayla l'accompagnait, heureuse d'étrenner les chausses qu'Iza lui avait taillées dans une peau d'auroch tannée, le poil vers l'intérieur. Elle s'était enveloppée dans sa fourrure de léopard des neiges et, pour se protéger les oreilles, s'était couvert la tête d'une peau de lapin qu'elle avait nouée autour de son cou avec les pattes de l'animal.

Creb se demandait comment il allait nommer la petite fille d'Iza. Il aimait sa sœur et voulait choisir un nom qui lui plairait. Ce ne serait pas un nom associé à son compagnon défunt, décida-t-il. Sa méchanceté à l'égard de sa sœur l'avait ulcéré, mais son inimitié remontait à plus loin. Creb se rappelait la façon dont cet homme le malmenait quand il était petit, le traitant de femmelette parce qu'il était incapable de chasser comme les autres.

Depuis la disparition de cet être détestable, il commençait à apprécier pleinement les joies du foyer. En devenant soudain le patriarche d'une petite famille, dont il se sentait responsable et qu'il était chargé de nourrir, il avait fait l'expérience d'une nouvelle forme de respect de la part des autres hommes, aux chasses desquels il s'intéressait de plus près depuis qu'une partie lui en revenait de droit.

Je suis sûr qu'Iza est heureuse également, songeait-il, en pensant à l'affection qu'elle lui témoignait, au soin qu'elle prenait à lui faire la cuisine et à prévenir ses moindres désirs. Elle se conduisait exactement comme si elle était sa compagne, à tous points de vue, à l'exception d'un seul. Ayla était pour lui une source de joie constante. Les particularités qu'il découvrait en elle continuaient à l'intéresser au plus haut point ; son éducation représentait un défi qu'il éprouvait le désir de relever, comme tout maître confronté à une élève brillante et intelligente. Quant à la nouveau-née, elle l'intriguait fort. Passés les premiers moments de surprise et de trouble, il était parvenu à maîtriser sa nervosité quand Iza lui déposait l'enfant sur les genoux et il observait avec intérêt ses mouvements désordonnés, s'émerveillant de ce qu'un si petit être puisse devenir un jour une femme.

Elle assurera la continuité de l'illustre lignée d'Iza, pensait-il. Leur mère était la guérisseuse la plus réputée de tous les Clans. On venait de loin lui présenter les malades encore capables de se déplacer. Iza possédait des talents de même envergure et, selon toute probabilité, sa fille était destinée à un avenir enviable. Elle méritait donc un nom digne de ses illustres ancêtres.

C'est alors que Creb se rappela la mère de leur mère, cette guérisseuse qui, comme Iza, avait recueilli et soigné un être venant de chez les Autres. Elle s'était montrée bonne et attentionnée envers Creb, et il décida de donner à l'enfant le nom de cette femme.

Cette question étant réglée, Creb s'intéressa à la célébration des unions nouvelles. Il pensa au jeune homme qui était son acolyte. Il aimait bien Goov pour son calme et pour son sérieux. L'Auroch, son totem, devrait être assez puissant pour vaincre celui d'Ovra, le Castor. La jeune femme était courageuse et ferait assurément une bonne compagne. Ses talents de chasseur permettaient à Goov de nourrir convenablement sa famille et une fois mog-ur, la part qui lui serait due compenserait largement l'impossibilité où il se trouverait de chasser.

Puis, il porta son attention sur la cérémonie qui allait unir également Droog et Aga. Droog était un excellent chasseur qui avait eu maintes fois l'occasion de le prouver. Sa réputation d'habile tailleur d'outils n'était plus à faire ; sérieux et paisible comme le fils de sa compagne défunte, il était comme lui placé sous le signe de l'Auroch. Droog n'éprouverait certainement pas envers Aga la passion d'un jeune homme, mais tous deux devaient contracter une nouvelle union.

Un lapin qui déboula soudain entre leurs jambes arracha Creb et Ayla à leurs pensées, et la petite fille en profita pour exprimer tout haut les questions qu'elle se posait en chemin.

— Creb, comment le bébé est-il entré dans Iza ? demanda-t-elle.

— La femme avale l'Esprit du totem de l'homme, commença Creb machinalement, encore perdu dans ses réflexions. Les deux totems se battent et, si celui de l'homme l'emporte sur celui de la femme, il lui laisse une partie de lui-même pour faire commencer une nouvelle vie.

Ayla jeta des regards autour d'elle, étonnée d'apprendre la présence constante de ces Esprits qu'elle n'avait jamais vus ; néanmoins, elle crut le sorcier sur parole.

— Est-ce que les Esprits de tous les hommes peuvent pénétrer dans la femme ? demanda-t-elle ensuite.

— Oui, mais seul un Esprit puissant peut vaincre celui de la femme. S'il n'y parvient pas, l'homme peut demander l'assistance d'un autre Esprit, expliqua prudemment Creb.

— Seules les femmes ont des enfants ? insista Ayla.

— Oui, acquiesça Creb.

— Et il faut une cérémonie pour en avoir ?

— Non, pas toujours, il arrive qu'elle avale l'Esprit d'un

homme avant la cérémonie, mais si elle ne prend pas de compagnon avant la naissance de son enfant, le petit risque d'être malheureux toute sa vie.

— Et moi, je pourrai avoir un enfant ? demanda Ayla, pleine d'espoir.

Creb songea alors à l'Esprit de son totem, bien trop puissant pour être mis en échec.

— Tu es encore trop jeune, répondit-il évasivement.

— Quand alors ?

— Quand tu seras une femme.

— Et quand serai-je une femme ?

Creb commençait à croire qu'elle n'arrêterait jamais ses questions, et, prenant son courage à deux mains, il se lança dans une grande explication.

— La première fois que ton Esprit se battra avec un autre Esprit, tu vas saigner, preuve qu'il a été blessé. Après cela, il combattra régulièrement avec d'autres Esprits, et le jour où tu ne saigneras plus, tu sauras qu'il a été vaincu et qu'une nouvelle vie est en train de germer en toi.

— Mais quand exactement serai-je une femme ? insista Ayla.

— En principe, lorsque tu auras parcouru huit ou neuf fois le cycle complet des saisons, répliqua Creb.

— Dans combien de temps, alors ?

— Approche, je vais essayer de t'expliquer, lui dit avec patience le vieux sorcier en poussant un soupir, doutant de sa capacité de comprendre, mais espérant que ses explications mettraient au moins un terme au flot de ses questions.

Les nombres étaient une abstraction difficile à saisir pour les membres du Clan dont la plupart ne pouvaient penser au-delà de trois : toi, moi et un autre. Ce n'était pas un défaut d'intelligence. Ainsi, Brun s'apercevait immédiatement de l'absence de l'un des vingt-deux membres du Clan. Il lui suffisait de penser à chaque individu, ce qu'il faisait rapidement, sans même s'en apercevoir. Mais passer de l'individu au concept de « un » représentait un effort considérable que bien peu étaient capables de fournir. Comment deux personnes différentes pouvaient-elles être « une » à un moment donné, voilà qui dépassait largement leur entendement.

L'incapacité des membres du Clan pour la synthèse ou l'abstraction s'étendait à d'autres aspects de leur vie. Ils connaissaient le chêne, le saule, le sapin, mais ne possédaient pas de termes génériques pour les désigner ; le mot arbre était absent de leur vocabulaire. Ils s'en remettaient à Mog-ur pour ne pas perdre de vue tout ce qui devait être compté : les années entre deux Rassemblements de Clans, l'âge de chacun d'eux, la période d'isolement requise après un mariage et les sept premiers jours de la vie d'un enfant. C'est dans sa capacité à mesurer le temps que résidait l'un des pouvoirs magiques les plus importants de Mog-ur.

Après avoir ramassé une petite branche et sorti son couteau, Creb s'assit et cala la badine entre son pied et une grosse pierre.

— Iza pense que tu es un peu plus âgée que Vorn, commença-t-il. Vorn a déjà passé l'année de sa naissance, l'année où il a appris à marcher, celle où il a été mis en nourrice et celle où il a été sevré, expliqua Creb en faisant au fur et à mesure une entaille dans le morceau de bois. Je vais ajouter une autre marque pour représenter l'âge que tu as aujourd'hui. Si je place mes doigts dans chaque entaille, toute ma main les recouvrira, tu vois ?

Ayla considéra avec une extrême attention l'ensemble des marques du couteau et tout à coup son visage s'illumina.

— J'ai donc autant d'années que tout ça ! s'exclama-t-elle, en lui montrant sa main ouverte. Mais dans combien de temps pourrai-je avoir un bébé ? ajouta-t-elle plus intéressée par ce sujet que par le calcul.

Creb était stupéfait. Comment diable avait-elle pu comprendre aussi vite ? Elle n'avait pas même pris la peine de l'interroger sur le rapport existant entre les doigts et les entailles et sur leur relation avec les années. Goov avait mis très longtemps avant de comprendre tout cela. Creb incisa encore trois fois la petite branche et posa trois doigts sur les marques. Ayla regarda alors son autre main et leva aussitôt trois doigts, après avoir replié sans hésiter le pouce et l'index.

— Quand j'aurai tout ça ? demanda-t-elle en levant ses huit doigts.

Creb acquiesça, mais ce que fit ensuite la petite fille le laissa tout ébahi ; il lui avait fallu des années pour parvenir à dominer cette abstraction. Ayla baissa l'une de ses mains et ne tendit que trois doigts.

— Alors, je pourrais avoir un bébé dans ça d'années ? conclut-elle par gestes avec une grande assurance, convaincue de la parfaite justesse de son raisonnement.

Le vieux sorcier se sentit abasourdi. Il était inconcevable qu'une enfant de son âge fût capable d'une telle promptitude de déduction.

— Oui, c'est possible, bien qu'un peu tôt. Il se pourrait que ce soit encore dans tout ça, répondit Creb en faisant deux entailles supplémentaires dans son morceau de bois. Ou bien dans beaucoup plus, ajouta-t-il. On ne peut pas le savoir à l'avance.

Ayla avait l'air soucieux. Elle leva l'index, puis le pouce.

— Et après ça ? demanda-t-elle.

Creb la considéra avec suspicion. Ils s'aventuraient sur un terrain glissant et Brun verrait d'un mauvais œil la petite fille s'initier à des domaines exclusivement réservés aux mog-urs, et qui plus est, exercer leurs pouvoirs magiques. Mais Ayla avait piqué la curiosité du sorcier, impatient de voir jusqu'où iraient ses capacités de compréhension.

— Mets tes deux mains sur toutes les marques, lui expliqua-t-il. Ayla lui obéit, puis Creb traça une autre marque sur laquelle il mit son petit doigt. Tu vois, ajouta-t-il, j'ai mis mon petit doigt sur cette marque-là. Après la première série couverte par tes deux mains, tu dois penser au premier doigt de la main de quelqu'un d'autre, puis au doigt suivant et ainsi de suite. Tu comprends ? demanda-t-il en la regardant attentivement.

La petite file ne cilla pas. Elle considéra ses mains, puis celle de Creb et fit la grimace particulière avec laquelle elle manifestait sa joie, en hochant vigoureusement la tête. Et, à la grande surprise du vieil homme, elle franchit encore une étape avec une aisance stupéfiante.

— Et ensuite les mains de quelqu'un d'autre, et encore de quelqu'un d'autre, n'est-ce pas ? demanda-t-elle.

C'était plus que ne pouvait imaginer Creb, qui avait le plus grand mal à compter jusqu'à vingt ; au-delà, les nombres se perdaient dans une infinité vague qu'il nommait « beaucoup ». En quelques rares occasions il avait eu le sentiment d'entrevoir une bribe de ce concept qu'Ayla venait de maîtriser sans la moindre difficulté. Prenant soudain conscience de l'abîme qui séparait son esprit de celui d'Ayla, il chercha à dissimuler son trouble en faisant diversion.

— Dis-moi, comment s'appelle ceci ? lui demanda-t-il en brandissant sa badine.

— Saule, répondit-elle en hésitant légèrement.

— Très bien, dit Creb en la prenant par les épaules et en

la regardant droit dans les yeux. Ayla, il vaudrait mieux que tu ne parles à personne de tout ce que je viens de t'apprendre, ajouta-t-il en lui montrant les entailles.

— Oui, Creb, lui promit-elle, consciente de l'importance que cela présentait aux yeux du sorcier, dont elle avait appris à comprendre les gestes et les expressions mieux que personne, à l'exception d'Iza.

— Allons, il est temps de rentrer, déclara-t-il, désireux de rester seul pour méditer en paix.

— Oh non, pas encore ! Il fait encore bon dehors, supplia la fillette.

— Ayla, il ne faut jamais contredire un homme quand il a pris une décision, lui reprocha-t-il gentiment.

— Oui, Creb, acquiesça-t-elle en baissant la tête, comme il lui avait appris à le faire. Sur le chemin du retour elle marcha en silence aux côtés de Mog-ur jusqu'au moment où, poussée par l'impétuosité de sa jeunesse, elle se remit à courir devant lui. Elle courut ainsi en désignant les arbres et les pierres qu'elle rencontrait au passage, demandant à Mog-ur de lui rappeler les noms dont elle ne se souvenait plus. Encore sous le coup de sa découverte, le sorcier lui répondait machinalement.

Les premières lueurs de l'aube dissipaient les ténèbres et la fraîcheur de l'air vif annonçait l'arrivée prochaine de la neige. Allongée sur sa couche, Iza regardait se préciser peu à peu les contours familiers de la caverne. Aujourd'hui, sa fille allait recevoir un nom et se voir reconnue comme membre du Clan à part entière, comme un être humain non seulement vivant mais apte à vivre. Elle songea avec plaisir que sa mise à l'écart forcée allait se relâcher, bien que ses rapports avec les autres dussent encore se limiter strictement aux femmes jusqu'à la fin des hémorragies.

A l'apparition de leurs premières menstruations, les jeunes filles étaient obligées de s'éloigner du Clan pendant toute la durée du cycle. Si elles se produisaient en hiver, la jeune femme demeurait seule au fond de la caverne, mais devait tout de même subir l'épreuve de l'isolement total au printemps suivant, au retour de ses règles. Cette expérience était non seulement terrifiante, mais dangereuse pour ces jeunes personnes désarmées, accoutumées à la protection et à la compagnie de tout le Clan.

Cette épreuve était destinée à marquer leur passage à l'état de femmes, tout comme sa première chasse marquait le passage d'un garçon à l'âge d'homme. Mais contrairement à ce dernier, la femme n'avait droit à aucune cérémonie pour fêter l'événement et son retour parmi les siens. Certes, pendant l'épreuve, elle avait la permission de faire du feu pour se protéger des bêtes féroces, mais il n'était pas rare que l'une d'elles disparaisse à tout jamais, et que son cadavre soit découvert plus tard par quelque chasseur. La mère de la jeune fille avait le droit de lui rendre visite une fois par jour pour lui apporter réconfort et nourriture. Mais si elle venait à disparaître, sa mère n'était autorisée à en faire mention qu'au bout d'un certain temps.

La puissance des Esprits féminins étant beaucoup plus agissante pendant la menstruation, la femme devait subir un isolement forcé pour ne pas mettre en échec l'Esprit totémique de l'homme. Confinée auprès des autres femmes, elle devait s'occuper à des tâches subalternes comme le ramassage du bois ou la salaison des peaux. Pendant cette période, les hommes l'ignoraient totalement et s'abstenaient même de la réprimander.

Cet isolement semblait un châtiment cruel, presque aussi cruel que la malédiction suprême infligée au membre du Clan qui commettait une faute grave. Seul le chef était habilité à demander au mog-ur de faire descendre sur lui les Esprits malfaisants. Le mog-ur ne pouvait se soustraire à cette obligation, malgré le danger que cela représentait pour le Clan et pour lui-même. Une fois maudit, le coupable était totalement exclu du Clan qui cessait aussitôt de lui parler comme de le voir. Il n'existait plus pour personne. Il était tout bonnement considéré comme mort. Son épouse et sa famille le pleuraient et personne n'avait le droit de lui donner à manger. Quelques-uns quittaient le Clan pour ne plus jamais reparaître. Mais la plupart se laissaient mourir de faim et de soif.

Il arrivait parfois que le châtiment soit imposé pour une durée déterminée, mais dans la plupart des cas, l'issue demeurait fatale, le coupable se laissant quand même mourir. S'il survivait à une telle condamnation, il pouvait réintégrer le Clan et y retrouver son rang. Une fois sa dette payée, son crime était oublié. Cependant, en raison de la rareté des actes criminels, un tel châtiment était fort peu infligé.

Iza attendait avec impatience la cérémonie grâce à laquelle

elle pourrait enfin se joindre aux autres femmes et, lasse de se voir confinée dans les limites du foyer de Creb, elle regardait avec envie le beau soleil qui pénétrait dans la caverne. Elle guettait le signe de Mog-ur lui annonçant qu'il était prêt et le Clan rassemblé pour la cérémonie. Lorsqu'enfin il la fit venir, elle se présenta devant lui, et la tête baissée, elle dénuda son enfant. Alors, plongeant les doigts dans l'écuelle que lui présentait Goov, Mog-ur traça lentement une ligne rouge sur le nez du bébé jusqu'au milieu des sourcils.

— Uba, cette enfant se nomme Uba, déclara le sorcier.

— Uba, répéta Iza en serrant contre elle son enfant frissonnant de froid.

Puis tous les membres du Clan défilèrent un à un devant la petite fille, en répétant son nom pour se familiariser ainsi que leurs totems avec la nouvelle venue. Après quoi, Iza enveloppa la nouveau-née dans de douces peaux de lapin et l'installa sous sa propre fourrure, tout contre la chaleur de son corps, et elle prit place parmi les femmes pour assister à la consécration des unions.

À l'occasion de cette cérémonie et de celle-là seule, on utilisait l'ocre jaune. Goov, ne pouvant servir d'acolyte pour la célébration de sa propre union, tendit l'écuelle d'onguent jaune à Mog-ur, qui la cala entre son bras et sa taille. Il prit place devant le sorcier, en attendant que Grod lui amène la fille de sa compagne. Uka, quant à elle, assistait à la scène, à la fois heureuse pour sa fille et désolée de la voir quitter le foyer familial. Ovra, enveloppée dans une peau de bête toute neuve, s'avança les yeux baissés, et s'assit en tailleur devant Goov.

Avec les gestes appropriés, Mog-ur s'adressa de nouveau aux Esprits, puis, après avoir plongé son majeur dans l'écuelle, il traça à l'ocre jaune le signe du totem d'Ovra sur la cicatrice de celui de Goov, symbole de l'union de leurs Esprits, puis le signe du totem de Goov sur celui d'Ovra, en recouvrant entièrement le signe de la femme, symbole de sa soumission.

— Esprit de l'Auroch, totem de Goov, tu as vaincu l'Esprit du Castor, totem d'Ovra, déclara Mog-ur en effectuant les gestes rituels. Puisse Ursus permettre qu'il en soit toujours ainsi. Goov acceptes-tu cette femme ?

Goov répondit en tapant Ovra sur l'épaule et en lui faisant signe de le suivre dans la caverne, vers leur nouveau foyer fraîchement délimité par des pierres. Ovra se releva pour suivre son nouvel époux. Personne ne lui ayant demandé son avis, elle n'avait pas le choix. Le couple allait rester isolé, confiné dans les limites du foyer où chacun dormirait de son côté. À la fin de cet isolement de quatorze jours, les hommes procèderaient entre eux à de nouveaux rites dans la petite caverne pour sceller l'union.

L'accouplement de deux êtres était aux yeux du Clan une affaire strictement spirituelle, qui commençait par une déclaration publique devant tous et s'achevait par un rite secret strictement réservé aux hommes. Dans la communauté, il était aussi naturel de s'adonner aux activités sexuelles que de dormir ou de manger. Les enfants apprenaient souvent comment cela se passait en observant les adultes, et ils jouaient à faire l'amour dès leur plus jeune âge, tout comme ils imitaient les autres activités de leurs aînés. Les petites filles étaient déflorées très jeunes par des garçons pubères qui, n'ayant pas encore abattu leur première bête à la chasse, flottaient encore entre l'enfance et l'âge adulte.

Tout homme avait le droit de satisfaire ses désirs quand bon lui semblait, avec n'importe quelle femme, à l'exception de sa sœur. Généralement, les couples se restaient plus ou moins fidèles, mais il était plus grave pour un homme de réprimer ses désirs que de prendre la première femme venue. Quant aux femmes, elles faisaient volontiers des gestes subtilement évocateurs et suggestifs aux hommes qui leur plaisaient, pour susciter leurs avances. Aux yeux des membres du Clan, toute vie nouvelle prenait naissance par l'entremise des totems omniprésents, et toute relation entre l'activité sexuelle et la reproduction paraissait inconcevable.

Une seconde cérémonie fut célébrée pour unir Droog et Aga, et le couple alla s'isoler dans le foyer de Droog. Alors, les femmes entourèrent Iza et son enfant.

— Mais elle est parfaitement constituée, Iza ! s'exclama Ébra. Je dois dire que j'étais inquiète quand je t'ai sue enceinte, si tard...

— Les Esprits ont veillé sur moi, répondit Iza. Une fois vaincu, un totem puissant contribue grandement à la bonne santé de l'enfant.

— Je craignais que le totem de l'étrangère ait une mauvaise influence sur ton enfant. Elle est si différente de nous et son totem est si puissant qu'elle aurait pu déformer ta petite, commenta Aba.

— Ayla a de la chance et elle m'a porté chance, répliqua brusquement Iza. Elle nous a porté chance à tous, ajouta-t-elle.

— Peut-être, mais en ce qui te concerne, pas suffisamment pour te donner un garçon, insista Aba.

— Je désirais une fille, Aba, précisa Iza.

— Iza ! comment peux-tu dire une chose pareille !

Les femmes n'en revenaient pas. Il était exceptionnel que l'on préfère les filles dans le Clan.

— Je la comprends, dit Uka en prenant la défense d'Iza. Vous avez un fils, vous vous occupez de lui, vous le nourrissez, l'élevez, et dès qu'il est grand, il disparaît. S'il n'est pas tué à la chasse, il meurt autrement. Au moins Uba aura, elle, une chance de vivre un peu plus longtemps.

Tout le monde connaissait le chagrin de cette femme qui avait perdu son fils dans l'éboulement de la caverne. Ébra, avec tact, changea de sujet.

— Je me demande comment nous allons passer l'hiver dans cette nouvelle caverne.

— La chasse a été bonne et nous avons fait suffisamment de provisions. Les chasseurs vont tenter une dernière expédition aujourd'hui. Pourvu qu'il nous reste assez de place dans la réserve pour entreposer ce qu'ils tueront, dit Ika. En attendant, nous ferions bien de leur faire à manger, ils ont l'air de s'impatienter.

Les femmes quittèrent à regret Iza et son enfant pour aller préparer le repas du matin. Ayla s'assit à côté d'elle et prit le bébé dans ses bras. Iza se sentait bien, heureuse de se trouver dehors par cette belle matinée froide et ensoleillée ; heureuse de la naissance de son enfant, une fille de surcroît, et en bonne santé ; heureuse de la nouvelle caverne et que Creb ait décidé de la prendre dans son foyer ; heureuse enfin de la présence à ses côtés de l'étrange fillette aux cheveux blonds. Elle regarda Uba, puis Ayla. « Mes filles, pensa-t-elle, elles sont toutes les deux mes filles. Tout le monde sait déjà que Uba deviendra guérisseuse, mais il en sera de même pour Ayla. Je ferai en sorte qu'il en soit ainsi. »

IX

« Alors, l'Esprit de la Neige poudreuse vainquit celui de la Neige cristalline qui, à quelque temps de là, donna naissance loin au nord à la Montagne de Glace. Mais l'Esprit du Soleil détestait cette enfant étincelante qui ne cessait de s'étendre en grandissant, repoussant la chaleur de ses rayons et empêchant l'herbe de pousser. Alors, le Soleil décida de faire disparaître la Montagne de Glace, mais l'Esprit du Gros Nuage, frère de la Neige cristalline, apprit que le Soleil voulait tuer l'enfant. Et lorsque le Soleil se trouva au point culminant de sa puissance, en plein été, l'Esprit du Gros Nuage engagea le combat contre lui pour sauver la vie de la Montagne de Glace. »

Uba sur les genoux, Ayla écoutait, captivée, la légende familière. C'était sa légende préférée, celle dont elle ne se lassait jamais d'entendre le récit. Mais l'intrépide gamine d'un an et demi qu'elle tenait dans les bras semblait plus intéressée par ses longs cheveux blonds qu'elle tirait allègrement. Ayla dégagea de sa chevelure les petits doigts, sans quitter des yeux le vieux Dorv mimant de façon théâtrale les péripéties de l'histoire qu'il avait maintes fois racontée.

« Certains jours, le Soleil gagnait la bataille après avoir réduit en eau la glace dure, ôtant peu à peu la vie à la Montagne de Glace. Mais certains autres, le Gros Nuage l'emportait sur son rival, faisant écran entre lui et la Montagne de Glace. Si en été la Montagne de Glace mourait de faim et perdait considérablement de ses forces, en hiver sa mère lui apportait de quoi se nourrir et recouvrer la santé. Et chaque été, le Soleil luttait avec moins de succès contre le Gros Nuage. C'est ainsi qu'au début de chaque hiver, la Montagne de Glace était un peu plus grosse que l'hiver précédent, couvrant davantage la terre tous les ans.

A mesure qu'elle s'étalait, les vents froids se levaient et la neige tourbillonnait. Et la Montagne avançait toujours, s'approchant petit à petit des lieux habités par les humains. Le Clan, transi de froid, se blottissait autour du feu.

Personne ne savait que faire. “ Pourquoi les Esprits de nos totems ne nous protègent-ils plus ? Qu'avons-nous donc fait pour provoquer leur colère ? ” se demandaient-ils. Alors, le mog-ur décida d'aller se porter à la rencontre des Esprits afin de leur parler. Il resta absent très longtemps. Tout le monde l'attendait avec impatience, et plus particulièrement les jeunes.

Mais Durc était plus impatient que les autres. “ Le mog-ur ne reviendra jamais plus, disait-il. Nos totems n'aiment pas le froid. Ils sont partis. Nous devrions en faire autant.

— Nous ne pouvons pas quitter notre caverne, répondit le chef. C'est là que le Clan a toujours vécu. C'est la demeure des Esprits de nos totems. Ils ne sont pas partis. Ils ne sont pas contents de nous, mais ils le seront encore moins sans feu ni lieu. Nous ne pouvons pas nous en aller et les emmener avec nous. De plus, où irions-nous ?

— Nos totems sont déjà partis, insista Durc. Ils reviendront peut-être si nous trouvons un endroit plus clément. Nous pouvons aller vers le sud, en suivant les oiseaux chassés par le froid de l'automne ; ou vers l'est, au pays du Soleil. Nous devons aller là où la Montagne de Glace ne pourra jamais nous atteindre. Elle se déplace très lentement, tandis que nous, nous filons comme le vent. Elle ne pourra jamais nous rattraper. Si nous restons ici, nous gèlerons sur place.

— Non. Nous devons attendre le mog-ur. Il nous dira ce qu'il faut faire ”, ordonna le chef. Mais Durc ne voulait pas écouter cet avis sage. À force d'exhortations, il parvint à rallier à sa cause certains membres du Clan qui décidèrent de partir avec lui.

“ Restez, suppliaient les autres. Attendez le retour du mog-ur. ”

Durc refusa de les écouter. “ Le mog-ur ne trouvera jamais les Esprits. Il ne reviendra jamais. Nous partons tout de suite. Venez chercher avec nous un endroit inaccessible à la Montagne de Glace.

— Non, répliquèrent-ils. Nous attendrons ici. ”

Les mères et leurs compagnons pleurèrent les jeunes gens qui partirent, assurés de ne jamais les revoir. Ils attendirent encore longtemps le retour du mog-ur, mais à mesure que le temps passait, ils commencèrent à douter de le revoir jamais et se demandèrent s'ils n'auraient pas mieux fait de suivre Durc.

Mais un jour, le Clan vit approcher un étrange animal, si étrange qu'il n'avait pas peur du feu. Lorsqu'il s'approcha, on s'aperçut que ce n'était pas un animal : c'était le mog-ur ! Vêtu d'une peau d'ours des cavernes. Il avait fini par revenir. Et il raconta au Clan ce qu'Ursus, l'Esprit du Grand Ours des Cavernes, lui avait appris.

Ursus leur enseigna à vivre dans les cavernes, à porter des vêtements de peaux de bêtes, à chasser et à faire la cueillette en été pour réunir des provisions en prévision de l'hiver. Le peuple du Clan n'oublia jamais la leçon d'Ursus, et la Montagne de Glace, malgré ses efforts, ne parvint jamais à chasser le Clan de chez lui.

Alors la Montagne de Glace finit par abandonner la lutte. Elle boudait et ne voulait plus se battre avec le Soleil, au grand mécontentement du Gros Nuage qui refusa désormais de la défendre. Elle retourna chez elle, loin vers le Nord, et le froid la suivit. Radieux de sa victoire, le Soleil la poursuivit tout le long du chemin, et la Montagne de Glace, n'ayant plus où se cacher, fut obligée de s'avouer vaincue. Et pendant longtemps, longtemps, il n'y eut plus jamais d'hiver, mais un éternel été.

Mais la Neige Cristalline regrettait la perte de son enfant et elle commença à s'affaiblir de chagrin. La Neige poudreuse, qui désirait un autre enfant, fit appel au Gros Nuage pour l'assister. Prenant sa sœur en pitié, il couvrit le visage du Soleil pendant que la Neige poudreuse répandait son Esprit sur la Neige cristalline qui, à quelque temps de là, donna naissance à une autre Montagne de Glace. Mais cette fois, notre peuple se rappela ce qu'Ursus lui avait enseigné : la Montagne de Glace ne chassa jamais le Clan de chez lui.

Et qu'est-il advenu de Durc et de ses compagnons ? Certains prétendent qu'ils furent dévorés par les loups et les lions ; d'autres qu'ils se sont noyés dans les eaux profondes ; d'autres encore que lorsqu'ils arrivèrent au pays du Soleil, le Soleil se mit en colère, pensant que Durc et ses amis voulaient lui prendre sa terre. Il leur envoya une boule de feu qui les réduisit en cendres, et personne ne les revit jamais plus. »

— Tu vois, Vorn, tu dois toujours écouter ta mère, Droog et

Mog-ur. Tu ne dois jamais désobéir, ni quitter le Clan, sous peine de disparaître à tout jamais.

C'est en ces termes qu'Aga ne manquait jamais de conclure à l'usage de son fils l'histoire de Durc.

— Creb, dit Ayla, crois-tu que Durc et ses compagnons ont découvert un nouvel endroit pour vivre ? Il a disparu, c'est vrai, mais personne ne l'a vu mourir, n'est-ce pas ? Il n'est peut-être pas mort ?

— Il est vrai que personne ne l'a vu mourir, Ayla, mais il est très difficile de chasser à deux ou trois hommes seulement. Ils auront pu tuer suffisamment de petit gibier durant les mois d'été, mais ils ont dû avoir beaucoup de mal avec le gros gibier, indispensable pour passer l'hiver. En outre, ils ont dû traverser de nombreux hivers avant d'atteindre le Pays du Soleil. Et tu sais que les totems ont besoin d'un endroit pour vivre. Ils s'éloignent de ceux qui errent à l'aventure. Aimerais-tu que ton totem te quitte ?

— Mais mon totem ne m'a pas abandonnée, même quand j'étais toute seule et sans abri, rétorqua Ayla en portant spontanément la main à son amulette.

— C'est parce qu'il voulait t'éprouver. Il t'a trouvé un nouveau foyer, n'est-ce pas ? Le Lion des Cavernes est un totem très puissant, Ayla. Il t'a choisie lui-même et peut donc te protéger à tout moment. Mais en général, les totems préfèrent résider dans une demeure fixe. Si tu es très attentive, le tien t'aidera et te dictera ce que tu as de mieux à faire.

— Comment le saurai-je, Creb ? demanda Ayla. Je n'ai jamais vu l'Esprit du Lion des Cavernes. Comment peut-on savoir quand un totem vous dit quelque chose ?

— Tu ne peux pas voir l'Esprit de ton totem parce qu'il fait partie de toi, il est en toi. Mais il peut te parler si tu sais l'écouter. Si tu dois prendre une décision, il est là pour t'aider. Il te fera savoir à sa manière si ton choix est le bon.

— Mais comment ?

— C'est difficile à dire. En général, il te le signifie par quelque chose d'inhabituel ou d'étrange. Ce peut être une pierre que tu n'as jamais vue auparavant ou bien une racine à la forme bizarre qui aura un sens pour toi. Tu dois réussir à le comprendre avec ton cœur et ton esprit, non avec tes yeux et tes oreilles ; c'est ainsi que tu sauras ce qu'il faut faire. Toi seule es capable de comprendre ton totem, personne ne peut le faire à ta place.

Mais chaque fois que tu trouveras un signe de lui, mets-le avec ton amulette, cela te portera bonheur.

— Et toi, Creb, tu as des signes avec ton amulette ? demanda la fillette en jetant des regards de curiosité sur la petite bourse rebondie qui pendait au cou du sorcier.

— Oui, acquiesça-t-il. J'ai une dent d'ours des cavernes que j'ai trouvée quand je suis devenu l'acolyte du mog-ur précédent. Elle s'était détachée de la mâchoire et se trouvait par terre, à mes pieds. Elle est en parfait état. C'est ainsi qu'Ursus m'a fait savoir que ma décision était la bonne.

— Tu crois que mon totem m'enverra aussi des signes ?

— Personne ne le sait. Mais ce n'est pas impossible ; le jour où tu auras une grave décision à prendre, ton totem t'y aidera peut-être si tu as conservé ton amulette sur toi. Fais bien attention de ne jamais la perdre, Ayla. Elle contient une partie de ton Esprit et c'est grâce à elle qu'il pourra te retrouver où que tu sois. Si tu la perds, il perdra son chemin et regagnera le monde des Esprits. Si tu ne la retrouves pas très vite, tu mourras.

Ayla frissonna, puis, portant la main à la petite bourse qui pendait à son cou, elle se demanda si elle rencontrerait jamais un signe de son totem.

— Tu crois que le totem de Durc lui avait signifié qu'il pouvait partir au Pays du Soleil ?

— Personne ne saurait le dire, Ayla. Cela ne fait pas partie de la légende.

— Je trouve son entreprise courageuse, déclara Ayla.

— Elle n'en était pas moins imprudente, répondit Creb. Pourquoi quitter son Clan et la demeure de ses ancêtres ? Pour découvrir autre chose ? Les jeunes trouvent toujours à Durc de la bravoure, mais avec l'âge et la sagesse, ils changent d'avis.

— Moi, je l'aime parce qu'il était différent, dit Ayla. C'est l'histoire que je préfère.

Ayla se leva pour suivre les femmes qui allaient préparer le repas du soir. Creb, perplexe, la suivit des yeux. Chaque fois qu'elle paraissait sur le point de comprendre et de se soumettre aux coutumes du Clan, elle faisait ou disait quelque chose qui l'incitait à en douter. Ainsi dans cette légende destinée à illustrer l'erreur de chercher à bouleverser les traditions, Ayla admirait l'intrépidité du jeune homme, avide de changement. Quand adopterait-elle une fois pour toutes les idées du Clan ? se demandait-il.

Dès l'âge de sept ou huit ans, les petites filles du Clan étaient censées posséder tout le savoir pratique des femmes adultes. Peu après, d'ailleurs, la plupart d'entre elles devenaient en âge de s'accoupler. Depuis deux années qu'Iza l'avait recueillie, Ayla avait appris à trouver seule sa nourriture, à la préparer et à la conserver. Elle savait également faire bien d'autres choses pour aider les femmes dans leurs occupations.

Elle savait dépecer et tailler une peau pour en faire des vêtements, des couvertures et des sacs. Elle était capable de découper dans une seule peau des lanières de largeur régulière. Les cordes qu'elle fabriquait avec les poils, les tendons ou les écorces fibreuses étaient solides et lourdes, ou fines et légères, en fonction des besoins. Elle excellait dans le tissage des paniers, des nattes et des filets. Elle savait aussi tailler une pierre pour confectionner une hachette ou un couteau tranchant qui faisait l'admiration de Droog lui-même. Elle pouvait également creuser des écuelles dans des souches d'arbres et les polir. Elle était capable de provoquer des étincelles en frottant vivement l'un contre l'autre deux morceaux de bois, jusqu'à l'obtention d'une sorte de charbon noir et fumant avec lequel elle parvenait à enflammer des brindilles sèches. Et, à la grande surprise de tous, elle était en train d'assimiler le savoir thérapeutique d'Iza avec une facilité déconcertante.

Ayla était occupée à couper des ignames en morceaux pour les faire bouillir sur le feu. Une fois enlevé le moisi, il ne restait plus grand-chose. Le fond de la caverne avait beau être sec et frais, les légumes entreposés n'en pourrissaient pas moins vers la fin de l'hiver. La petite fille commençait à rêver de la saison prochaine en constatant la présence d'un filet d'eau dans la rivière encore gelée, signe qu'elle ne serait pas longue à retrouver son impétuosité. Elle était impatiente de redécouvrir la saveur des premiers légumes, des bourgeons, de la résine sucrée de l'érable que l'on recueillait pour la faire bouillir dans de grands récipients en peau jusqu'à ce qu'elle se transforme en un épais sirop.

Ayla n'était pas la seule à déplorer la longueur de ce pénible hiver, qui confinait le Clan à l'intérieur de la caverne. Au lever du jour, le vent du sud avait commencé à souffler, porteur de la douce et tiède odeur de la mer proche. Les longues stalactites qui obstruaient partiellement l'entrée de la grotte se mirent aussitôt à fondre. Mais un peu plus tard dans la matinée, la température redescendit soudain, gelant de nouveau les pointes de glace acérées. Néanmoins, chacun avait senti dans cette bouffée de brise l'approche imminente du printemps.

Les femmes travaillaient en bavardant, conversant à leur habitude avec leurs mains, à l'aide de gestes brefs et éloquents, sans cesser pour autant de préparer le repas. Vers la fin de l'hiver, au moment où venaient à s'épuiser les provisions, elles avaient coutume de mettre en commun leurs réserves et de faire la cuisine ensemble tout en continuant à manger séparément, sauf à l'occasion d'événements particuliers. Les festins étaient toujours plus nombreux en hiver, agréable façon de rompre la monotonie des jours, bien qu'ils fussent réduits au strict minimum. Le Clan avait néanmoins largement de quoi manger. Entre deux tempêtes de neige, les chasseurs parvenaient à rapporter à la caverne quelque menu gibier ou un vieux daim, dont on aurait d'ailleurs fort bien pu se passer, étant donné l'abondance de viande séchée en réserve. La vieille Aba racontait une histoire aux femmes, toujours captivées par ses récits.

« ... mais l'enfant était difforme. Alors, obéissant aux ordres du chef, sa mère l'emporta, la mort dans l'âme, décidée à ne pas le laisser mourir. Elle grimpa dans un arbre et l'attacha aux branches les plus hautes, inaccessibles aux chats sauvages. Le bébé se mit à pleurer à son départ et eut si faim au cours de la nuit qu'il hurla comme un loup, empêchant tout le monde de dormir. Il brailla jour et nuit, mais tant qu'il pleurait et criait, sa mère le savait vivant.

Le jour où il devait recevoir un nom, la mère s'empressa de grimper dans l'arbre, très tôt le matin. Et, non seulement son fils était encore vivant, mais son infirmité avait disparu ! Il était devenu normal et bien portant. Le chef, qui n'avait pas voulu de l'enfant dans le Clan, fut obligé de l'accepter et de lui faire donner un nom. Par la suite, l'enfant devint chef à son tour et il fut toujours reconnaissant à sa mère de lui avoir évité une mort certaine. Il lui remettait une part de toutes ses chasses et ne la battit ni ne la réprimanda jamais, et il la traita toujours avec le plus grand respect », conclut Aba.

— Quel enfant serait capable de survivre sans manger dans les premiers jours après sa naissance ? demanda Oga en jetant un regard sur son fils, Brac, qui venait de s'endormir. Et comment l'enfant a-t-il pu être nommé chef si sa mère n'était pas déjà la compagne du chef ?

Oga était particulièrement fière de son nouveau-né, et Broud plus fier encore que sa compagne ait si rapidement donné naissance à un fils. Brun lui-même se départait quelque peu de sa dignité en contemplant l'enfant qui assurerait la pérénnité de la direction du Clan.

— Qui serait le futur chef si tu n'avais pas eu Brac, Oga ? lui demanda Ovra. Et si tu n'avais eu que des filles ? Il se peut fort bien que cette femme ait été l'épouse du second ou bien qu'il soit arrivé quelque malheur au chef...

Ovra enviait un peu cette femme plus jeune qu'elle, unie à Broud le jour de son union avec Goov dont elle n'avait pas encore d'enfant.

— Oui, mais alors comment un enfant difforme peut-il devenir soudain normal et en bonne santé ? rétorqua Oga.

— Je crois que cette histoire a été inventée par une femme qui avait un enfant anormal et souhaitait qu'il en fût autrement, dit Iza.

— C'est une légende très ancienne, Iza, répliqua Aba, désireuse de défendre son récit. Elle est transmise de génération en génération. Et ce qui se passait il y a bien longtemps ne peut probablement plus se produire aujourd'hui. Comment savoir ?

Une fois le repas prêt, Iza prit sa part pour l'emporter au foyer de Creb, Ayla sur ses talons tenant dans ses bras la turbulente petite Uba. Le repas terminé, Uba se précipita sur sa mère pour téter, mais se mit bientôt à gigoter et à pleurnicher si bien qu'Iza finit par tendre le bébé à Ayla.

— Tiens, prends-la et va voir si Aga ou Oga peuvent la nourrir, lui dit-elle entre deux quintes de toux.

— Tu ne te sens pas bien, Iza ? s'inquiéta Ayla.

— Je suis beaucoup trop vieille pour pouvoir m'occuper convenablement d'un petit bébé. Je n'ai pas assez de lait. Uba a faim. La dernière fois, c'est Aga qui l'a nourrie. Amène-la donc à Oga, elle a plus de lait qu'il ne lui en faut.

Iza croisa le regard curieux de Creb mais s'empressa de détourner la tête, tandis qu'Ayla emmenait Uba à Oga, en faisant très attention à sa façon de marcher et en prenant bien soin de garder la tête baissée lorsqu'elle se présenta au foyer de Broud. Elle savait que le moindre écart de conduite lui attirerait la colère du garçon, à qui tout prétexte était bon pour la gronder ou pour la battre. Une fois Uba rassasiée, Ayla la ramena chez elle et s'assit par terre en la berçant, fredonnant tout doucement pour endormir le bébé. Elle avait depuis longtemps oublié la langue qu'elle parlait en arrivant, mais fredonnait toujours en tenant la fillette dans ses bras.

— Il est encore un peu tôt pour sevrer Uba, lui expliqua Iza à son retour. Elle marche à peine, mais je n'ai pas le choix. Je préférerais ne pas la faire nourrir plus longtemps par une autre femme. Demain, je t'apprendrai à lui préparer à manger.

— Ah ! si je pouvais la nourrir moi-même ! s'exclama Ayla.

— Je sais bien que tu es une grande fille, Ayla, mais tu n'es pas encore une femme et tu ne sembles pas prendre le chemin de le devenir bientôt. Seules les femmes peuvent être mères, et seules les mères ont du lait. Nous allons donc préparer des repas spéciaux pour Uba et voir comment elle réagit. Les bébés ne peuvent pas manger n'importe quoi. Il faut tout écraser avec un peu d'eau, aussi bien la viande que les légumes. Reste-t-il encore des glands ?

— Il en restait un peu la dernière fois que je suis allée voir, mais les souris et les écureuils ont dû en grignoter une bonne partie, sans compter ceux qui ont pourri.

— Prends ce que tu trouveras. Heureusement, l'hiver tire à sa fin et le printemps va enfin nous permettre de varier les menus !

Iza était heureuse de constater le sérieux avec lequel Ayla l'écoutait. Plus d'une fois pendant l'hiver elle lui avait été reconnaissante pour son aide empressée. Elle se demandait parfois si Ayla ne lui avait pas été envoyée par les Esprits pour servir de seconde mère à cette enfant née un peu tardivement. Mais, outre son âge, sa mauvaise santé épuisait Iza, qui pourtant ne faisait jamais allusion à la douleur qu'elle ressentait dans la poitrine ou au sang qu'elle crachait après avoir toussé.

Néanmoins, elle savait que Creb avait deviné qu'elle était beaucoup plus mal qu'elle ne voulait l'admettre. Comme il vieillit, lui aussi, songea-t-elle en observant le vieux sorcier. La chevelure hirsute du vieil homme était parsemée de fils argentés. L'arthrite, jointe à son infirmité, lui rendait tout déplacement horriblement douloureux. Ses dents usées commençaient à le faire souffrir. Mais Creb, depuis longtemps habitué à la douleur et à la souffrance, s'inquiétait à son tour pour Iza. Il ne pouvait s'empêcher de remarquer combien elle avait maigri, les traits tirés et les yeux profondément enfoncés dans les orbites, les bras décharnés et les cheveux grisonnants. Mais c'est sa toux qui le tourmentait plus particulièrement. Le vieil homme souhaita lui aussi ardemment le retour du printemps et de ses douces journées ensoleillées.

L'hiver libéra enfin la terre de son étreinte glacée et le printemps déversa sur elle des pluies torrentielles. La fonte des neiges dans les montagnes environnantes grossit le cours d'eau et transforma les abords de la caverne en un vaste bourbier. Seuls les galets qui en pavaient l'entrée protégeaient la grotte de l'humidité.

Mais toute la boue du monde n'aurait pu retenir le Clan à l'intérieur de la caverne. Après leur longue réclusion, tous se précipitèrent au-dehors pour saluer les premiers rayons du soleil et la douce brise marine. Le paisible hiver nonchalant, consacré au récit des légendes, aux bavardages, à la fabrication des outils et des armes, ainsi qu'à toutes sortes d'activités propres à passer le temps, faisait enfin place à l'agitation affairée du printemps. Les femmes partaient à la recherche des jeunes pousses et des tendres bourgeons, tandis que les hommes s'entraînaient pour la première grande chasse de la saison.

Uba s'accommodait parfaitement de sa nouvelle alimentation et ne tétait que de temps à autre, par habitude ou pour le plaisir de retrouver la chaleur et la sécurité du sein maternel. Bien que faible encore, Iza toussait beaucoup moins ; quant à Creb, il reprit ses lentes promenades le long de la rivière, seul ou en compagnie d'Ayla, ravie par le renouveau de la nature.

Ainsi Ayla connut-elle le plaisir des longues promenades solitaires où elle se sentait pour la première fois libérée des regards inquisiteurs de tout le Clan. S'il lui arrivait fréquemment de se joindre aux autres femmes lorsqu'elles partaient en cueillette, elle s'empressait d'exécuter au plus vite les tâches qui lui incombaient pour avoir le temps d'arpenter les bois, seule, afin de rapporter à Iza non seulement des plantes connues, mais également tout ce qui l'intriguait.

Brun ne fit à cela aucune objection directe ; il fallait bien que quelqu'un se charge d'apporter à Iza ce dont elle avait besoin pour préparer ses remèdes. Mais l'empressement d'Ayla à s'éloigner seule ne lui plaisait aucunement, d'autant qu'il arrivait à la fillette de revenir encore avec un animal blessé ou malade.

Le lapin qu'elle avait découvert juste après la naissance d'Uba ne fut que le premier d'une longue série. Elle savait parfaitement mettre les animaux en confiance. Brun, qui ne s'était pas senti le courage de le lui interdire, ne s'éleva qu'une seule fois contre cette habitude saugrenue : le jour où elle revint avec un louveteau. La capacité de tolérance du Clan s'arrêtait aux carnivores contre lesquels les chasseurs devaient défendre leurs proies. Il arrivait plus d'une fois qu'une bête traquée, peut-être même blessée, se trouve enfin à portée de lance pour tomber au dernier moment entre les griffes d'un carnassier plus rapide. Brun ne pouvait pas permettre le sauvetage d'une bête susceptible de voler un jour au Clan l'une de ses prises.

— Ayla ! appela Iza un beau matin. Veux-tu aller me chercher de l'écorce de cerisier ? Je ne peux pas utiliser celle qui me reste, elle est trop vieille. Il y a un petit bois de cerisiers de l'autre côté de la rivière, juste après la clairière. Tu vois où c'est ?

— Oui, je sais, répondit Ayla.

C'était une superbe matinée de printemps. Les derniers crocus blancs et mauves étaient blottis au pied des premières jonquilles. Un léger tapis d'herbe tendre et bien verte commençait à croître dans le sol humide. De minuscules points verdoyants parsemaient çà et là les branches nues des buissons et des arbres, premiers bourgeons s'ouvrant à la vie. Un timide soleil dispensait ses encouragements au renouveau de la nature.

Après avoir disparu aux regards du Clan, Ayla retrouva sa liberté d'allure, heureuse de ne plus avoir à surveiller sa démarche et sa conduite. Elle parcourut les collines boisées une bonne partie de la matinée, puis s'étant soudain aperçue de l'heure tardive, décida de regagner directement la clairière aux cerisiers. Tandis qu'elle s'en approchait, elle surprit des bruits de voix et entrevit à travers les arbres la silhouette des hommes occupés à quelque activité. Elle s'avança à pas de loup et se cacha derrière un gros arbre pour observer à travers les buissons enchevêtrés ce qui se passait.

Les hommes étaient en train de s'entraîner au lancer en prévision de la prochaine chasse. Ayla se rappela les avoir vus se confectionner de nouvelles lances. Ils avaient commencé par abattre de jeunes arbres aux troncs minces, souples et bien droits, dont ils avaient élagué toutes les branches ; puis ils en avaient durci l'extrémité en les brûlant, pour ensuite les tailler en pointe et les aiguiser à l'aide d'une sorte de grattoir en silex. Ayla frémissait encore au souvenir du mécontentement qu'elle avait provoqué en osant toucher l'un de ces javelots.

Il était strictement interdit aux femmes de porter la main sur les armes, lui apprit-on ce jour-là, ainsi que sur les outils utilisés pour la fabrication de ces armes ; Ayla ne voyait pourtant aucune différence entre un couteau servant à couper le cuir destiné à confectionner une fronde et celui servant à tailler un vêtement. La lance que sa main avait souillée fut brûlée, pour la plus grande irritation du chasseur qui l'avait fabriquée. Creb et Iza l'avaient soumise par gestes à une longue réprimande dans le but d'ancrer dans sa conscience l'abomination de son acte. Les femmes étaient consternées devant une telle audace ; quant à Brun, son regard noir en disait long sur sa réprobation. Mais ce fut le malin plaisir que prit Broud à la voir accablée de reproches qui ulcéra tout particulièrement Ayla.

La fillette observait, mal à l'aise, la scène qui se déroulait derrière l'écran de broussailles. Outre leurs lances, les hommes avaient pris leurs autres armes. À l'exception de Dorv, de Grod et de Crug en grande discussion sur les mérites comparés de la lance et de la massue, la plupart des hommes s'entraînaient à la fronde. Vorn se trouvait parmi eux depuis que Brun l'avait estimé en âge d'apprendre le maniement de cette arme, ce dont il avait chargé Zoug.

Zoug montrait à Vorn comment tenir ensemble les deux extrémités de la bande de cuir et comment il fallait placer le caillou dans le renflement central d'une fronde passablement usée. Il avait préféré recourir à une vieille fronde dont il avait raccourci les deux bouts pour l'adapter à la petite taille de son élève.

Ayla se sentit rapidement captivée par les conseils de Zoug, aussi attentive que le jeune garçon aux explications et aux démonstrations du vieil homme. Au premier essai de Vorn, la fronde s'emmêla et le caillou tomba à ses pieds. Le garçon semblait avoir le plus grand mal à donner le coup de poignet indispensable pour faire tournoyer la fronde et lui donner ainsi la force nécessaire à la projection violente du caillou.

Légèrement à l'écart, Broud observait Vorn qui lui vouait une véritable adoration. C'était Broud qui avait fabriqué sa première lance, dont il ne se séparait jamais, même pour dormir, et qui lui avait appris à s'en servir en le traitant d'égal à égal. Or, voilà qu'à présent Vorn reportait son admiration sur le vieux chasseur, au grand dépit de Broud, jaloux de ce que Brun ait chargé Zoug de son entraînement à la fronde. Et, après plusieurs échecs successifs, Broud interrompit la leçon.

— Attends, Vorn, je vais te montrer comment il faut s'y prendre, déclara Broud en repoussant le vieil homme.

Zoug recula, foudroyant du regard l'arrogant jeune homme. Tout le monde s'arrêta, médusé. Brun se sentit pris de fureur en constatant l'insolence de Broud envers le meilleur tireur du Clan. Broud commence à se montrer un peu trop arrogant et prétentieux sous prétexte qu'un jour il sera chef, se dit-il.

Broud prit la fronde des mains de l'enfant, ramassa un caillou qu'il plaça au creux du cuir et tira aussitôt. Il visa trop court et le caillou tomba bien avant d'avoir atteint la cible. À la fois vexé et furieux d'avoir manqué son coup, Broud prit une autre pierre et la lança précipitamment pour bien montrer qu'il était capable de viser correctement. Il se sentait le centre de tous les regards. La fronde étant plus courte que celle à laquelle il était habitué, la pierre partit beaucoup trop sur la gauche et atterrit toujours aussi loin du but.

— As-tu toujours l'intention de faire une démonstration à Vorn ou bien préfères-tu prendre toi-même quelques leçons à sa place, Broud ? lui demanda ironiquement Zoug. Je peux rapprocher la cible, si tu veux.

Broud s'efforça de garder son sang-froid, furieux de se voir tourné en ridicule et d'avoir encore raté son objectif. Il lança une autre pierre, mais cette fois-ci l'envoya trop loin.

— Si tu veux bien attendre que j'en aie terminé avec Vorn, je me ferai un plaisir de te donner une leçon à toi aussi, insista Zoug, sur un ton lourdement sarcastique, accentué par des gestes de dérision. Je pense que cela ne sera pas superflu.

— Comment Vorn peut-il apprendre à tirer avec cette chose pourrie ? lança Broud en jetant la fronde par terre d'un air dégoûté. Personne ne pourrait tirer convenablement avec ça. Vorn, je vais te fabriquer une nouvelle fronde. Comment peux-tu apprendre avec cette vieille fronde usée appartenant à un vieillard qui n'est même plus capable de chasser !

Alors Zoug se mit réellement en colère. Il avait été longtemps second avant de céder la place au fils de sa compagne et il se sentait profondément blessé dans son orgueil par la remarque insolente de Broud.

— Mieux vaut être un vieil homme qu'un gamin qui se prend pour un homme, répliqua Zoug.

L'affront infligé à sa virilité était plus que Broud n'en pouvait supporter. Hors de lui, incapable de se contrôler davantage, il bouscula violemment le vieil homme. Surpris, Zoug perdit l'équilibre et tomba lourdement à la renverse, regardant autour de lui d'un air stupéfait. Ce geste était bien la dernière chose à laquelle il se serait attendu.

Dans le Clan, les chasseurs ne s'agressaient jamais physiquement ; ce traitement était réservé aux femmes, incapables de comprendre des remontrances exprimées de manière plus subtile. L'énergie bouillonnante des jeunes gens se dépensait lors de tournois de lutte, de concours de lancer du javelot ou encore dans les compétitions de tir à la fronde à l'occasion desquels ils en profitaient pour perfectionner leurs techniques de chasse. Broud, presqu'aussi surpris que Zoug par sa propre audace et réalisant ce qu'il venait de faire, se détourna rouge de honte.

— Broud ! tel un grondement rauque, le nom sortit de la bouche de Brun.

Broud leva la tête craintivement. Jamais de sa vie, il n'avait vu Brun dans une telle colère. Le chef s'approcha de lui d'un pas lourd et décidé, et en quelques gestes rapides et précis, se mit en devoir de le tancer vertement.

— Cette manifestation de mauvaise humeur on ne peut plus puérile est inexcusable ! Si tu ne te trouvais déjà au dernier rang des chasseurs, je t'y aurais relégué instantanément. Qui t'a demandé de te mêler de la leçon de Vorn ? T'ai-je chargé de son entraînement ? Les yeux du chef étincelaient de fureur. Et tu te dis chasseur, alors que tu ne peux même pas te comporter comme un homme ! Vorn est mieux capable de se contrôler que toi. Une femme a plus de discipline que toi. Est-ce ainsi que tu entends conduire tes hommes le jour où tu seras leur chef ? Si tu es incapable de te conduire toi-même, comment peux-tu prétendre conduire un jour le Clan ? Zoug a raison, tu n'es qu'un gamin qui se prend pour un homme.

Broud était mortifié. Jamais il n'avait subi de réprimande aussi sévère, et qui plus est, devant les chasseurs et devant Vorn. Jamais il ne parviendrait à faire oublier cette scène humiliante. Il aurait préféré affronter un lion des cavernes plutôt que d'encourir la colère de Brun. Tout honteux, il baissa humblement la tête.

Après avoir jeté un rapide regard sur le soleil, Brun donna le signal du départ. Témoins gênés d'une semonce aussi sévère, les autres chasseurs se sentirent soulagés de partir et se mirent à leur place derrière leur chef qui prit à vive allure le chemin de la caverne. Le visage encore cramoisi, Broud fermait la marche.

Ayla s'aplatit sur le sol, sans bouger, sans même oser respirer, paralysée de peur à l'idée que les hommes viennent à la découvrir. Elle savait qu'elle avait assisté à une scène qu'aucune femme n'avait le droit de surprendre. Broud n'aurait jamais été réprimandé de la sorte devant une femme. Quels que fussent les reproches qu'ils avaient à se faire, les hommes restaient fraternellement solidaires les uns des autres face à la gent féminine. Mais cette algarade avait fait découvrir à la petite fille tout un aspect de la vie des hommes qu'elle n'avait jamais envisagé. Ils n'étaient donc pas des êtres tout-puissants et jouissant de l'impunité, ainsi qu'elle l'avait toujours cru. Ils étaient eux aussi obligés d'obéir à des ordres et pouvaient également se faire réprimander. Seul Brun semblait au-dessus de toute loi et de tout homme. Ayla ne pouvait s'imaginer combien Brun, plus que quiconque, se trouvait soumis à des contraintes draconiennes : celles des us et coutumes du Clan et celles, imprévisibles, que lui imposaient les Esprits mystérieux et son propre sens des responsabilités.

Ayla resta cachée longtemps après le départ des hommes, redoutant leur retour à chaque instant. Et c'est toute tremblante qu'elle osa enfin sortir des buissons. Si elle n'était pas encore réellement à même de mesurer toutes les conséquences de sa nouvelle perception des hommes, une chose au moins restait claire : elle avait vu Broud aussi soumis qu'une femme, et cela lui avait fait plaisir, car elle en était peu à peu venue à le détester.

Ayla traversait la clairière en songeant encore à l'incident, quand elle aperçut à ses pieds la fronde que Broud avait jetée dans sa rage. Personne n'avait pensé à la ramasser avant de partir. Elle la contempla sans oser la toucher. Les conseils de Zoug à Vorn lui revinrent alors en mémoire ainsi que la difficulté du petit garçon à tirer. Est-ce vraiment si difficile ? se demanda-t-elle. Si Zoug me montrait comment faire, serais-je capable de tirer ?

Ayla pâlit devant la témérité de ses propres pensées, jetant autour d'elle des regards inquiets pour s'assurer qu'elle était bien seule. Puis, elle se baissa pour ramasser la fronde. À peine eut-elle en main l'arme au cuir souple et usé qu'elle prit conscience du châtiment qui l'attendrait si elle venait à être surprise. Et elle était sur le point de la jeter quand ses regards furtifs se posèrent sur la pile de cailloux. Déchirée entre son désir d'essayer la fronde et la crainte de faire ce qui lui était interdit, elle s'assura une fois encore qu'elle était bien seule et se dirigea vers le monticule de galets ronds.

Ayla en ramassa un, en essayant de se rappeler les instructions de Zoug. Elle prit les deux extrémités de la fronde qu'elle tint fermement ensemble. La bande de cuir pendait tristement. Ayla ne savait plus comment faire pour placer le caillou dans le petit creux réservé à cet effet. Elle se sentait horriblement maladroite et, plusieurs fois de suite, la pierre tomba à peine eut-elle esquissé un geste. Elle se concentra intensément sur ce qu'elle faisait en essayant de se remémorer la démonstration du vieil homme. Elle fit une nouvelle tentative qui faillit réussir, mais le caillou tomba par terre encore une fois. Au coup suivant, elle réussit à projeter le galet quelques pas plus loin. Après quelques autres essais malheureux, elle parvint à lancer une seconde pierre. Elle renouvela ses tentatives jusqu'au moment où une pierre fila droit vers la cible, tombant bien trop loin pour la toucher. Ayla avait attrapé le coup de main. Les essais suivants révélèrent de nouveaux progrès. Enfin, elle lança son dernier projectile. La pierre toucha le poteau avec un bruit mat et rebondit tandis qu'Ayla sautait de joie.

Elle avait fini par y arriver ! C'était un pur hasard, un coup de chance extraordinaire, mais cela ne suffit pas à entamer son enthousiasme. Elle voulut rééditer son exploit, mais elle tira trop court. Peu importe, ayant réussi une fois, elle était persuadée de réussir encore.

Elle s'apprêtait à reconstituer sa pile de galets quand elle s'aperçut que le soleil était déjà proche de l'horizon. Elle s'empressa de fourrer la fronde dans les replis de son vêtement, se précipita vers les cerisiers dont elle arracha l'écorce à l'aide d'une pierre tranchante, puis courut vers la caverne aussi vite qu'elle put, ne s'arrêtant que devant la rivière pour reprendre le maintien réservé approprié aux femmes. Elle ne tenait aucunement à apporter de nouveaux prétextes à une éventuelle semonce. Son retour tardif suffisait amplement.

— Ayla ! s'exclama Iza en la voyant. Où es-tu donc allée ? J'étais affreusement inquiète, je pensais qu'un animal t'avait attaquée. J'allais juste demander à Creb d'envoyer Brun à ta recherche.

— J'ai passé la journée à regarder ce qui poussait aux alentours et vers la clairière aussi, répondit Ayla d'un air coupable. Je n'ai pas vu le temps passer. Je t'ai rapporté de l'écorce de cerisier. J'ai trouvé aussi les herbes dont tu te sers pour les rhumatismes de Creb. Tu n'utilises que les racines, n'est-ce pas ?

— Oui, tu les fais d'abord macérer et tu appliques la décoction sur les points douloureux. Quant au jus de baies écrasées, il est très bon contre les inflammations, répondit machinalement la guérisseuse qui s'interrompit brusquement. Ayla, reprit-elle, tu essayes de tourner le sujet. Tu sais que tu aurais dû rentrer plus tôt...

À présent qu'elle savait l'enfant saine et sauve, la colère d'Iza était tombée, mais elle tenait à ce que ce genre d'escapade ne se reproduise plus.

— Je ne recommencerai plus, Iza. Je ne me suis pas aperçue qu'il était si tard, c'est tout.

À peine entrée dans la caverne, Uba, qui avait passé la journée à guetter le retour d'Ayla, courut maladroitement sur ses petites jambes arquées pour se précipiter dans ses bras.

— Je pourrai l'emmener avec moi de temps en temps, Iza ? On ne partira pas trop loin et je commencerai à lui montrer un certain nombre de choses.

— Elle est encore trop petite pour comprendre. Elle sait à peine parler, répondit Iza. Mais devant le plaisir des deux petites filles à se trouver ensemble, elle lui donna la permission.

— Comme je suis contente ! s'écria Ayla en embrassant Iza.

Mais qu'a donc cette enfant ? se demanda Iza. Il y a longtemps que je ne l'ai pas vue aussi joyeuse. Il se passe des choses bien étranges aujourd'hui. Les hommes sont rentrés de fort bonne heure et, contrairement à leur habitude, au lieu de rester ensemble à bavarder, ils ont directement regagné leurs foyers, sans prêter attention aux femmes. Aucune d'ailleurs n'a été réprimandée et Broud lui-même s'est montré presque agréable à mon égard. Et voilà qu'Ayla se met à embrasser tout le monde après avoir passé la journée dehors !

X

— Qu'est-ce que tu veux ? demanda Zoug avec force gestes d'impatience.

Il faisait particulièrement chaud en ce début d'été. Zoug avait soif et souffrait de la chaleur, suant sang et eau à tanner en plein soleil une grande peau de daim. Il n'était pas d'humeur à se laisser interrompre dans sa tâche, et tout spécialement par cette horrible petite fille au visage aplati qui venait de s'asseoir à côté de lui, la tête baissée, attendant qu'il l'autorise à parler.

— Zoug désirerait-il un peu d'eau ? lui demanda par gestes Ayla, après qu'il lui eût tapé sur l'épaule. L'enfant qui est devant toi est allée à la rivière et elle a vu le chasseur travailler en plein soleil. L'enfant qui est devant toi a pensé que le chasseur avait soif, elle ne voulait pas le déranger, dit-elle avec les formules de politesse indispensables pour s'adresser à un homme.

Elle lui tendit une outre ruisselante d'eau fraîche, confectionnée dans une panse de chèvre. Zoug poussa un grognement affirmatif, dissimulant sa surprise devant ce témoignage d'attention.

Si Uka se montrait toujours respectueuse, répondant sans broncher à ses moindres désirs depuis qu'il vivait au foyer de son fils, elle anticipait rarement ses besoins comme le faisait sa compagne avant sa mort. Uka était nettement plus attentive aux désirs de Grod, son compagnon. Zoug regardait de temps à autre la petite fille assise à ses côtés, concentrée sur le tissage d'un panier, sans s'apercevoir qu'à son tour elle le regardait travailler du coin de l'œil, sans rien perdre de la façon dont il étirait, tendait et grattait la peau humide.

Plus tard dans la journée, le vieil homme s'assit devant la caverne, les yeux perdus dans le lointain. Tous les chasseurs étaient partis. Uka les avait accompagnés ainsi que deux autres femmes, et Zoug avait été obligé de déjeuner au foyer de Goov et d'Ovra. À voir cette jeune femme, encore une enfant si peu de temps auparavant, Zoug se surprit à songer au passage du temps qui lui avait dérobé toutes les belles années où il avait encore la force de chasser avec les hommes, et il avait quitté leur foyer dès la fin du repas. Peu après, Ayla s'était présentée, un petit panier d'osier à la main.

— L'enfant qui est devant toi a cueilli plus de framboises que nous ne pouvons en manger, dit-elle après que Zoug l'eut autorisée à parler. Le chasseur a-t-il encore assez faim pour les goûter ?

Zoug accepta le présent avec un plaisir non dissimulé. Et la petite fille attendit à une distance respectueuse qu'il ait fini de déguster les fruits juteux et sucrés. Zoug lui rapporta le panier et la regarda s'éloigner rapidement, sans comprendre en quoi Broud pouvait la trouver insolente. Il ne voyait rien à lui reprocher, en dehors de son inqualifiable laideur.

Le lendemain, Ayla lui apporta de nouveau à boire pendant son travail. Quelques instants plus tard, tandis que Zoug finissait à peine de graisser la peau de daim souple, Mog-ur s'approcha de lui en clopinant.

— Il est pénible de traiter les peaux en plein soleil, remarqua-t-il.

— Je suis en train de faire de nouvelles frondes pour les hommes, et j'en ai promis une aussi à Vorn. Le cuir des frondes doit être extrêmement souple ; je suis obligé de le travailler sans répit pendant qu'il sèche et absorbe la graisse. Il vaut donc mieux effectuer ce travail au soleil.

— Les chasseurs seront enchantés, affirma Mog-ur. Tu es irremplaçable pour fabriquer les frondes. Je t'ai vu travailler avec Vorn. Il a de la chance de t'avoir comme professeur ! L'art de manier la fronde doit être aussi délicat que celui de les fabriquer.

— Je les découperai demain, répondit Zoug, flatté par tant de compliments. Je connais la taille de celles des hommes, mais je vais être obligé d'adapter celle de Vorn. Une fronde doit respecter certaines proportions pour gagner en force et en précision.

— Iza et Ayla sont en train de préparer le ptarmigan que tu as apporté l'autre jour pour Mog-ur. Voudrais-tu partager notre repas ce soir ? C'est Ayla qui l'a proposé et je serais ravi que tu te joignes à nous. Un homme a parfois le désir de discuter avec un autre homme ; or, je suis entouré de femmes.

— Zoug dînera avec Mog-ur, répondit le vieil homme, visiblement satisfait de l'invitation.

Si les festins étaient relativement fréquents ainsi que les réunions entre familles, Mog-ur invitait rarement à partager son repas. Encore peu habitué à posséder son foyer personnel, il se contentait fort bien de la compagnie de ses trois femmes. Mais il connaissait Zoug depuis la prime enfance et l'avait toujours aimé et respecté. La joie qui éclaira le visage du vieil homme lui fit regretter de ne pas y avoir songé plus tôt.

Iza n'avait pas l'habitude de telles réceptions. Elle se dépensa sans compter pour préparer le repas. Sa connaissance des plantes s'étendant aussi bien aux plantes aromatiques, elle savait comment exalter le fumet d'un plat. Le dîner fut particulièrement savoureux. Ayla s'appliqua à se montrer d'une discrétion exemplaire, et Mog-ur se sentit comblé par tant de perfection. À la fin du repas, Ayla servit une infusion de menthe et de camomille, dont Iza savait qu'elle facilitait la digestion. Puis les deux hommes se mirent à évoquer le temps passé, tandis que les femmes se tenaient prêtes à satisfaire leurs moindres désirs. Zoug se sentait vaguement jaloux du bonheur du vieux sorcier aux yeux de qui la vie n'aurait pu sembler plus douce.

Le lendemain, Ayla observa soigneusement Zoug en train de mesurer la fronde de Vorn, et prêta une grande attention aux explications du vieil homme sur la façon dont les deux extrémités devaient être taillées en pointe, ni trop courtes ni trop longues. Puis elle le regarda façonner le petit creux destiné à recevoir le caillou au centre de la fronde, à l'aide d'un galet bien rond et mouillé de manière à déformer légèrement le cuir à cet endroit. Au moment où Zoug rangeait les restes de cuir inutilisés, Ayla lui apporta à boire.

— Zoug a-t-il encore besoin de ces petits morceaux ? Ils ont l'air tellement souples, indiqua Ayla par gestes.

— Je n'ai rien à en faire. Cela te ferait plaisir de les prendre ? proposa Zoug avec une grande bienveillance à l'égard de cette petite fille serviable et admirative.

— L'enfant qui est devant toi t'en serait reconnaissante. Certaines chutes sont encore assez grandes pour être utilisées, répondit Ayla, la tête baissée.

Le lendemain, Zoug regretta l'absence d'Ayla travaillant à ses côtés et lui apportant à boire ; mais il avait terminé son ouvrage ; toutes les frondes étaient enfin prêtes. Il la vit se diriger vers les bois, son panier de cueillette suspendu à son cou, une bêche à la main. En suivant du regard la fillette élancée aux jambes si droites, il déplora une fois encore qu'elle fût si laide. Elle aurait pu rendre plus d'un homme heureux, pensa-t-il.

Après s'être confectionné une fronde neuve avec les morceaux de cuir que Zoug lui avait donnés, la vieille fronde ayant fini par se déchirer, Ayla décida de se trouver un champ d'entraînement plus éloigné encore de la caverne, bien à l'abri de toute surprise. Elle commença par remonter le cours d'eau, puis grimpa la colline en suivant l'un de ses affluents, se frayant un passage à travers les broussailles.

Les pins et les sapins aux troncs recouverts de lichen vert-de-gris dominaient le site dans lequel elle pénétra. Les écureuils sautaient d'arbre en arbre ou traversaient le tapis de mousse qui s'étalait indifféremment sur la terre, les pierres et les souches. Poursuivant encore son escalade, elle vit les arbres s'éclaircir peu à peu et déboucha des bois sur un petit pré enserré entre les parois gris-brun de la montagne. Le ruisseau qui serpentait le long d'un des côtés de la prairie prenait sa source au creux d'un rocher, à l'abri duquel poussait un gros bouquet de noisetiers.

Ayla alla se désaltérer longuement à la source glacée, puis s'arrêta un instant pour examiner quelques grappes de noisettes. Elle allait entreprendre la cueillette, quand, soudain, derrière l'épais feuillage, elle aperçut un trou noir. Elle repoussa les branches et découvrit une petite grotte dissimulée par le buisson de noisetiers. Elle se fraya un chemin dans les branchages, puis, après avoir prudemment jeté un coup d'œil à l'intérieur, elle pénétra dans l'abri, laissant les branches se rabattre sur elle. Le soleil éclairait faiblement une cavité exiguë dont la voûte s'abaissait lentement vers le fond, mais assez grande pour qu'une petite fille puisse s'y mouvoir à son aise. Ayla découvrit à l'entrée une réserve de noisettes pourries et quelques crottes d'écureuil, et en conclut que la petite caverne n'avait pas été occupée par de gros animaux. Elle en fit le tour en dansant de joie, ravie de sa découverte. La grotte semblait avoir été faite pour elle sur mesure.

Elle ressortit et, après avoir contemplé un instant la clairière, escalada le rocher jusqu'à une étroite corniche. Au loin, blottie au creux de deux collines, s'étendait la surface miroitante de la mer intérieure. Tout en bas, elle distingua de minuscules silhouettes en train de s'agiter auprès du ruban argenté de la rivière. Ayla comprit alors qu'elle se trouvait pratiquement au-dessus de la caverne du Clan.

Puis, elle alla faire le tour de la clairière. C'était exactement ce qu'elle cherchait. Elle pourrait s'entraîner à la fronde dans le pré, se désaltérer à sa guise, et s'abriter de la pluie dans la petite grotte, où elle pourrait également cacher son arme sans craindre que Creb ou Iza viennent à la découvrir. Et il y avait même des noisettes ! En outre, elle n'aurait plus à redouter l'arrivée inopinée des hommes, qui ne s'aventuraient jamais aussi haut pour chasser. Elle s'élança toute joyeuse vers le ruisseau où elle choisit quelques galets bien ronds pour essayer sa nouvelle fronde.

Chaque fois que cela lui était possible, Ayla s'échappait dans sa retraite pour s'entraîner à tirer. Elle découvrit un accès plus direct, quoique plus escarpé, à sa prairie, où elle surprit fréquemment un mouflon, un chamois ou même un daim farouche en train de paître. Mais les animaux des hauts pâturages s'habituèrent rapidement à sa présence, et lorsqu'elle arrivait, ils se contentaient de s'éloigner à l'autre bout du pré.

Quand elle eut gagné en habileté et que le tir sur cible immobile eut perdu de son piquant, elle se donna des objectifs plus difficiles. La fillette écoutait attentivement les conseils que Zoug prodiguait à Vorn, puis les mettait en pratique pour son compte personnel. C'était un jeu pour elle, et elle s'amusa à comparer ses progrès avec ceux du jeune garçon. Mais celui-ci considérait la fronde comme une arme réservée aux vieux et lui préférait de loin la lance, l'arme des chasseurs, avec laquelle il avait réussi à abattre quelques petites proies peu rapides, comme les porcs-épics et les serpents. Faute de s'appliquer autant qu'Ayla, il éprouvait plus de difficultés qu'elle. Et quand la fillette constata sa supériorité sur lui, elle en ressentit une certaine fierté qui se manifesta par un léger changement dans son comportement, changement qui n'échappa nullement à Broud.

Les femmes étant censées se montrer dociles, soumises, modestes et humbles, le jeune homme considéra comme un affront personnel l'absence de toute servilité chez Ayla. Cela représentait une menace pour sa virilité. Il l'observa attentivement, afin de discerner ce qu'il y avait en elle de changé, et lui envoya même quelques calottes, rien que pour voir sa peur et aussi pour l'humilier.

Ayla s'efforçait d'obéir aussi vite que possible aux ordres de Broud. Elle n'avait pas conscience de sa liberté d'allure et de son aisance, acquises à arpenter les forêts et les prés, de son attitude fière, née de ses exploits récents dans l'art de manier la fronde mieux que son jeune rival, et de la confiance en soi qu'elle gagnait chaque jour davantage. Elle ne comprenait pas pourquoi Broud s'en prenait si souvent à elle, et Broud lui-même était bien incapable de dire en quoi elle le dérangeait tant.

Le souvenir cuisant du jour où elle avait usurpé à son profit l'attention générale y était pour quelque chose, mais la raison véritable résidait dans son origine étrangère au Clan, dans sa naissance chez les Autres ; elle représentait une nouvelle race, plus jeune, plus vigoureuse, plus dynamique, moins conditionnée par les acquis de la mémoire.

Broud sentait inconsciemment mais profondément la lutte qui les opposait. Ayla présentait non seulement une menace pour sa virilité, mais pour son existence même. Sa haine à l'égard de la fillette était celle de l'ancien envers le nouveau, de la tradition envers l'innovation, de ce qui meurt envers ce qui vit. La race de Broud était trop statique, trop figée. Quant à Ayla, elle représentait une nouvelle expérience de la nature, et, en essayant de modeler son comportement sur celui des femmes, elle ne faisait qu'adopter une façade. En fait, elle essayait de découvrir le moyen de satisfaire un profond besoin qui cherchait à s'exprimer et, au fin fond d'elle-même, elle était déjà entrée dans la voie de la révolte.

Un matin, Ayla se rendit à la mare pour y boire. Les hommes s'étaient réunis de l'autre côté de l'entrée de la caverne pour organiser la prochaine chasse. Ayla était contente car cela entraînerait l'absence de Broud. Assise au bord de l'eau, une écuelle dans les mains, la fillette était plongée dans ses pensées. Pourquoi s'en prend-il toujours à moi ? se demandait-elle. Je travaille autant que les autres et je fais tout ce qu'il demande. Alors, à quoi bon me donner de la peine ? Aucun des autres hommes ne me traite de la sorte.

— Ouch ! s'écria-t-elle involontairement, surprise par la violence du coup que Broud venait de lui porter.

Tout le monde se tourna vers elle, puis détourna aussitôt la tête. Quand on est presque une femme, on s'abstient de crier en recevant une taloche.

— Espèce de paresseuse ! À quoi rêvassais-tu, assise à ne rien faire ! s'exclama Broud. Je t'ai demandé de nous apporter à boire et tu n'as pas obéi. Pourquoi faut-il qu'on te le dise deux fois ?

Une bouffée de rage envahit Ayla. Elle s'en voulait d'avoir crié, de s'être humiliée devant tout le Clan. Elle se leva, mais au lieu de bondir sur ses pieds, prête à obéir, elle prit tout son temps et, jetant à Broud un regard insolent et chargé de haine, elle se mit en devoir d'apporter à boire aux hommes, muets de stupeur. Comment osait-elle se montrer aussi effrontée ?

Donnant libre cours à sa colère, Broud s'élança sur elle, la fit pivoter et lui envoya en plein visage un coup de poing qui la fit tomber à terre. Il lui asséna un autre coup violent tandis qu'elle se roulait en boule pour tenter de se protéger. Aucune plainte ne sortit de sa bouche, bien que le silence ne soit plus de rigueur en de telles circonstances. La fureur de Broud croissait avec sa violence ; il voulait l'entendre crier et, aveuglé par la rage, il fit pleuvoir sur elle une volée de coups féroces. Se cuirassant contre la douleur, elle serra les dents, résolue à ne pas lui concéder ce plaisir. Mais au bout de quelques instants, elle n'était même plus en mesure de hurler.

Lentement, à travers le voile rouge qui l'aveuglait, elle prit vaguement conscience qu'on avait cessé de la battre. Elle sentit Iza l'aider à se relever et, en s'appuyant sur elle de tout son poids, elle tituba, à moitié évanouie, jusqu'à la caverne. Elle éprouva une vague sensation de bien-être quand la guérisseuse lui appliqua des cataplasmes et, avant de sombrer dans le sommeil, elle sentit confusément qu'on lui faisait absorber un breuvage amer.

À son réveil, la faible lueur de l'aube soulignait à peine le contour des objets familiers. La fillette essaya de se redresser, mais aussitôt, tout son corps se rebella, lui arrachant un gémissement qui réveilla Iza. La guérisseuse s'approcha, les yeux pleins d'inquiétude et de compassion. De sa vie, elle n'avait vu quelqu'un se faire corriger aussi sauvagement. Son époux, même dans ses pires moments, ne l'avait jamais pareillement battue. Iza était convaincue que Broud l'aurait tuée si on ne l'en avait empêché à temps.

À mesure que la mémoire lui revenait, Ayla se sentait envahie par la peur et la haine. Elle savait qu'elle n'aurait pas dû faire preuve d'une telle insolence, mais jamais elle n'aurait imaginé une si violente réaction. Pourquoi donc Broud en était-il arrivé à cette extrémité ?

Brun était en colère, d'une colère froide qui incitait chacun à l'éviter autant que possible. S'il désapprouvait l'impudence d'Ayla, la réaction de Broud ne lui déplaisait pas moins. Broud avait eu raison de corriger la fillette, mais avait largement exagéré l'ampleur de la correction méritée. En outre, il y avait plus grave : il avait perdu son sang-froid d'une manière indigne d'un homme, à cause d'une femme, à cause d'une fillette qui l'avait poussé à bout.

Après l'éclat de Broud à l'entraînement, Brun avait cru que le jeune homme ne se laisserait plus aller à de tels excès. Or, il venait de récidiver plus gravement encore. Et pour la première fois, Brun commença à se demander, la mort dans l'âme, s'il serait sage de remettre à Broud la direction du Clan. Plus que le fils de sa compagne, Brun était persuadé que Broud était une émanation de son propre Esprit et il l'aimait plus que la vie même. Peut-être l'avait-il mal élevé ? Peut-être s'était-il montré trop tolérant à son égard ?

Brun laissa couler plusieurs jours avant de parler à Broud, afin de bien réfléchir à tout ce qu'il devrait lui dire. Broud passa tout ce temps dans un état d'intense agitation, quittant à peine son foyer, et c'est avec un réel soulagement qu'il vit Brun lui faire signe de le suivre. Il ne redoutait rien tant que la colère de son père.

Au contraire, à l'aide de gestes simples ponctués de quelques mots calmes, Brun exposa à Broud le fond de sa pensée. Prenant sur lui la responsabilité des erreurs du fils de sa compagne, il se présenta à lui non comme le chef redoutable qu'il avait toujours craint et respecté, mais comme un homme aimant et profondément déçu. Broud se sentit envahi par les remords.

Mais tout à coup, il perçut une froide détermination dans le regard de Brun qui, à contrecœur, venait de se résoudre à faire passer en priorité le bien de son Clan.

— Encore un éclat de la sorte, même minime, Broud, et tu n'es plus le fils de ma compagne. Tu es destiné à me remplacer en tant que chef, mais sache-le bien, plutôt que de remettre le Clan entre les mains d'un homme incapable de se contrôler, je te renierai et te condamnerai à la malédiction suprême. Tant que tu n'auras pas prouvé que tu es un homme, il te sera interdit de prendre ma suite. Je vais t'observer, Broud. Je ne veux plus voir la moindre manifestation de mauvaise humeur. Et si je dois choisir un autre chef, tu seras ravalé au dernier rang du Clan et cela pour toujours. M'as-tu bien compris ?

Le garçon ne pouvait en croire ses oreilles. Renié ? Maudit ? Rabaissé pour toujours au dernier rang ? Il plaisante, songea Broud qui changea aussitôt d'opinion devant le regard froid et déterminé du chef.

— Oui, Brun, acquiesça-t-il, le visage blême.

— Tout cela restera entre nous. Un tel bouleversement dans nos projets ne contribuerait qu'à perturber les autres, or je ne tiens pas à ce qu'ils s'inquiètent inutilement. Mais ne te méprends pas, il en sera comme je l'ai décidé. Un chef a le devoir de faire passer les intérêts de son Clan avant les siens propres ; c'est la première chose à apprendre, Broud. Voilà pourquoi un chef doit savoir garder son sang-froid. Il assume l'entière responsabilité de la survie du Clan. Un chef est moins libre qu'une femme, Broud. Il est parfois contraint de faire des choses qui ne lui plaisent guère. Et si besoin est, il peut même aller jusqu'à renier le fils de sa compagne. Tu comprends ?

— Oui, Brun, je comprends, répondit Broud, qui doutait d'avoir bien compris. Comment se pouvait-il qu'un chef soit moins libre qu'une femme ? Il est pourtant libre de faire tout ce qu'il veut et de commander à tout le monde.

— Va, va-t'en maintenant, Broud. Je désire rester seul.

Ayla dut attendre plusieurs jours avant de pouvoir se lever et encore davantage avant de voir les ecchymoses violacées qui lui couvraient le corps virer au jaune pâle pour enfin disparaître. Au début, elle avait si peur de Broud qu'elle sursautait dès qu'elle le voyait arriver. Or, elle remarqua qu'un changement était intervenu en lui. Il avait cessé de la tourmenter, de la harceler et cherchait plutôt à l'éviter. Quand elle put enfin recommencer à marcher librement, sa désinvolture se lisait dans le moindre de ses gestes et son maintien continua à susciter l'étonnement et le désappointement du Clan qui voyait d'un mauvais œil toute forme d'exubérance.

Quant au comportement distant de Broud envers Ayla, il n'échappait à personne. La fillette surprit par hasard quelques conversations par gestes et se rendit compte que Broud avait été menacé d'un châtiment exemplaire s'il la battait encore une fois. Cela lui fut confirmé le jour où elle le provoqua sans résultat. Elle se permit tout d'abord quelques petites négligences, puis entama une campagne d'insolence délibérée.

La petite taille du Clan fit qu'en dépit des efforts de Broud pour éviter Ayla, il lui était nécessaire de recourir à elle en certaines occasions. Elle mettait alors un point d'honneur à satisfaire ses désirs le plus lentement possible. Après s'être assurée que personne ne regardait, elle lui faisait cette étrange grimace dont elle avait le secret, satisfaite de constater les efforts désespérés du jeune homme pour garder son sang-froid. Elle faisait beaucoup plus attention lorsqu'elle n'était pas seule avec lui, ne désirant nullement s'attirer la colère de Brun.

Si le conflit entre les deux jeunes gens devenait moins ouvert, il redoubla d'intensité et la fillette déploya moins de finesse dans ses provocations. Tout le monde se demandait pourquoi Brun laissait faire et la tension entravait parfois la vie du Clan, perturbant les hommes comme les femmes.

En réalité, Brun n'approuvait aucunement le comportement d'Ayla dont les insolences, qu'elle croyait subtiles, ne lui échappaient pas, pas plus qu'il n'approuvait la relative résignation de Broud. Néanmoins, il se retint d'intervenir dans ce conflit où il voyait enfin Broud lutter pour apprendre à conserver son sang-froid, qualité indispensable à un futur chef. Broud était un chasseur courageux, et Brun se sentait fier de sa bravoure. S'il parvenait à se corriger de son principal défaut, il ferait un chef remarquable.

Ayla restait pratiquement étrangère à toutes les tensions qu'elle provoquait. Cet été-là, elle se sentit plus heureuse qu'elle ne l'avait jamais été. Elle profita de sa nouvelle liberté pour aller davantage se promener seule, ramasser des herbes ou bien s'entraîner à la fronde. Sans pouvoir se dérober totalement aux corvées qui lui incombaient, elle bénéficiait cependant du prétexte de rapporter des plantes à Iza pour s'échapper de la caverne aussi souvent que possible. La guérisseuse ne s'était pas encore remise de son pénible hiver, bien qu'elle toussât beaucoup moins. Elle décida néanmoins un jour de partir à la recherche de plantes avec la fillette pour trouver l'occasion de lui parler.

— Uba, viens vite, maman est prête, dit Ayla en installant la petite fille sur sa hanche. Elles descendirent la colline, puis traversèrent la rivière et continuèrent leur route à travers bois en suivant une piste ouverte par un animal et élargie par le passage des hommes. Iza fit halte dans une prairie dégagée et, après avoir repéré les lieux, se dirigea vers une touffe de grandes fleurs jaune vif qui ressemblaient à des asters.

— Ce sont des elecampanes, Ayla, dit Iza. Elles poussent généralement dans les prés. Les feuilles sont ovales et pointues au bout, vert foncé par-dessus et vert clair par-dessous, tu vois ? Iza s'était agenouillée pour montrer une feuille à Ayla.

— Oui, je vois.

— C'est la racine qu'il faut utiliser. La plante se reproduit tous les ans, mais il vaut mieux la ramasser la seconde année, à la fin de l'été ou en automne, au moment où la racine est lisse et ferme. Il faut la couper en petits morceaux, puis en faire réduire une poignée dans l'écuelle en os. Ce breuvage se boit froid, deux fois par jour. Il s'utilise contre la toux et plus particulièrement quand on crache du sang. Il fait aussi transpirer abondamment. Iza s'était assise par terre pour extraire la racine avec une espèce de bêche en bois, agitant rapidement les mains à mesure qu'elle s'expliquait. On peut aussi faire sécher la racine et la moudre en poudre, ajouta-t-elle.

Puis elles se dirigèrent vers un petit monticule. Uba s'était endormie, rassurée par la chaude présence d'Ayla.

— Tu vois cette petite plante aux fleurs jaunes en forme d'entonnoir, mauves au centre ? demanda Iza, en montrant à Ayla une plante de trente centimètres environ.

— Celles-ci ?

— Oui. Ce sont des jusquiames. Elles sont très utiles aux guérisseuses, mais il ne faut jamais en manger car elles sont vénéneuses.

— Que faut-il utiliser ? La racine ?

— Les racines, les feuilles et les graines. Les feuilles sont plus grandes que les fleurs et poussent les unes après les autres de part et d'autre de la tige. Regarde bien, Ayla, les feuilles sont vert tendre et dentelées. La guérisseuse froissa une feuille entre ses doigts. Sens, recommanda-t-elle à Ayla qui perçut une forte odeur de narcotique. Le parfum disparaît une fois les feuilles séchées. Dans quelque temps, il y aura beaucoup de petites graines marron. Iza arracha une racine brune et rugueuse qui, une fois cassée, révéla une chair blanche. Toutes les parties de la plante sont efficaces pour lutter contre la douleur. On peut les préparer en infusion ou bien en lotion à appliquer sur la peau. Elles calment les contractions musculaires, détendent, apaisent et favorisent le sommeil.

Après en avoir ramassé plusieurs, Iza s'approcha d'un massif de splendides roses trémières dont elle cueillit quelques spécimens roses, mauves, blancs et jaunes.

— Voilà une plante excellente pour calmer les irritations, les maux de gorge, les écorchures et les égratignures. La décoction des fleurs soulage la douleur, mais elle fait également dormir. La racine est très efficace pour soigner les plaies. Je m'en suis servie pour soigner tes blessures.

Elles marchèrent un long moment sans parler, prenant plaisir à être ensemble par cette belle journée ensoleillée. Chaque fois qu'elle le pouvait, Iza indiquait une nouvelle plante à la fillette attentive, lui exposant ses vertus et ses inconvénients.

Tandis qu'elles approchaient de la rivière, Ayla s'arrêta pour montrer à Iza une plante aux fleurs bleu violacé.

— Regarde ! de l'hysope ! Elle guérit les rhumes, n'est-ce pas ?

— Exactement. Et elle parfume agréablement n'importe quelle infusion. Prends-en donc quelques-unes.

Ayla arracha plusieurs plantes par la racine et entreprit de les effeuiller en chemin.

— Ayla, ce sont les racines qui permettent à la plante de repousser chaque année, fit remarquer la guérisseuse. Si tu les arraches, il n'y aura pas de récolte l'an prochain. Contente-toi donc de cueillir les feuilles si tu n'as pas besoin des racines.

— Je n'y avais pas pensé. Je ferai attention désormais.

— En général, si c'est la racine qu'il te faut, arrange-toi pour ne pas tout arracher.

Aux abords de la rivière, les deux femmes arrivèrent près d'un marécage où poussait une autre plante intéressante.

— C'est un lis des marais, expliqua Iza. Il ressemble un peu à l'iris, mais ce n'est pas la même plante. La lotion de racine bouillie apaise les brûlures et l'on peut en mâcher si l'on a mal aux dents. Mais il est dangereux d'en donner à une femme enceinte. Elle peut en perdre son enfant, encore que cet expédient ne se soit pas révélé efficace quand j'y ai recouru. Tu ne peux pas la confondre avec l'iris ; regarde, elle a un bulbe et sent beaucoup plus fort.

Elles s'arrêtèrent pour se reposer à l'ombre d'un érable, près de la rivière. Ayla prit une feuille qu'elle roula en cornet et ferma avec son pouce pour la remplir d'eau dans le courant. Elle apporta à boire à Iza dans son récipient de fortune.

— Ayla, commença la femme, après s'être désaltérée, tu devrais te montrer plus obéissante envers Broud. C'est un homme et il a le droit de te commander.

— Je fais tout ce qu'il me demande, répondit Ayla sur la défensive.

— Oui, mais tu ne le fais pas comme il faut. Tu ne cesses de le défier et le provoquer. Tu le regretteras plus tard, Ayla, le jour où il sera le chef. Tu dois obéir aux hommes, à tous les hommes. Tu n'as pas le choix.

— Pourquoi les hommes ont-ils le droit de commander aux femmes ? En quoi nous sont-ils supérieurs ? Ils ne peuvent même pas avoir d'enfants ! répliqua amèrement Ayla.

— C'est ainsi, et il en a toujours été ainsi dans le Clan. N'oublie pas que tu es des nôtres, Ayla. Tu es ma fille. Tu dois te conduire comme il sied à une fille du Clan.

Ayla baissa la tête. Iza avait raison, elle avait provoqué Broud. Elle regarda la femme qu'elle pouvait considérer comme sa mère. Iza avait vieilli, ses bras autrefois musclés avaient perdu leur fermeté et ses cheveux bruns avaient blanchi. Creb, qui lui avait paru si vieux au premier abord, avait fort peu changé par comparaison.

— Tu as raison, Iza, répondit la fillette. Je me suis mal comportée avec Broud. Je tâcherai de lui plaire dorénavant.

Le bébé qu'Ayla portait commença à s'agiter, puis ouvrit de grands yeux vifs et étonnés.

— Faim, dit-elle en esquissant maladroitement le geste approprié, puis elle enfourna son petit poing dans sa bouche.

— Il se fait tard, déclara Iza en regardant le ciel. Nous ferions mieux de rentrer.

Si Ayla avait décidé de faire des efforts pour plaire à Broud, elle eut le plus grand mal à tenir sa promesse. Elle essaya effectivement de ne plus le provoquer, mais son impertinence était devenue une habitude. Elle l'avait trop longtemps regardé droit dans les yeux pour baisser la tête à présent. Elle avait oublié la peur qu'il lui inspirait autrefois.

La saison où les vents froids et les neiges abondantes allaient de nouveau confiner le Clan dans la caverne approchait, au grand regret d'Ayla. Les femmes s'activaient à rentrer les récoltes de l'automne. Un jour, elle attrapa son panier, prit sa bêche et grimpa dans sa petite clairière avec l'intention de cueillir des noisettes. À peine arrivée, elle alla chercher sa fronde dans la grotte et se mit à tirer quelques coups pour ne pas perdre la main. Mais elle se lassa vite de son jeu, et entreprit de ramasser les noisettes éparpillées sur le sol, au pied des épais buissons. La vie lui paraissait merveilleuse. Uba croissait et embellissait à vue d'œil, Iza allait beaucoup mieux ; les maux de Creb se faisaient moins sentir durant les beaux jours, ce qui lui avait permis de faire de longues promenades en sa compagnie. Elle était devenue experte dans le tir à la fronde et prenait un immense plaisir à s'entraîner. Il lui fut bientôt extrêmement facile de toucher à tous les coups les cibles qu'elle choisissait, branches ou rochers. Enfin, plus important que tout, Broud avait fini par la laisser tranquille. Elle était convaincue que rien ne pourrait désormais gâcher son bonheur.

Les feuilles mortes tourbillonnaient dans le vent avant de recouvrir les noisettes qui jonchaient le sol. Celles qui n'étaient pas tombées pendaient, mûres et bien pleines, aux branches nues du buisson. À l'est, les steppes ondoyaient sous le vent telle une mer dorée ; et les dernières grappes de raisin gorgées de jus sucré attendaient d'être coupées.

Les hommes s'étaient réunis à leur habitude pour organiser l'une des dernières chasses de la saison. Ils avaient discuté de l'expédition projetée jusque tard dans la matinée, et chargé Broud de demander à boire aux femmes. Broud aperçut Ayla, installée à l'entrée de la caverne, des morceaux de bois et des lacets de cuir éparpillés autour d'elle, avec lesquels elle fabriquait des claies pour faire sécher les raisins.

— Ayla ! de l'eau ! lui signifia Broud.

La fillette était fort occupée à une opération délicate de son ouvrage. Si elle bougeait tant soit peu, tout serait à recommencer. Elle hésita une seconde, regardant autour d'elle si personne ne pouvait la remplacer, et finit par se lever à contrecœur en poussant un soupir de mécontentement.

S'efforçant de réprimer la colère qui montait en lui devant tant d'évidente mauvaise volonté, Broud chercha des yeux une autre femme susceptible de répondre plus rapidement à ses désirs. Mais soudain, il changea d'idée. Elle m'obéira, décida-t-il brusquement.

Pendant qu'elle se levait, son poing s'abattit sur elle, la prenant par surprise, et l'envoya au sol. Le regard stupéfait qu'elle lui jeta se chargea vite de colère. Elle vit Brun qui observait la scène, mais comprit à sa mine qu'il n'y avait rien à attendre de lui.

Esquivant prestement le coup suivant, Ayla courut chercher l'outre dans la caverne. Les poings serrés, Broud la suivit des yeux, luttant pour ne pas donner libre cours à son exaspération. Puis il porta son regard du côté des hommes et surprit l'air impassible de Brun, qui n'exprimait ni encouragement ni réprobation. Broud observait Ayla qui s'empressait de remplir l'outre à la mare puis la hissait sur son épaule. Son empressement soudain ainsi que son regard terrifié ne lui avaient pas échappé et l'aidaient à conserver son sang-froid.

Au moment où Ayla, courbée sous le poids de son fardeau, passa à sa hauteur, le jeune homme la poussa d'un revers de la main, manquant de la faire tomber. Rouge de colère, la fillette parvint à conserver l'équilibre et ralentit l'allure. Broud resta sur ses talons et lui administra un coup sur l'épaule. Alors, Ayla franchit en courant les derniers pas jusqu'à l'écuelle qu'elle remplit à ras bord, sans relever le visage. Broud l'avait suivie, inquiet de connaître la réaction de Brun.

— Crug dit avoir vu le troupeau se diriger vers le nord, Broud, déclara Brun, d'un ton détaché.

Tout allait donc pour le mieux ! Brun ne lui en voulait nullement. Au fait, pourquoi lui en aurait-il voulu de corriger une femme qui le méritait ? Broud poussa un profond soupir de soulagement.

Quand les hommes eurent fini de boire, Ayla regagna la caverne, à l'entrée de laquelle elle trouva Creb.

— Creb ! Broud m'a encore battue, se plaignit-elle en accourant vers lui. Mais devant le regard que lui jeta le vieil homme qu'elle aimait tant, son sourire s'évanouit brusquement.

— Tu n'as eu que ce que tu méritais, répliqua-t-il d'un air sévère, avant de lui tourner le dos, la laissant interloquée.

Un peu plus tard dans la journée, la fillette s'approcha timidement du vieux sorcier et lui passa les bras autour du cou, geste qui, généralement, avait le don de l'attendrir. Mais cette fois-ci, il ne daigna pas réagir et ne prit même pas la peine de la repousser. Il se contenta de rester le regard vague, perdu dans le lointain, et ce fut Ayla qui se retira.

Ses yeux se remplirent de larmes. Elle se sentait blessée et quelque peu terrorisée par le vieux magicien. Et, pour la première fois depuis qu'elle partageait la vie du Clan, elle comprit pourquoi tout le monde redoutait et admirait tant le grand Mog-ur. D'un simple regard, il lui avait fait sentir sa désapprobation et la distance qui les séparerait désormais. Comprenant qu'il ne l'aimait plus, elle alla se réfugier auprès d'Iza.

— Pourquoi Creb est-il en colère contre moi ? lui demanda-t-elle.

— Je t'avais bien dit de faire tout ce que Broud te demanderait, Ayla. Il a le droit de te commander, lui répondit gentiment Iza.

— Mais c'est bien ce que je fais. Je ne lui ai jamais désobéi.

— Tu lui résistes, Ayla. Tu ne cesses de le défier. Tu sais parfaitement que tu es insolente. Ta conduite a nécessairement des répercussions sur Creb et sur moi-même. Creb a l'impression de t'avoir mal élevée, de t'avoir laissée agir avec trop de liberté envers lui, de sorte que tu te crois autorisée à agir de même avec n'importe qui. Brun non plus n'est pas content de toi, et Creb en est conscient. Tu n'arrêtes pas de courir, Ayla. Tu sais pourtant bien que les grandes filles comme toi ne doivent pas courir. Tu fais de drôles de sons avec ta gorge ; tu ne mets pas assez d'empressement quand on te demande quelque chose. Tout le monde désapprouve ta conduite, Ayla, et cela fait honte à Creb.

— Je ne savais pas que c'était mal, Iza, se défendit Ayla. Je ne l'ai pas fait exprès.

— Mais justement, tu devrais faire plus attention à ce que tu fais. Tu es trop grande à présent pour te conduire comme une enfant.

— Oui, mais Broud est toujours méchant avec moi. Il m'a encore fait mal aujourd'hui.

— Peu importe s'il est méchant, Ayla. Il en a le droit, c'est un homme. Il peut te battre aussi fort et autant qu'il le voudra. N'oublie pas qu'il sera bientôt le chef. Tu dois lui obéir et faire tout ce qu'il te demande au moment où il te le demande. Tu n'as pas le choix, lui expliqua Iza.

Le lendemain, Ayla prit son panier et sa bêche et quitta la caverne de bonne heure sans avoir mangé. Elle désirait être seule. Elle grimpa à sa cachette et, après avoir pris sa fronde, s'aperçut qu'elle n'avait pas le cœur à s'entraîner. Tout cela est la faute de Broud, pensa-t-elle. Pourquoi s'en prend-il toujours à moi ? Que lui ai-je donc fait ? Que m'importe qu'il soit un homme ; en quoi est-il supérieur ? Il ne mérite pas tant que ça de devenir le chef. Il est beaucoup moins fort que Zoug à la fronde. Il a même raté sa démonstration à Vorn.

Furieuse, Ayla se mit à lancer quelques pierres. L'une d'elles pénétra dans un fourré d'où elle chassa un porc-épic endormi. Je pourrais le tuer, si je le désirais, songea Ayla, qui plaça une pierre dans sa fronde, visa et projeta le caillou. Cible facile, le porc-épic s'écroula. La fillette contempla l'animal blessé. Je ne peux même pas chasser, comprit-elle tout à coup. Et si je parvenais à tuer quelque gibier, je ne pourrais même pas le rapporter au Clan. À quoi bon avoir appris à tirer ? Creb m'en veut déjà suffisamment, que ferait-il s'il savait ? Et Brun ? Je suis censée ne jamais toucher à une arme et encore moins m'en servir ! Brun me chasserait. Alors, où irais-je ? Qui s'occuperait de moi ? Je ne veux pas partir, pensa-t-elle en fondant en pleurs, bouleversée par la peur et par un sentiment de culpabilité.

Les larmes coulaient le long du petit visage désespéré. Elle s'allongea par terre, donnant libre cours à son chagrin. Quand elle eut pleuré tout son soûl, elle se redressa et s'essuya le nez du revers de la main, encore secouée de temps en temps par les sanglots. Je ferai absolument tout ce que Broud me demandera, sans discuter. Et je ne toucherai plus jamais à une fronde. Afin de bien marquer sa détermination, elle jeta son arme dans un buisson, alla chercher son panier et se dépêcha de rentrer à la caverne où Iza l'attendait.

— Où étais-tu ? Tu as disparu toute la matinée et tu reviens le panier vide !

— J'ai réfléchi, répondit Ayla, en regardant Iza avec sérieux.

Tu avais raison, j'ai eu tort. Mais c'est la dernière fois. Je ferai tout ce que voudra Broud. Désormais, je me conduirai convenablement et plus jamais je ne vais courir ou me tenir mal. Tu crois que Creb m'aimera de nouveau si je suis bien sage ?

— J'en suis certaine, Ayla, répondit Iza en lui faisant une petite caresse, attendrie par les bonnes résolutions de la fillette. C'est étrange, pensa-t-elle, elle a encore mal aux yeux, comme chaque fois qu'elle croit que Creb ne l'aime plus. Elle est si différente de nous ; j'espère que tout se passera mieux à présent.

XI

La transformation d'Ayla était stupéfiante. Elle avait changé du tout au tout et se montrait à présent repentante, docile et prévenante envers Broud. Les hommes étaient convaincus que ce changement provenait de l'intransigeance du jeune homme et, en voyant passer Ayla, hochaient la tête d'un air entendu. La fillette offrait la démonstration vivante de leur conviction profonde : si les hommes les laissent faire, les femmes deviennent vite paresseuses et insolentes ; il leur faut une poigne énergique, la domination et le contrôle des hommes pour devenir des membres productifs du Clan et contribuer à sa survie.

Mais c'était dans un esprit de vengeance que Broud appliquait ces principes. Il redoubla de dureté envers Ayla, la harcelant, la traquant, la dérangeant pour un rien, la corrigeant à la moindre incartade et parfois même sans raison aucune, pour le plaisir de la frapper.

Ayla, pour sa part, faisait son possible pour lui être agréable. Elle essaya même de prévenir ses désirs, mais mal lui en prit. Broud lui reprocha de s'être crue capable de savoir ce qu'il pourrait désirer. À peine avait-elle franchi les limites du foyer de Creb que Broud se tenait prêt à l'occuper, et il lui était fort difficile de rester sans raison chez le magicien. On approchait de l'hiver ; il y avait encore beaucoup de préparatifs à faire pour permettre au Clan d'affronter la saison froide en toute sécurité. La pharmacopée d'Iza se trouvant à peu près complète, Ayla n'avait plus d'excuses pour s'éloigner de la caverne, et le soir, après une journée éreintante, la fillette s'écroulait sur sa couche.

Ayla ne flancha pas une seule fois, obéissant à toutes les lubies de Broud, bondissant pour répondre à toutes ses exigences, baissant la tête avec soumission, surveillant soigneusement sa façon de marcher, sans jamais se permettre de rire ni même de sourire ; mais si elle n'opposait aucune résistance, ce n'était pas sans mal. Et, tout en luttant désespérément contre ses penchants pour se montrer docile, l'envie la tenaillait de se rebiffer.

Elle se mit à maigrir et à perdre l'appétit, restant calme et soumise, même quand elle se trouvait dans le foyer de Creb. Uba elle-même ne parvenait pas à la dérider. Iza, inquiète à son sujet, décida par une belle journée ensoleillée qu'il était nécessaire de donner un certain répit à la fillette avant que l'hiver ne les confine tous dans la caverne, pour une longue période.

— Ayla, déclara Iza à voix haute, sans laisser à Broud le temps de formuler la moindre exigence, il me faut des baies blanches, contre les maux d'estomac. Tu les trouveras facilement, elles restent attachées au buisson après la chute des feuilles.

Iza se garda de préciser qu'elle avait en réserve bien d'autres remèdes tout aussi efficaces contre les maux d'estomac. Broud fronça les sourcils en voyant Ayla se précipiter pour aller chercher son panier, mais il savait qu'il était plus important de lui laisser cueillir des plantes pour Iza que de lui demander de l'eau, une infusion, un morceau de viande, ou encore une pomme, ou bien deux pierres du ruisseau pour casser des noix, sous prétexte que celles qui se trouvaient aux abords de la caverne ne lui convenaient pas, ou d'exiger de la fillette n'importe quelle autre besogne subalterne. Il s'éloigna dignement quand Ayla sortit de la grotte, son panier et sa bêche à la main.

La fillette courut vers la forêt, reconnaissante à Iza de lui avoir procuré l'occasion d'être seule. Oublieuse des petites baies blanches, elle partit à l'aventure sans se rendre compte que ses pas la portaient jusqu'à sa prairie favorite et sa petite caverne. Elle n'y était pas retournée depuis qu'elle avait blessé le porc-épic.

Elle s'installa au bord de l'eau, jetant des cailloux dans le courant d'un air absent. Il faisait froid. La pluie de la veille s'était transformée en neige à cette altitude, couvrant la terre d'un tapis éblouissant. Mais Ayla restait indifférente à la beauté sereine de ce paysage hivernal. Il lui rappelait seulement que le froid n'allait pas tarder à empêcher le Clan de sortir et qu'il lui faudrait attendre le printemps pour s'échapper de nouveau.

Le long hiver glacial s'annonçait particulièrement lugubre aux yeux de la fillette, soumise tout le jour aux caprices de Broud. Elle tourna machinalement les yeux vers une tache dans la neige, et elle vit une peau de bête à moitié pourrie, hérissée encore de quelques piquants ; tout ce qui restait du porc-épic. Et, avec un pincement de remords, Ayla se rappela le jour où elle l'avait blessé. Je n'aurais jamais dû apprendre à tirer, se disait-elle, ce n'est pas bien. Creb serait furieux, et Broud... Broud serait ravi s'il venait à le savoir. Mais il n'en est pas question, décida-t-elle, il ne le saura jamais. Ayla se sentit heureuse à la pensée qu'elle lui cachait quelque chose qui lui aurait donné des raisons de la corriger. Et elle eut soudain envie de se dépenser, de tirer à la fronde justement, pour donner libre cours à sa révolte.

Elle se souvint avoir jeté son arme dans un buisson et l'y chercha. Elle aperçut le morceau de cuir dans les broussailles et le ramassa, tout trempé, mais les intempéries ne l'avaient pas trop abîmé.

Elle mit machinalement un caillou dans la fronde, et voyant une dernière feuille qui pendait à une branche, elle la visa avec succès. Je suis encore capable de toucher ce que je veux, pensa-t-elle, puis elle se renfrogna. Mais à quoi bon ? Je n'ai jamais essayé de tirer sur une cible mouvante ; le porc-épic ne compte pas, il était pratiquement à l'arrêt. Je ne sais même pas si j'en serais capable et, si tel était le cas, cela ne me servirait à rien. Je ne pourrai jamais rien rapporter à la caverne.

Soudain, un projet commença à germer dans son esprit. Les carnassiers, les chats sauvages, les bandes de loups et de hyènes qui ne se contentent pas seulement de voler leurs proies aux chasseurs mais qui rôdent toujours alentour lorsque la viande sèche ou essayent même de pénétrer dans les caches... on peut les tuer à la fronde, pensa-t-elle. J'ai entendu Zoug le dire à Vorn. Il affirmait qu'il valait souvent mieux se servir de la fronde, afin de ne pas être obligé de trop s'approcher d'eux. Et si je ne chassais que les carnassiers ? Nous ne les mangeons pas, ce ne sera pas du gaspillage si je les laisse en pâture aux charognards. Les chasseurs le font bien.

Ayla jeta un regard sur sa fronde qu'elle tenait à la main, et, balayant ses derniers scrupules, prit une décision.

— Je vais le faire ! Je vais apprendre à chasser ! Mais je ne m'en prendrai qu'aux carnassiers, s'exclama-t-elle énergiquement, ponctuant ses mots par de grands gestes. Rouge d'excitation, elle courut chercher des cailloux à la rivière.

En choisissant des galets ronds et lisses d'une taille précise, son regard fut attiré par un objet étrange. On aurait dit une pierre, mais il ressemblait aussi à une coquille de mollusque marin. Elle le ramassa et l'examina soigneusement. Quel étrange caillou, pensa-t-elle. Je n'en ai jamais vu de pareil. Puis, se souvenant soudain de ce que lui avait dit Creb un jour, elle se sentit si bouleversée qu'un frisson lui parcourut l'échine.

Creb a dit, se rappelait-elle, que mon totem m'aiderait chaque fois que j'aurais une grave décision à prendre ; qu'il m'enverrait un signe pour m'indiquer la bonne direction. Creb a dit aussi que ce serait quelque chose d'inhabituel, et que personne ne pourrait identifier le signe à ma place.

— Grand Lion des Cavernes, est-ce toi qui me fais signe ? demanda-t-elle en utilisant le langage gestuel approprié pour s'adresser aux totems. Veux-tu me faire savoir ainsi que j'ai pris une bonne décision, que j'ai raison de chasser, bien que je sois une fille ?

Elle regarda le fossile d'un air méditatif. Elle savait bien que le choix de son totem avait plongé le Clan dans la stupéfaction. Elle frôla les quatre cicatrices parallèles qui lui striaient la cuisse et se demanda pourquoi le Lion des Cavernes l'avait choisie. Elle pensa alors à la fronde et au fait qu'elle avait appris à s'en servir. Pourquoi ai-je ramassé cette vieille fronde ? se demanda-t-elle. Aucune autre femme n'aurait osé y toucher. Mon totem m'y a-t-il poussée ? Voulait-il que j'apprenne à chasser ?

— Ô Grand Lion des Cavernes, je ne sais pourquoi tu veux que je chasse, mais je suis heureuse que tu m'aies envoyé un signe.

Ayla ôta le lacet de cuir auquel pendaient ses amulettes, délia la petite bourse et y glissa le fossile, à côté de la particule d'ocre rouge. La différence de poids se fit singulièrement sentir quand elle la repassa autour de son cou. Elle y vit le signe matériel de l'approbation donnée par son totem à la décision qu'elle venait de prendre.

Je suis comme Durc, pensa-t-elle. Il a quitté son Clan en dépit de l'hostilité de chacun. Il était sûr de découvrir un endroit où la Montagne de Glace ne pourrait jamais l'atteindre. Je suis certaine qu'il a créé un nouveau Clan. Lui aussi devait posséder un totem très puissant. Je me demande si le totem de Durc l'a mis à l'épreuve. Et moi, vais-je avoir à subir une autre épreuve de la part de mon Lion des Cavernes ? Quelle action difficile aurai-je à accomplir ? Ayla chercha dans sa vie ce qu'il pouvait y avoir de pénible et, soudain, elle comprit.

— Broud ! Broud est mon épreuve ! s'exclama-t-elle. Qu'y a-t-il de plus pénible que d'avoir à affronter tout un hiver avec Broud ? Mais si je réussis cet exploit, mon totem me laissera chasser.

Sans pouvoir préciser ce qu'il y avait de différent dans la démarche d'Ayla, Iza remarqua une légère transformation dans son allure plus détendue, et elle surprit une lueur consentante dans le regard qu'elle jeta à Broud en arrivant. Creb, pour sa part, remarqua le renflement de sa petite bourse à amulettes.

L'hiver s'installant définitivement, ils furent heureux tous les deux de la voir redevenir comme avant malgré la pression exercée par Broud. Creb était convaincu qu'elle avait pris une décision et découvert un signe de son totem ; et sa résignation à accepter la place qui lui revenait dans le Clan le soulagea grandement. Il connaissait ses affres intimes, mais il savait également qu'elle devait non seulement se plier à la volonté du jeune homme, mais aussi cesser de lui être hostile. Il lui restait à apprendre à conserver son sang-froid.

C'est au cours de cet hiver qu'Ayla entra dans sa huitième année et devint une femme. Non pas physiquement car elle avait encore le corps d'une fillette gracile et élancée ; néanmoins, ce fut au cours de cette longue saison glaciale qu'elle abandonna l'enfance.

Parfois, l'existence lui paraissait si insupportable qu'il lui arriva, en contemplant le matin au réveil les aspérités familières de la paroi, d'avoir envie de se rendormir à tout jamais. Mais, lorsqu'il lui semblait impossible de supporter davantage sa condition, elle touchait son amulette dont le renflement lui donnait le courage d'affronter l'avenir. Et chaque jour qui passait la rapprochait peu à peu du moment où les neiges épaisses et les vents glacés cèderaient la place à l'herbe tendre et aux brises marines, lui permettant enfin d'arpenter de nouveau les prairies et les forêts en toute liberté.

À l'image du Rhinocéros, son totem, Broud pouvait se montrer aussi entêté que méchant. Une fois qu'il s'était fixé une ligne de conduite, il s'y tenait fermement, et en l'occurrence, il se consacrait entièrement à maintenir son emprise sur Ayla. Le martyre quotidien de la jeune fille, sous les coups et les insultes, n'était un mystère pour personne. Si beaucoup reconnaissaient qu'elle méritait de se faire dresser, peu approuvaient les extrémités auxquelles Broud se laissait entraîner.

Brun trouvait que Broud exagérait un peu, mais, après avoir constaté qu'il était capable de contrôler ses mouvements d'humeur, il estima les efforts du fils de sa compagne amplement suffisants et, tout en espérant le voir se comporter avec plus de modération, il décida de laisser les choses suivre leur cours. Pourtant, au fil de l'hiver, il sentit naître malgré lui une sorte de respect envers l'étrange fillette, respect comparable à celui qu'il éprouvait à l'égard de sa sœur Iza quand son compagnon la frappait.

Tout comme Iza, Ayla se comportait de façon exemplaire. Elle endurait tout sans se plaindre, ainsi qu'il convient à une femme. Et lorsqu'elle s'interrompait un instant dans l'accomplissement de ses tâches pour saisir son amulette, Brun et les autres ne voyaient dans ce geste qu'un signe de son respect pour les puissances surnaturelles si importantes aux yeux du Clan. De fait, son amulette rappelait à Ayla que son totem l'éprouvait et que si elle se révélait digne de lui, elle pourrait apprendre à chasser.

À son insu même, elle commençait déjà à s'entraîner. Elle débordait de curiosité pour les récits des hommes, qui, assis ensemble, relataient les chasses passées ou établissaient des stratégies pour les chasses futures. Elle trouva le moyen de s'installer à côté d'eux pour travailler, prenant un plaisir tout particulier aux histoires de Dorv et de Zoug sur leurs chasses à la fronde. Son intérêt pour Zoug se ranima, elle redoubla d'attentions envers lui et en vint à éprouver une réelle affection pour le vieux chasseur. Comme Creb, il était fier et sévère, mais se montrait également heureux des prévenances dont l'entourait la fillette, aussi étrange et aussi laide fût-elle. L'intérêt qu'elle portait aux récits de ses exploits, du temps où il était second, à la place de Grod, n'échappait pas à Zoug, et lorsqu'elle venait s'asseoir tout près de lui, il en profitait pour expliquer à Vorn ses méthodes pour dépister et chasser le gibier. Quel mal y avait-il à ce qu'elle prenne plaisir à ses récits ?

« Si j'étais plus jeune, pensa Zoug, et encore capable de chasser, je la prendrais pour compagne le moment venu. Elle aura bientôt besoin d'un compagnon, et laide comme elle est, elle risque d'avoir le plus grand mal à en trouver un. Mais elle est jeune, forte et respectueuse. J'ai des parents dans d'autres Clans ; si je m'en sens la force, j'irai au prochain Rassemblement des Clans, et je parlerai en sa faveur. Ses propres sentiments ne m'importent guère, mais je comprendrais très bien qu'elle n'ait pas envie de demeurer ici lorsque Broud sera le chef. »

Aussi pénible sa situation fût-elle, elle n'était pas totalement déplaisante pour Ayla. Les activités s'étaient singulièrement ralenties, et les corvées devenaient rares. Broud lui-même avait du mal à trouver quelque travail à lui donner. Avec le temps, il commença à se lasser et, faute de recevoir la moindre opposition, il relâcha son emprise. Une autre raison aida également Ayla à trouver l'existence supportable.

Au début de l'hiver, désirant invoquer des prétextes pour imposer la présence d'Ayla au foyer de Creb, Iza avait décidé de commencer à lui enseigner la préparation et l'utilisation des plantes qu'elle avait ramassées, et le désir d'apprendre de son élève obligea vite Iza à organiser des leçons régulières, et même à regretter de ne pas s'y être prise plus tôt.

Si Ayla avait été sa propre fille, elle n'aurait eu qu'à lui rafraîchir la mémoire pour faire resurgir les souvenirs enfouis dans son esprit et lui apprendre à les utiliser. Mais Ayla devait enregistrer la somme des connaissances avec lesquelles Uba était née. Aussi Iza était-elle obligée de revenir maintes fois sur le même sujet, de lui poser des questions pour s'assurer qu'elle avait bien compris et se rappelait ses enseignements.

Il lui arrivait parfois de désespérer de parvenir à tout apprendre à son élève, ou du moins suffisamment pour en faire une bonne guérisseuse. Mais l'intérêt de la jeune fille ne faiblissait jamais, et Iza était bien déterminée à lui procurer une position assurée dans le Clan. Les leçons se poursuivaient régulièrement tous les jours.

— Avec quoi soigne-t-on les brûlures, Ayla ?

— Euh... avec une égale quantité de fleurs d'hysope, de solidago et de pommier séchées et réduites en poudre. Puis on les humecte pour en faire un cataplasme que l'on recouvre d'un bandage. Quand il est sec, il faut l'humidifier de nouveau en versant de l'eau froide sur le bandage, récita-t-elle précipitamment. Les fleurs et les feuilles de menthe sont excellentes contre les brûlures par l'eau bouillante ; il faut les mouiller et les appliquer à l'endroit douloureux. Les racines bouillies de lis des marais font aussi une bonne lotion contre les brûlures.

— Très bien, quoi d'autre ?

La fillette réfléchit quelques instants.

— L'hysope géant aussi. Mâcher les feuilles et la tige pour en faire un cataplasme ou alors humecter les feuilles sèches. Et... ah oui ! les fleurs de chardons jaunes, bouillies. Les appliquer en lotion après les avoir fait refroidir.

— C'est un remède excellent contre toutes les maladies de la peau, Ayla. Et n'oublie pas que les cendres de prêle mélangées à de la graisse font aussi un onguent efficace contre les brûlures.

Ayla commença également à se charger de la préparation des repas sous la direction d'Iza. Elle apprit sans déplaisir à se plier aux exigences que l'âge imposait à Creb. Elle se donna du mal pour moudre ses céréales suffisamment fin afin que ses dents abîmées puissent les mâcher plus facilement. Elle coupait les noix en petits morceaux avant de les lui servir. Iza lui apprit à préparer des potions analgésiques et des cataplasmes pour le soulager de ses rhumatismes, et Ayla se spécialisa dans la préparation de ces remèdes pour les autres membres du Clan dont les maux empiraient invariablement avec leur réclusion hivernale dans la caverne humide et froide.

Au cours de cet hiver-là, Ayla apprit à soigner les brûlures, les coupures, les ecchymoses, les coups de froid, les maux de gorge, d'estomac, d'oreilles, ainsi que la plupart des blessures bénignes et des maladies sans gravité auxquelles les membres du Clan étaient sujets. Ces derniers finirent bientôt par s'adresser indifféremment à Ayla ou à Iza lorsqu'ils souffraient de maux légers. Ils savaient qu'Iza avait chargé Ayla de lui cueillir ses plantes et l'avaient vue lui transmettre ses connaissances. Ils voyaient bien aussi qu'elle se faisait vieille, que sa santé déclinait et qu'Uba était encore trop petite pour prendre sa succession. Le Clan commençait à s'habituer à la présence d'Ayla et à admettre qu'une enfant née parmi les Autres puisse devenir un jour une bonne guérisseuse.

Ce fut au moment le plus rigoureux de l'année, peu après le solstice d'hiver, qu'Ovra entra en couches.

— C'est trop tôt, dit Iza à Ayla. Elle ne devait pas accoucher avant le printemps. Elle ne sent plus bouger son bébé depuis quelque temps. J'ai bien peur que l'accouchement soit difficile et l'enfant mort-né.

— Elle le désirait tellement, ce petit. Tu te souviens, Iza, comme elle était heureuse de se savoir enceinte ? Ne peux-tu rien faire ? demanda Ayla.

— Je ferai ce que je pourrai. Mais tu sais, Ayla, il est des circonstances devant lesquelles nous sommes impuissantes, répondit la guérisseuse.

Tout le Clan se sentit concerné par l'accouchement prématuré de la compagne de Goov. Les femmes firent leur possible pour la réconforter, tandis que les hommes attendaient, anxieux, à quelque distance. Ils avaient perdu un trop grand nombre des leurs au cours du tremblement de terre, pour ne pas se réjouir de voir le Clan se renouveler. Si les enfants constituaient à présent de nouvelles bouches à nourrir pour les chasseurs et pour les femmes, ils subviendraient plus tard aux besoins de leurs parents devenus vieux. Aussi se sentaient-ils profondément affligés à l'idée qu'Ovra n'accoucherait probablement pas d'un enfant vivant.

Goov, quant à lui, se sentait beaucoup plus préoccupé par la vie de sa compagne que par celle de son enfant. Il ne supportait pas de la voir souffrir et se lamentait de ne pouvoir rien faire pour la soulager. De son côté, Ovra se chagrinait d'être la seule femme du Clan à ne pas avoir d'enfant. Même Iza, en dépit de son âge, en avait eu un.

Droog, pour sa part, comprenait mieux que personne les sentiments de Goov, pour les avoir éprouvés lui-même envers la mère de celui-ci. Le vieil homme s'était peu à peu habitué à sa nouvelle famille qu'il appréciait grandement. Il espérait même intéresser un jour le petit Vorn à la fabrication des outils ; quant à Ona, elle faisait sa joie, surtout depuis qu'elle était sevrée et commençait à imiter à sa manière le comportement des adultes.

Ébra et Uka étaient assises auprès d'Ovra, tandis qu'Iza préparait les potions. Uka, qui s'était, elle aussi, réjouie de la maternité de sa fille, lui tenait la main avec compassion. Oga était allée préparer le repas pour Brun, ainsi que pour Grod et Broud, après avoir proposé à Goov de se joindre à eux. Mais celui-ci avait décliné son offre, faute de se sentir le courage d'avaler une bouchée. Il préféra se rendre au foyer de Droog, où Aba réussit à lui faire grignoter quelques morceaux de viande.

Oga, préoccupée par Ovra, n'avait pas le cœur à ce qu'elle faisait et, au moment où elle servait aux hommes un bol de soupe brûlante, elle trébucha et renversa le liquide bouillant sur le bras et l'épaule de Brun. Il poussa un hurlement et se mit à trépigner de douleur. Un silence pesant s'abattit sur l'assemblée.

— Oga ! aboya Broud. Espèce d'idiote ! Petite maladroite !

— Ayla, vas-y, je ne peux pas laisser Ovra maintenant, dit Iza.

Broud s'avança vers sa compagne, les poings serrés, prêt à la corriger.

— Non, Broud, s'interposa Brun. Elle ne l'a pas fait exprès. Cela ne servirait à rien de la battre. Oga était recroquevillée aux pieds de Broud, toute tremblante de peur et de honte.

Ayla était remplie d'angoisse. Jamais encore il ne lui était arrivé de soigner le chef du Clan. Elle se précipita au foyer de Creb où elle prit un bol en bois, puis courut à l'entrée de la caverne. Elle se présenta bientôt aux pieds de Brun, tenant l'écuelle pleine de neige.

— C'est Iza qui m'a envoyée. Elle ne peut pas quitter Ovra. Le chef se laissera-t-il soigner par la fillette qui est devant lui ? demanda-t-elle après que Brun l'eût autorisée à parler.

Brun acquiesça. Il n'était pas convaincu des capacités d'Ayla en tant que guérisseuse, mais les circonstances le contraignaient à accepter son offre. Elle recouvrit fébrilement de neige la brûlure à vif, et sentit aussitôt les muscles de Brun se détendre au contact de la fraîcheur apaisante. Puis, elle courut chercher des feuilles de menthe sèche qu'elle fit tremper dans de l'eau chaude pour les ramollir. Revenue auprès de son patient, elle lui appliqua sur le bras un cataplasme de feuilles. Sa respiration se fit beaucoup plus régulière et, si la brûlure le faisait encore souffrir, la douleur avait considérablement décru. Il fit un signe de tête approbateur à la fillette qui se sentit le cœur soulagé d'un grand poids.

Quelques instants plus tard, Ébra vint prévenir son compagnon que le fils d'Ovra était mort-né. Brun hocha la tête, et jeta un coup d'œil en direction de la jeune femme. Et c'était un garçon ! pensa-t-il. Néanmoins, malgré toute sa compassion, il ne fit aucun commentaire, personne n'étant autorisé à faire allusion à ce malheur. Mais Ovra comprit les sentiments de Brun à son égard lorsque, quelques jours plus tard, il se présenta à leur foyer pour lui recommander de bien se reposer. Si les hommes avaient coutume de se réunir fréquemment au foyer de Brun, le chef se rendait très rarement chez les autres membres du Clan, et il était encore plus exceptionnel qu'il adressât la parole à une femme. Aussi touchée fût-elle par ce témoignage de sollicitude, Ovra demeurait néanmoins inconsolable.

XII

Tandis que le long hiver tirait à sa fin, le rythme de la vie du Clan s'accélérait à l'unisson de la nature renaissante. Avec l'adoucissement de la température, chacun se sentait impatient de sortir de la léthargie dans laquelle l'avait confiné la saison froide. Iza distribua à la ronde une potion reconstituante à base de racines d'une plante qui ressemblait à de l'ivraie et de feuilles sèches de reine des bois, qu'elle administra aux jeunes comme aux vieux, afin de leur communiquer une vigueur nouvelle.

Ce troisième hiver passé dans la caverne ne s'était pas révélé trop pénible. La seule perte à déplorer était l'enfant mort-né d'Ovra, ce qui, en fait, ne comptait guère puisque le bébé n'avait pas été nommé ni reconnu. Iza, qui n'avait plus besoin d'allaiter son enfant, avait bien supporté les froids. Creb, pour sa part, n'avait pas plus souffert que de coutume. Aga et Ika étaient de nouveau enceintes, à la grande satisfaction de tous. Les premières pousses furent cueillies et une chasse fut prévue afin de rapporter de la viande fraîche en vue d'un festin printanier en l'honneur des Esprits qui avaient ressuscité la nature et permis au Clan de traverser sans encombre un autre hiver.

Ayla sentait qu'elle avait des grâces particulières à rendre à son totem. L'hiver avait été pour elle à la fois rude et plaisant. Si elle détestait Broud plus férocement que jamais, elle avait du moins réussi à se contenir devant lui. En outre, elle avait eu plaisir à apprendre comment préparer les remèdes d'Iza. Plus elle avançait en connaissances, plus elle désirait savoir. Elle était impatiente d'aller cueillir des herbes, mais cette fois-ci pour leur usage propre, et non plus en tant que prétexte pour s'éloigner de la caverne. Enfin, elle attendait avec fièvre le départ des vents froids et des rafales de neige pour se mettre à chasser.

Dès que le temps le lui permit, Ayla partit se promener à travers les prés et les bois. Désormais, elle ne cachait plus sa fronde dans la petite grotte, au bout de la prairie, mais la gardait sur elle, dissimulée dans un des replis de sa fourrure ou sous une couche de feuilles au fond de son panier. Au début, elle eut du mal à ajuster son tir. Les animaux se révélaient prestes et adroits, et les cibles mouvantes bien plus difficiles à atteindre que les cibles immobiles. Il lui fallut aussi se défaire de la fâcheuse habitude qu'avaient les femmes de faire du bruit, quand elles partaient en cueillette, pour effrayer les bêtes qui se trouvaient dans les parages. Combien de fois s'en voulut-elle d'avoir averti un animal de sa présence en le voyant disparaître dans un fourré.

À grand-peine, et non sans commettre de nombreuses erreurs, elle apprit à dépister le gibier en appliquant les rudiments du savoir qu'elle avait glanés auprès des hommes. Naturellement dotée d'un sens aigu de l'observation, elle s'appliqua à utiliser les indications que lui fournissaient tel excrément, telle trace imperceptible dans la poussière, telle nappe d'herbe couchée ou telle branche cassée. Elle apprit aussi à reconnaître la foulée des différents animaux, leurs habitudes et leurs repaires. Sans négliger les herbivores, elle concentra néanmoins son attention sur les carnivores, les proies qu'elle s'était choisies.

Elle prenait bien garde d'observer la direction que prenaient les hommes lorsqu'ils partaient chasser ; mais ce n'était pas eux qui l'inquiétaient le plus, car ils préféraient les steppes, où elle n'aurait jamais osé s'aventurer. Les deux vieillards en revanche lui causaient maintes angoisses, car elle les avait souvent trouvés sur son chemin, quand elle cueillait des plantes pour Iza. Zoug et Dorv étaient les seuls êtres susceptibles de chasser aux mêmes endroits qu'elle. Même lorsqu'ils partaient dans une direction opposée à la sienne, rien ne garantissait qu'ils ne rebrousseraient pas chemin. Alors ils risqueraient de la surprendre, la fronde à la main. Aussi Ayla se tenait-elle constamment sur ses gardes.

Mais dès qu'elle sut se déplacer sans bruit, elle s'enhardit parfois à les suivre afin de les observer. Elle devait alors faire particulièrement attention, car il était beaucoup plus risqué de suivre les chasseurs que l'objet de leur poursuite. Ce fut pour elle cependant une excellente école.

Pendant qu'elle s'entraînait à gagner en habileté dans le dépistage des animaux, à perfectionner sa démarche silencieuse, à distinguer une silhouette tapie sous le couvert d'un buisson, Ayla s'aperçut qu'elle aurait pu, en certaines occasions, abattre un petit animal. Mais elle avait promis à son totem de ne s'attaquer qu'aux carnivores, et, malgré la tentation, elle laissa échapper maintes opportunités de tuer des proies faciles. Ainsi, les bourgeons printaniers firent place aux fleurs et les arbres se couvrirent de feuilles avant qu'Ayla ait abattu sa première proie.

— Allez, ouste ! Va-t'en !

Ayla sortit de la caverne pour voir ce qui se passait. Plusieurs femmes agitaient les bras pour chasser un animal court sur pattes, trapu et aux longs poils. Le glouton se dirigeait vers la caverne, mais en apercevant Ayla, il se détourna soudain en poussant un grognement. Il fila entre les jambes des femmes et s'enfuit, un morceau de viande dans la gueule.

— Quelle sale bête ! Je venais juste de mettre ce morceau de viande à sécher, s'exclama Oga avec colère. Il rôde par ici depuis le début de l'été, et chaque jour il se fait plus audacieux. J'espère que Zoug l'aura un de ces jours ! Heureusement que tu es sortie, Ayla. Il allait entrer dans la caverne.

— Je pense que c'est une femelle, Oga. Elle doit nicher non loin de là avec ses petits affamés qui doivent avoir bonne taille à présent.

— Il ne manquait plus que ça ! Toute une tribu ! Et Zoug et Dorv qui sont partis avec Vorn très tôt ce matin ! Ils auraient mieux fait de se mettre à la chasse de ce glouton.

Ayla regagna le foyer où elle n'avait pas grand-chose à faire. Mais Iza l'informa qu'elle manquait d'un certain nombre de plantes, et elle décida de partir à la recherche du glouton. Elle prit son panier et se dépêcha de sortir pour gagner la forêt, en direction de l'endroit où l'animal s'était réfugié.

En observant attentivement le sol, elle remarqua l'empreinte d'une patte pourvue de longues griffes, et, un peu plus loin, de l'herbe couchée. Ayla se mit à suivre l'animal à la trace. Au bout de quelques instants, elle entendit un bruit de course précipitée. Elle s'avança prudemment, sans froisser la moindre feuille, et aperçut tout à coup le glouton et ses quatre petits en train de se disputer le morceau de viande volé. Elle sortit tout doucement la fronde de son vêtement et déposa un caillou au creux du renflement. Puis elle attendit le moment opportun pour frapper un coup définitif. Une brusque saute de vent apporta une odeur étrangère aux narines du rusé carnivore. L'animal leva le museau en reniflant, à l'affût du danger. C'est exactement le moment que choisit Ayla pour tirer. Le glouton s'écroula sur le sol, pendant que ses quatre petits s'enfuyaient, affolés.

Sortant d'entre les buissons, Ayla s'approcha pour examiner sa proie, une espèce de putois à la queue touffue, recouvert d'un épais pelage brun-noir. Les gloutons étaient de petits nécrophages intrépides, suffisamment méchants pour disputer leurs proies à des prédateurs bien plus gros qu'eux, suffisamment courageux pour aller voler de la viande en train de sécher, et assez malins pour s'introduire dans les caches à provisions. Pourvus de glandes sécrétant une odeur repoussante, ils représentaient un fléau pour le Clan, plus encore que la hyène.

La pierre d'Ayla l'avait frappé juste au-dessus de l'œil, exactement à l'endroit où elle avait visé. En voilà un qui ne nous volera plus, pensa-t-elle avec jubilation. Elle venait de tuer sa première proie ! Ce n'était peut-être pas un bison terrassé à la lance, mais c'était déjà mieux que le porc-épic de Vorn. Mais aucune cérémonie ne marquerait son entrée dans le monde des chasseurs, aucun festin ne serait organisé en son honneur ! Si elle rapportait le glouton à la caverne, elle n'obtiendrait que des regards outrés et une sévère punition. Peu importait qu'elle voulût rendre service au Clan et se montrât capable de chasser brillamment. Les femmes ne devaient pas chasser ; les femmes ne devaient pas tuer d'animaux.

Le plus intrépide des jeunes gloutons sortit de sa cachette et, après quelque hésitation, vint renifler la femelle morte. Ces petits vont nous créer autant d'ennuis que leur mère, pensa Ayla. Autant me débarrasser de cette charogne. Si je l'emmène assez loin, sans doute la suivront-ils à l'odeur. Ayla se leva et traîna le glouton mort au plus profond des bois, en le tirant par la queue. Puis elle se mit en quête de plantes.

Le glouton ne fut que le premier d'une longue série de prédateurs et de nécrophages à tomber sous les coups de sa fronde. Les martres, les visons, les furets, les loutres, les belettes, les blaireaux, les hermines, les renards, ainsi que les petits chats sauvages tigrés gris et noirs devinrent les victimes de ses pierres rapides. La décision d'Ayla de ne tuer que les prédateurs contribua grandement à accélérer le processus de son apprentissage, en l'obligeant à développer son habileté et sa précision. Les carnivores étaient bien plus rapides, plus astucieux, plus intelligents et plus dangereux que les paisibles herbivores.

L'été tirait à sa fin, avec son lot de chaleurs torrides alternant avec des orages. Il faisait terriblement chaud ce jour-là ; pas la moindre brise ne venait troubler l'immobilité de l'air. La veille, un orage extraordinaire avait illuminé toute la montagne de ses terribles éclairs et forcé le Clan à se réfugier dans la caverne. La forêt était humide et étouffante. Les mouches et les moustiques bourdonnaient inlassablement aux abords du filet d'eau qu'était devenu le ruisseau.

Ayla suivait à la trace un renard roux, traversant sans bruit les bois en bordure d'une petite clairière. Le front emperlé de sueur, elle songeait à abandonner la partie et à rentrer à la caverne. En arrivant auprès de la rivière, elle s'arrêta pour boire dans une petite cuvette naturelle où l'eau vive coulait encore, canalisée entre deux gros rochers.

Au moment où elle se relevait, elle resta pétrifiée, à la vue de la tête et des oreilles huppées d'un lynx, tapi sur le rocher juste en face d'elle, battant l'air de sa queue courte. Plus petit que bien d'autres félins, le lynx, au long corps et aux pattes trapues, pouvait effectuer des bonds prodigieux. Il se nourrissait essentiellement de lièvres, de lapins, de gros écureuils et autres rongeurs, mais pouvait fort bien terrasser un petit daim si l'envie lui en prenait ; une jeune fille de huit ans représentait exactement le genre de proie susceptible de lui convenir.

Le premier réflexe d'effroi passé, Ayla se sentit parcourue par un frisson d'excitation à l'idée de s'opposer au félin immobile. Zoug n'avait-il pas dit à Vorn qu'on pouvait tuer les lynx à la fronde ? Sans quitter une seconde l'animal des yeux, elle glissa tout doucement la main dans les replis de son vêtement, drapé court en cette saison, et y prit sa plus grosse pierre. Les paumes moites, elle saisit fermement les deux extrémités de son arme et y plaça convenablement le caillou. Et aussitôt, avant que sa tension se relâche, elle visa entre les deux yeux et tira. Mais, au moment où elle levait le bras, le lynx surprit son geste et tourna la tête. La pierre le heurta sur le côté, provoquant seulement une violente douleur à l'endroit de l'impact.

Avant qu'elle eût le temps de prendre une autre pierre, Ayla vit les muscles du chat sauvage se tendre brusquement. Seul un réflexe instantané lui permit de se jeter sur le côté pour éviter l'animal furieux qui bondissait sur elle. Elle atterrit dans la boue, au bord du ruisseau, et en tombant mit la main sur une grosse branche, dépourvue de feuilles après un long séjour dans le courant. Ayla s'en saisit en roulant sur elle-même au moment où le lynx, fou de rage, les babines retroussées, se jetait sur elle de nouveau. Balançant le rondin de toutes ses forces, elle lui en asséna un violent coup sur le crâne. Étourdi, le lynx resta immobile pendant quelques instants, puis se dirigea lentement vers les bois en secouant la tête, lassé sans doute de recevoir des coups.

Ayla se releva toute tremblante, le cœur battant, pour aller rechercher sa fronde. Zoug n'aurait jamais imaginé que l'on pût s'attaquer à un prédateur muni d'une simple fronde, sans le secours d'un autre chasseur. Elle s'était montrée trop sûre d'elle, et n'avait pas songé une seconde à ce qui pourrait lui arriver si elle ratait son coup. Elle prit le chemin de la caverne dans un tel état de choc qu'elle faillit oublier le panier qu'elle avait caché avant de se mettre sur la trace du renard.

— Ayla ! Que s'est-il passé ? Tu es couverte de boue ! s'écria Iza en la voyant arriver, remarquant à sa pâleur que quelque chose avait dû l'effrayer. La jeune fille se contenta de secouer la tête sans répondre.

Ce soir-là, Ayla conserva l'air fort abattu et se coucha de bonne heure. Elle eut le plus grand mal à s'endormir, obsédée par les dangers courus dans l'après-midi. Au petit matin, le sommeil finit par la gagner, mais elle s'éveilla bientôt en hurlant.

— Ayla, Ayla ! Qu'y a-t-il ? lui demanda Iza en la secouant doucement pour la ramener à la réalité.

— J'ai rêvé que j'étais dans une petite grotte et qu'un lion des cavernes me poursuivait. Mais ça va mieux maintenant, Iza.

— Il y avait longtemps que tu n'avais pas fait de mauvais rêves, Ayla. Tu as eu peur aujourd'hui ?

Ayla acquiesça de la tête sans donner d'explications. L'obscurité de la caverne où ne rougeoyaient que quelques braises dissimula à la guérisseuse son air coupable.

— Je ne suis jamais tranquille quand tu pars toute seule, Ayla. Je sais bien que cela te fait plaisir, mais tu t'absentes trop longtemps pour mon goût. Il n'est pas normal qu'une jeune fille apprécie à ce point la solitude. Et la forêt peut se révéler dangereuse...

— Tu as raison, Iza, répondit Ayla par gestes. La prochaine

fois, j'emmènerai Uba avec moi, ou peut-être Ika, si elle veut bien m'accompagner.

Iza constata avec soulagement qu'Ayla prenait ses conseils au sérieux. Elle ne s'éloignait plus des abords immédiats de la caverne, et, lorsqu'elle devait aller cueillir des plantes médicinales, elle se dépêchait de rentrer. Chaque fois qu'elle partait seule, la peur la taraudait et elle redoutait à tout instant d'apercevoir un animal prêt à fondre sur elle. Elle comprit alors la raison pour laquelle les femmes n'aimaient guère s'aventurer dans les bois et s'étonnaient toujours de son goût pour la solitude. Jusqu'à présent, elle avait tout simplement fait preuve d'inconscience devant les dangers qui la guettaient. Les animaux prédateurs n'étaient pas les seuls dangereux. Les sangliers aux canines acérées, les chevaux aux durs sabots, les cerfs aux bois lourds, les mouflons et les béliers aux cornes meurtrières pouvaient tous se révéler redoutables si on les provoquait. Ayla se demandait comment elle avait pu songer à chasser et n'avait pas la moindre intention de recommencer de sitôt.

Il n'y avait personne à qui la jeune fille pût confier ses appréhensions, personne pour lui dire que c'est la peur qui aiguise l'habileté du chasseur, que les hommes la connaissaient bien, même s'ils n'en parlaient jamais entre eux. Quant aux femmes, les journées qu'elles passaient loin de la protection des hommes quand ils allaient à la chasse constituaient aussi une épreuve de courage. Les filles comme les garçons ne devenaient adultes qu'après avoir affronté et vaincu la peur.

Si, pendant un certain temps, Ayla n'eut aucune envie de s'éloigner de la caverne, elle ne tarda pas à s'impatienter. En hiver, elle n'avait pas le choix et devait accepter de rester confinée comme tout le monde ; mais lorsqu'il faisait beau, elle avait pris l'habitude de vagabonder à sa guise. À présent, elle ne savait plus que faire. Lorsqu'elle se trouvait seule dans la forêt, loin du Clan, elle ne se sentait pas rassurée et lorsqu'elle se trouvait aux abords de la caverne, la solitude de la forêt lui manquait.

L'une de ses cueillettes la conduisit tout près de sa retraite secrète et elle poussa jusqu'à sa prairie, haut dans la montagne. L'endroit eut sur elle un effet apaisant ; elle se trouvait dans son monde personnel, et se sentait même un droit de propriété sur le petit troupeau de chevreuils qui venait paître fréquemment dans son pré. Ce lieu à découvert lui procurait un profond sentiment de sécurité, à présent qu'elle savait les bois pleins de bêtes féroces en train de rôder. Elle n'était plus revenue dans sa grotte depuis le début de l'été, et ces retrouvailles ravivèrent ses souvenirs. C'est là qu'elle avait appris à manier la fronde, c'est là qu'elle avait blessé le porc-épic et qu'elle avait découvert le signe de son totem.

Comme elle n'osait pas la laisser dans la caverne, de peur qu'Iza la découvre, elle portait toujours sa fronde sur elle. Au bout d'un moment, elle ramassa des cailloux et tira quelques coups. Mais le jeu était trop monotone pour l'intéresser longtemps, et elle se remémora l'incident du lynx. Si seulement j'avais eu une autre pierre toute prête, pensa-t-elle, j'aurais pu la lancer sans lui laisser le temps de me sauter dessus. Il faut que j'apprenne à mettre une autre pierre dans la fronde dans la foulée du premier tir.

Elle fit quelques tentatives et se trouva aussi maladroite que lors de son premier essai à la fronde. Au bout d'un certain temps néanmoins, elle commença à acquérir le coup de main. Elle envoyait la première pierre, puis rattrapait la fronde dans sa course descendante, glissait l'autre pierre au passage et la projetait. Les cailloux tombaient souvent et la précision de ses deux tirs laissaient à désirer, mais Ayla était ravie de savoir son projet réalisable. Si elle ne se sentait pas le cœur à chasser, le pari de mettre au point sa nouvelle technique raviva considérablement son intérêt pour le tir, auquel elle s'entraîna régulièrement à dater de ce jour.

Quand les collines revêtirent les couleurs flamboyantes de l'automne, la jeune fille était aussi habile à tirer deux cailloux qu'un seul. Campée au milieu du pré d'où elle envoyait ses projectiles contre un piquet planté dans le sol, elle ressentait la vive satisfaction du devoir accompli en apprenant par deux bruits mats que ses deux pierres avaient touché leur but.

Un beau matin, par une douce journée d'automne, une année après qu'elle se fut décidée à chasser, Ayla eut envie de grimper jusqu'à sa grotte secrète pour y cueillir des noisettes. Tandis qu'elle s'en approchait, elle entendit le ricanement caractéristique de la hyène, et en arrivant dans la prairie, elle en vit une vautrée sur la carcasse sanglante d'un vieux cerf.

Ayla fouilla précipitamment dans son panier pour y prendre sa fronde, cachée tout au fond. Puis elle se dirigea vers un monticule, près de la paroi rocheuse, tout en ramassant des cailloux en chemin. Le vieux cerf était à moitié dévoré, et le maigre animal moucheté, presque aussi grand qu'un lynx, fut tiré de ses occupations par son passage. La hyène leva la tête, sentit cette odeur étrangère et se tourna en direction de la jeune fille.

Ayla était prête. De sa position élevée sur la butte, elle envoya un premier projectile, suivi d'un second. Elle ne pouvait savoir que ce dernier était inutile, le premier ayant déjà accompli son œuvre, mais il constituait néanmoins une sécurité supplémentaire. Instruite par l'expérience, elle avait déjà logé une troisième pierre dans la fronde, et tenait la quatrième dans la main, en prévision d'un second tir complet, si cela se révélait nécessaire. Mais la hyène s'était effondrée sur place et ne bougeait plus. Après s'être assurée qu'il n'y en avait pas d'autres aux alentours, la jeune fille s'approcha précautionneusement. Elle ramassa au passage un tibia auquel pendaient encore quelques lambeaux de chair et fracassa le crâne de la bête pour plus de sûreté.

Contemplant l'animal mort à ses pieds, elle prit soudain conscience de son geste. « J'ai tué une hyène, s'exclama-t-elle. J'ai tué une hyène avec ma fronde. Un animal qui aurait pu me tuer ! Je suis donc un chasseur à présent. Un vrai chasseur ! » Le cœur empli d'un profond respect, elle s'adressa à l'Esprit de son totem en employant les formules rituelles ancestrales du Clan.

— Je ne suis qu'une jeune fille, Ô Grand Lion des Cavernes, et je suis fort ignorante du monde des Esprits ; mais il me semble mieux le comprendre à présent. Le lynx était une épreuve autrement plus importante que ne l'était Broud. Creb m'a toujours enseigné qu'il est malaisé de vivre avec des totems puissants, mais il ne m'a pas dit que leurs plus beaux dons se trouvent en nous. L'épreuve ne consiste pas seulement à réaliser une action difficile, mais aussi à savoir que l'on peut l'accomplir. Je te suis reconnaissante de m'avoir choisie, Grand Lion des Cavernes. Je souhaite me montrer éternellement digne de toi.

Quand les couleurs rousses de l'automne eurent perdu leur éclat et que furent tombées les dernières feuilles mortes, Ayla retourna dans la forêt, non seulement pour traquer les bêtes qu'elle avait choisi de chasser, mais aussi pour étudier leurs habitudes. Combien de fois, s'étant approchée suffisamment près pour les tuer d'un jet de pierre, elle avait retenu son geste pour les observer. Elle commençait à comprendre combien il était absurde de se débarrasser des animaux qui ne constituaient pas un danger pour le Clan, et dont la peau était inutilisable. Mais elle était bien décidée à devenir le meilleur tireur à la fronde du Clan, et la seule manière de perfectionner son art était de le pratiquer en chassant, ce dont elle ne se privait pas.

Les conséquences ne se firent pas attendre, au grand désarroi des hommes.

— J'ai découvert encore une belette, ou du moins ce qui en restait, non loin du champ de manœuvre, annonça Creb.

— Et moi j'ai trouvé des morceaux de fourrure, on aurait dit celle d'un loup, un peu plus bas, de l'autre côté de l'escarpement, ajouta Goov.

— Il s'agit toujours de carnassiers, fit remarquer Broud, et j'aimerais bien savoir qui les tue. Ce n'est pas que je déplore la perte de hyènes ou de loups dans les environs, mais si ce n'est pas nous... Pensez-vous que ce soit le fait d'un Esprit ? demanda le jeune homme en retenant un frisson.

— S'agirait-il d'un bon Esprit qui nous veut du bien, ou d'un Esprit mauvais mécontent de nos totems ? s'enquit Goov.

— C'est à toi précisément de répondre à cette question, Goov. Tu es l'acolyte de Mog-ur, dis-nous ce que tu en penses, répliqua Crug.

— Je ne pourrai répondre qu'après avoir longuement médité et consulté les Esprits.

— Tu parles déjà comme un mog-ur, Goov, ironisa Broud.

— Et toi, Broud, qu'en dis-tu ? rétorqua l'acolyte. Réponds-moi sans ambages, qu'est-ce qui tue ces animaux ?

— Je ne suis pas mog-ur, ni en passe de le devenir.

Ayla, qui vaquait à ses occupations non loin de là, eut du mal à réprimer un sourire.

— Je n'ai pas encore de réponse à te donner, Broud, dit le sorcier qui s'était approché sans bruit. Il va falloir que je médite. Mais je puis déjà dire que cela n'est pas dans la manière habituelle des Esprits.

Les Esprits, se dit Mog-ur, peuvent provoquer des chaleurs torrides ou des froids glacials, susciter des pluies torrentielles ou de la neige, ou encore éloigner les troupeaux, engendrer les maladies ou déclencher le tonnerre, les éclairs ou les tremblements de terre, mais ils n'ont pas coutume de faire périr des animaux isolés. Ce mystère sent la main de l'homme. Mog-ur fut arraché à ses pensées par Ayla qui se dirigeait vers la caverne. Comme elle a changé, songea-t-il en la suivant du regard.

Ayla avait effectivement changé. À mesure que se développaient ses talents de chasseresse, elle acquérait une assurance et une grâce inusitées parmi les femmes du Clan. Elle possédait désormais la démarche silencieuse du chasseur, le contrôle parfait de son jeune corps musclé, une confiance absolue en ses réflexes et un regard lointain qui se voilait légèrement quand Broud se mettait à la harceler, comme si elle ne le voyait pas vraiment. Elle obéissait toujours aussi rapidement à ses ordres, mais Broud ne percevait plus dans ses réactions le réflexe de peur qu'il y cherchait, en dépit de la sévérité de ses corrections.

Broud ne comprenait pas ce qui se passait. Chaque fois qu'il s'efforçait de s'imposer à elle, c'est elle qui lui faisait sentir son infériorité. Exaspéré et dépité, plus il la harcelait, moins il la tenait en son pouvoir. Il en vint à la haïr, mais petit à petit, il s'aperçut qu'il cessait de la tourmenter et se prenait à l'éviter, n'usant plus que très rarement de ses prérogatives. Sa haine atteignit son paroxysme vers la fin de la saison. Je la briserai un jour, se promit-il.

XIII

L'hiver survint et avec lui le ralentissement des activités coutumières. La vie suivait son cours, paisiblement. Ayla n'était pas mécontente de l'arrivée du froid, qui lui permettrait de reprendre auprès de la guérisseuse son apprentissage interrompu par la belle saison. À peu de chose près, cet hiver se déroula semblable au précédent et céda à son tour la place à un printemps tardif et humide.

La fonte des neiges, jointe à des pluies torrentielles, transforma la rivière en un impétueux torrent débordant de son lit, entraînant des arbres entiers et des buissons sur son passage. Une vague de chaleur qui favorisa l'éclosion de timides bourgeons se trouva brutalement interrompue par des tempêtes de grêle qui ravagèrent les fleurs fragiles des arbres fruitiers, anéantissant tous les espoirs d'une récolte estivale. Puis, comme si la nature, ayant soudain changé d'avis, désirait suppléer à l'absence de fruits, l'été fournit une profusion de légumes, de racines et de courges.

Un jour, à la grande joie des membres du Clan, Brun annonça qu'ils iraient bientôt à la pêche à l'esturgeon et à la morue. Si certains chasseurs parcouraient fréquemment la distance qui les séparait de la mer intérieure pour y ramasser des coquillages et les œufs des milliers d'oiseaux nichant dans les falaises, la pêche au gros poisson était une des activités du Clan qui exigeait la présence des hommes et des femmes.

Droog se réjouissait particulièrement de cette expédition. Les fortes pluies printanières avaient détaché de nombreux fragments de silex des sédiments calcaires, les charriant en aval du cours d'eau. Cette sortie serait une excellente occasion de renouveler le matériel nécessaire à la fabrication des outils.

Une humeur allègre régna pendant les divers préparatifs. Il était rare pour le Clan de quitter la caverne au complet, et la perspective de dormir au bord de l'eau enchantait tout le monde et plus particulièrement les enfants. Creb lui-même était heureux de s'absenter un peu de son foyer, dont il ne s'éloignait presque jamais.

Les femmes s'appliquèrent à réparer les filets, consolidant les zones les plus fragiles à l'aide de cordelettes provenant de tiges ou d'écorces fibreuses, d'herbes résistantes, et de longs poils d'animaux. Bien qu'extrêmement solides, les nerfs et les tendons n'étaient pas utilisés car ils durcissaient beaucoup trop au contact de l'eau et se montraient peu perméables à la graisse destinée à les assouplir.

Au début de l'été, l'imposant esturgeon abandonnait, au moment du frai, les eaux tièdes de la mer pour la fraîcheur des rivières. Quoique ressemblant fort au requin, en dépit de son absence de dents, il se nourrissait exclusivement d'invertébrés et de tout petits poissons. Quant à la morue, beaucoup plus petite, elle gagnait les hauts-fonds tous les étés, en direction du nord, et remontait à la surface pour y chercher sa nourriture.

À l'approche des migrations, Brun envoya tous les jours quelqu'un observer la côte. Et, dès que le premier gros esturgeon fut aperçu à l'embouchure de la rivière, il fixa le départ pour le lendemain matin.

Ayla se réveilla ce jour-là en proie à la plus vive excitation. Elle avait déjà préparé toutes ses affaires, fait un paquet de sa fourrure, rangé dans son panier de la nourriture et quelques ustensiles de cuisine et plié par-dessus le tout une grande peau de bête qui servirait à les abriter. Iza, qui ne se déplaçait jamais sans son sac de guérisseuse, était encore en train d'en vérifier le contenu quand Ayla sortit de la caverne pour voir si tout le monde était prêt.

— Dépêche-toi, Iza, lui cria-t-elle. On part bientôt.

— Du calme, petite. La mer nous attendra, répliqua Iza en serrant le cordon de sa sacoche de peau de loutre.

Ayla hissa le panier sur son dos et prit Uba dans ses bras. Iza la suivit tout en jetant un dernier regard derrière elle pour s'assurer qu'elle n'avait rien oublié. Tout le monde était déjà dehors, et quand Iza eut pris sa place dans le rang, Brun donna le signal du départ.

Ils descendirent la colline en longeant la rivière, empruntant un nouveau chemin pour éviter une partie du sentier inondé par l'embâcle. Ils arrivèrent avant midi sur une longue plage où ils dressèrent en retrait des abris pour la nuit, à l'aide de peaux de bêtes tendues sur une armature de bois. Puis ils allumèrent des feux et vérifièrent le filet qui serait utilisé le lendemain matin. Une fois le campement installé, Ayla partit se promener au bord de l'eau.

— Je vais me baigner, dit-elle.

— Mais pourquoi veux-tu toujours aller dans l'eau, Ayla ? C'est dangereux et tu t'aventures beaucoup trop loin.

— Mais c'est délicieux ! Je ferai bien attention.

Chaque fois qu'Ayla entrait dans la mer, Iza s'inquiétait horriblement. La fillette était la seule à savoir nager, la lourde ossature des membres du Clan leur interdisant cette activité. Ils avaient le plus grand mal à flotter et redoutaient tout particulièrement l'eau profonde. S'ils acceptaient volontiers de marcher dans la mer pour pêcher, ils s'arrêtaient toujours au moment où l'eau leur arrivait à la ceinture. Ayla, au contraire, aimait nager. Elle atteignait sa neuvième année et dépassait de taille toutes les femmes, ainsi que la plupart des hommes du Clan. Iza se demandait parfois si elle s'arrêterait jamais de grandir.

Creb s'approcha en boitant de la guérisseuse qui regardait Ayla s'éloigner vers le rivage. Son corps élancé et vigoureux, ses muscles nerveux et ses longues jambes auraient dû lui donner l'air gauche et maladroit, ce que démentait la souplesse de ses mouvements. De toute sa personne irradiait une confiance en elle inconnue des autres femmes du Clan.

— Creb, dit Iza, Aba et Aga prétendent qu'elle ne deviendra jamais femme. Elles pensent que son totem est trop puissant.

— Mais bien sûr qu'elle deviendra femme ! Crois-tu que les Autres ne peuvent pas avoir d'enfants ? Son séjour parmi nous ne peut rien changer à sa nature, et il est fort possible que chez son peuple les femmes se forment plus tard. Dans le Clan, d'ailleurs, certaines jeunes filles ne deviennent femmes qu'à dix ans. Alors prends patience au lieu d'aller imaginer des sottises ! répliqua Creb.

Légèrement rassurée, la guérisseuse regarda Ayla qui venait de plonger dans l'eau, pour réapparaître quelques brasses plus loin. La jeune fille aimait l'impétuosité de la mer. Incapable de se souvenir de ses premières tentatives pour nager, il lui semblait avoir toujours su. Non loin du rivage, la couleur plus foncée et la fraîcheur de l'eau indiquaient à Ayla qu'elle venait de dépasser la limite où elle avait pied. Se retournant sur le dos, elle se laissa paresseusement bercer par les vagues. La marée descendait et elle fut déportée vers l'embouchure de la rivière. La puissance des courants contraires lui rendit le retour difficile, mais après quelques efforts, elle regagna la plage et alla s'écrouler devant le feu qui crépitait au camp, épuisée mais heureuse.

Après avoir couché Uba, Iza alla s'asseoir à côté de Creb et d'Ayla, près du foyer dont les volutes de fumée s'envolaient vers le ciel étoilé.

— Qu'est-ce que c'est, Creb ? demanda Ayla en montrant le ciel.

— Des feux. Chacun d'eux représente le foyer de l'Esprit de quelqu'un qui nous a quittés pour l'autre monde.

— Pourquoi sont-ils si nombreux ?

— Parce qu'ils représentent également le foyer de ceux qui ne sont pas encore nés, et aussi celui des Esprits des totems ; or, la plupart des totems possèdent plusieurs Esprits. Regarde, tu vois ces feux ? indiqua Creb. C'est la demeure de la Grande Ourse. Et ceux-là ? Ce sont les foyers de ton totem, Ayla, le Lion des Cavernes.

— C'est bon de dormir dehors quand on peut voir tous ces petits feux briller dans le ciel, fit remarquer la jeune fille.

— Allez, il est grand temps d'aller nous coucher, proposa Iza. Nous aurons demain une dure journée.

Le lendemain matin, le filet fut tendu au travers de l'embouchure du cours d'eau. Des vessies d'esturgeons, conservées de la pêche précédente, soigneusement lavées et séchées pour qu'elles durcissent à l'air, faisaient office de flotteurs sur le pourtour du filet, et des pierres attachées en quelques points lui donnaient du poids. Brun et Droog tirèrent une extrémité vers la rive opposée et, sur un signe de leur chef, les adultes et les enfants les plus grands entrèrent dans l'eau. Uba allait les suivre quand Iza l'en empêcha.

— Non, Uba, dit-elle, tu restes ici. Tu n'es pas encore assez grande pour nous suivre.

— Mais Ona vous aide bien, répliqua l'enfant, l'air obstiné.

— Ona est plus grande que toi, Uba. Tu nous aideras plus

tard, quand nous aurons ramené le poisson. Regarde, Creb aussi reste sur la rive.

Les hommes et les femmes avancèrent tout doucement pour agiter l'eau le moins possible en dépliant le filet en un large demi-cercle. Puis ils attendirent que le sable se dépose à nouveau, jusqu'au signal de Brun. Quand il leva le bras, tout le monde se mit à crier et à agiter l'eau en soulevant de grandes gerbes écumantes. Ce qui semblait au premier abord un indescriptible désordre était en réalité une habile manœuvre, destinée à entraîner le poisson à l'intérieur du filet tout en rétrécissant le cercle. Bientôt, le filet se referma sur une masse de poissons affolés, prisonniers dans un espace de plus en plus réduit, qui se débattaient entre les mailles, menaçant de les rompre. Toutes les mains s'agrippèrent pour pousser le filet vers le rivage, tirant, luttant pour hisser hors de l'eau les énormes prises agitées de terribles soubresauts.

Levant la tête, Ayla vit Uba qui essayait d'attirer son attention.

— Uba, pousse-toi ! lui cria-t-elle.

— Ayla, Ayla ! s'écria l'enfant en montrant la mer du doigt. Ona !

Ayla se retourna et entrevit une petite tête noire qui dansait sur l'eau, prête à disparaître. L'enfant, à peine plus âgée qu'Uba, avait perdu pied et le courant l'entraînait vers le large. Dans la confusion, personne ne s'en était aperçu. Seule Uba, regardant avec envie les évolutions de sa petite compagne de jeu, avait assisté au drame et s'efforçait désespérément de prévenir quelqu'un.

Ayla plongea dans la rivière bouillonnante, fendant les flots en direction du large. Portée par le courant descendant de la rivière, elle n'avait jamais nagé aussi vite, mais le même courant éloignait l'enfant avec une force presque égale. Ayla vit de nouveau la tête émerger à la surface, et elle redoubla de vitesse, gagnant du terrain peu à peu. Si jamais Ona atteignait la barre avant qu'on l'ait rattrapée, elle se trouverait engloutie à coup sûr dans les eaux tourbillonnantes. Ayla tenta un plongeon désespéré, le plus loin possible, et referma ses mains sur la longue chevelure de l'enfant.

Elle eut alors l'impression que ses poumons allaient éclater, faute d'avoir eu le temps de prendre une grande inspiration avant de plonger, et un malaise la guettait au moment même où elle remontait à la surface, chargée de son précieux fardeau. C'était la première fois qu'elle nageait en tirant quelqu'un.

Au moment où elle reprit pied, elle vit que tout le Clan s'était porté à sa rencontre. Elle souleva le corps inerte d'Ona pour la tendre à Droog, et s'aperçut alors de son épuisement. Creb la soutint d'un côté, et avec une vive surprise elle vit Brun la soutenir de l'autre. Droog les avait devancés, et au moment où Ayla s'écroula sur le sable, Iza était déjà en train d'éjecter l'eau des poumons de l'enfant.

Ce n'était pas la première fois qu'un membre du Clan échappait à la noyade et Iza savait ce qu'il fallait faire en pareil cas. Ona se mit soudain à tousser et à crachoter, et entrouvrit légèrement les yeux.

— Mon bébé ! Mon bébé ! s'écria Aga en se jetant à genoux. J'étais sûre qu'elle était morte. Je pensais qu'elle était partie. Oh, mon enfant, ma petite fille !

Droog prit l'enfant des bras de sa mère et, la serrant à son tour contre lui, il la ramena au campement. Contrairement à la coutume, Aga marchait à ses côtés en caressant sa fille rescapée.

Personne n'en croyait ses yeux. Personne n'avait jamais regagné le rivage une fois entraîné vers le large. Le Clan considérait le sauvetage d'Ona comme un véritable miracle. La chance l'accompagne, conclurent-ils unanimement au sujet d'Ayla. Elle en a toujours eu.

Les poissons s'agitaient encore spasmodiquement sur le rivage, pris au piège dans le filet. Chacun se remit au travail et, après les avoir assommés tous, les femmes commencèrent à les vider.

— Une femelle ! s'exclama Ébra en ouvrant le ventre d'un énorme esturgeon, ce qui fit accourir tout le monde.

— Regardez ça ! s'écria Vorn en prenant une poignée de petits œufs noirs, dont le Clan raffolait. La tradition voulait que chacun puise à volonté dans les entrailles de la première femelle attrapée et se régale à satiété. Les autres prises seraient salées et conservées pour être consommées plus tard, mais le poisson n'était jamais aussi délicieux que frais pêché. Ébra arrêta d'un geste le garçon et se tourna vers Ayla.

— Toi d'abord, Ayla, dit-elle.

La fillette jeta autour d'elle des regards surpris, gênée de se trouver au centre de l'attention générale.

— Vas-y Ayla, l'encouragèrent les autres.

Elle regarda Brun qui hocha la tête d'un air approbateur. Puis, timidement, elle s'avança pour prendre une poignée d'œufs noirs et brillants.

Tout en rentrant au campement, Ayla comprit l'honneur qui lui avait été fait, et elle savourait encore le plaisir merveilleux d'avoir été réellement acceptée par le Clan. Ce plaisir-là, elle n'était pas près de l'oublier.

Une fois le poisson assommé, les hommes avaient coutume de laisser aux femmes la tâche de le vider et de le préparer pour la conservation. Outre les outils de silex tranchants utilisés pour ouvrir et découper leur prise, elles se servaient d'un instrument spécial. C'était une sorte de couteau dont la partie supérieure était émoussée pour permettre un maniement plus facile, et qui comportait également, vers la pointe, un léger renflement pour y placer l'index et contrôler avec précision la pression de la main, afin d'écailler le poisson sans l'abîmer.

La pêche était bonne : outre les esturgeons, le filet était plein de morues, de carpes d'eau douce, de quelques grosses truites et même de crustacés. Les oiseaux, attirés par le poisson, se disputaient leurs entrailles, dérobant à l'occasion quelques morceaux de choix. Une fois les poissons prêts à sécher, à l'air ou à la fumée, les femmes étendirent dessus le filet, tout d'abord pour le faire sécher, et pour réparer les dommages qu'il avait subis, mais aussi pour empêcher les oiseaux de s'emparer d'un butin chèrement gagné.

Bien avant la fin de la pêche, le Clan allait se sentir dégoûté par l'odeur et le goût du poisson, mais le festin de la première nuit était toujours un régal, essentiellement composé de morue fraîche à la chair blanche et délicate, enveloppée d'herbes et de grandes feuilles vertes, cuite sur un lit de braises. Bien que personne ne le lui ait annoncé explicitement, Ayla savait que ce festin était célébré en son honneur. Les femmes lui choisirent les meilleurs morceaux et Aga lui prépara tout spécialement un filet entier.

Le soleil venait de disparaître à l'horizon, et la plupart des pêcheurs avaient rejoint leurs abris pour la nuit. Iza et Aba bavardaient près des braises rougeoyantes, tandis qu'Ayla et Aga regardaient en silence Ona et Uba qui jouaient.

— Ayla, dit Aga sur un ton hésitant, je voulais te dire quelque chose ; je n'ai pas toujours été très gentille envers toi...

— Mais non, Aga, l'interrompit Ayla. Tu t'es toujours montrée parfaite.

— C'est tout à fait différent, répondit Aga. J'en ai parlé à Droog ; tu sais qu'il adore Ona, ma fille, bien qu'elle ne soit pas née chez lui, car il n'y a jamais eu d'enfant dans son foyer. Il m'a dit que désormais une partie de l'Esprit d'Ona t'appartenait à tout jamais. Quand un chasseur sauve la vie d'un autre chasseur, il emporte avec lui un peu de son Esprit. Ils deviennent frères en quelque sorte. Je suis heureuse que tu partages l'Esprit d'Ona, Ayla, et qu'elle soit encore là pour le partager avec toi. Si j'ai la chance d'avoir un autre enfant, et que ce soit une fille, Droog a fait la promesse de l'appeler Ayla.

Stupéfaite, Ayla ne sut que répondre.

— Mais c'est un trop grand honneur, Aga. Ayla n'est pas un nom du Clan.

— Il l'est à présent, répondit Aga.

La femme se leva et, après avoir appelé Ona, se dirigea vers son foyer.

— Je m'en vais, dit-elle en se retournant.

C'était, pour les membres du Clan, la manière habituelle de se dire au-revoir. Plus couramment, ils se contentaient de partir sans cérémonie. Ils ne possédaient, en outre, aucun terme pour dire « merci », et s'ils ne se reconnaissaient mutuellement aucune gratitude, ils s'entraidaient néanmoins volontiers, ainsi que le voulaient leurs traditions et les nécessités de leur survie.

— Iza, dit Ayla qui venait de s'asseoir aux côtés de la guérisseuse, Aga prétend qu'une partie de l'Esprit d'Ona m'appartient pour toujours ; mais je n'ai fait que la ramener sur le rivage, c'est toi qui l'as sauvée réellement. En fait, nous l'avons sauvée l'une et l'autre. Tu possèdes donc aussi une partie de son Esprit, et de nombreux autres Esprits t'appartiennent, toi qui as sauvé la vie à tant de monde ?

— Et d'où vient à ton avis le rang élevé de la guérisseuse, Ayla ? Elle porte en elle une partie de l'Esprit de chaque membre du Clan, aussi bien homme que femme. Toutes les femmes ne sont pas aptes à devenir guérisseuses. Une guérisseuse doit posséder en elle le désir profond de secourir les autres. Mais toi, Ayla, tu possèdes déjà cette volonté, c'est pourquoi j'ai commencé à te former. Quand tu t'es portée au secours d'Ona, tu n'as pas pensé un seul instant au danger que tu pouvais courir, tu désirais la sauver avant tout. Le jour où tu seras guérisseuse, Ayla, tu seras de ma lignée.

— Mais je ne suis pas ta vraie fille, Iza. Tu es la seule mère dont je puisse me souvenir, mais je ne suis pas née de toi. Comment puis-je appartenir à ta lignée ? Je ne possède même pas tes souvenirs...

— Tu fais partie du Clan, Ayla, tu es ma fille car c'est moi qui t'ai formée, qui t'ai appris tout ce que je sais. Si tu ne possèdes pas toutes mes connaissances, ce que tu sais sera néanmoins suffisant car tu possèdes un don inestimable, le don de comprendre et de deviner l'origine du mal, et à partir de là, de le guérir. Ce don peut se révéler aussi puissant et efficace que les souvenirs. Tu seras de ma lignée parce que je sais que tu feras une excellente guérisseuse, Ayla. Tu seras digne du rang le plus élevé.

Le Clan s'installa dans la routine des occupations quotidiennes. On ne faisait qu'une seule pêche par jour, mais cela suffisait amplement à tenir les femmes occupées jusque tard dans la soirée. Ona ne fut plus autorisée à aider les pêcheurs à battre l'eau, Droog ayant décidé qu'elle attendrait l'année suivante pour leur prêter main-forte. Vers la fin de la saison de l'esturgeon, les prises se firent de plus en plus réduites, ce qui laissa aux femmes le temps de souffler un peu.

Droog passa au peigne fin le lit de la rivière, à la recherche de rognons de silex ayant dévalé la montagne, et il en rapporta quelques-uns au campement. Pendant l'après-midi, on le voyait souvent en train de façonner de nouveaux outils. Un jour, peu avant leur départ, Ayla le vit prendre son baluchon et se diriger vers la souche d'un arbre mort où il avait l'habitude de travailler. Elle le suivit et s'assit à ses pieds, la tête baissée.

— La fillette qui se tient devant toi aimerait te voir travailler. Y vois-tu une objection ? lui demanda-t-elle quand il l'eut autorisée à parler.

— Hhmmmmf, acquiesça-t-il en hochant la tête.

Ayla s'assit à côté de lui et l'observa en silence. Ce n'était pas la première fois qu'elle le regardait travailler. Droog savait parfaitement qu'elle ne le dérangerait pas, mais manifesterait au contraire un vif intérêt pour tout ce qu'il exécuterait. Si seulement Vorn pouvait en faire autant, pensa-t-il avec regret. Aucun des enfants du Clan ne semblait doué pour la fabrication des outils, déplorait-il, lui qui, comme tous les bons artisans, désirait transmettre et partager son savoir. Seule Ayla, depuis son arrivée au Clan, se passionnait pour son travail et semblait habile de ses mains. Les femmes étaient libres de fabriquer des outils, tant qu'ils n'étaient pas destinés à devenir une arme ou même à façonner une arme.

L'artisan ouvrit son baluchon et étendit la peau renfermant ses instruments. Il décida de faire profiter Ayla de quelques notions utiles en matière de pierres, et il en prit une qu'il avait mise de côté. Après de longues années d'expériences, Droog en était venu à la conclusion que seul le silex possédait l'ensemble des qualités indispensables à la fabrication de bons outils.

Ayla écoutait attentivement ses explications. Tout d'abord, le silex devait être suffisamment dur pour pouvoir gratter, couper ou fendre une grande variété de végétaux et d'animaux. En outre, il devait posséder une autre qualité que Droog avait le plus grand mal à définir, bien que son long apprentissage lui ait appris à la reconnaître, et qui tenait dans sa cassure particulière et son homogénéité.

La plupart des minéraux se brisaient en suivant la ligne de leur structure cristalline, et ne pouvaient donc se tailler que dans une direction bien précise, ne laissant au tailleur de pierre qu'un nombre restreint de possibilités. Lorsqu'il en trouvait, Droog se servait d'obsidienne, cette roche volcanique noire moins dure que la plupart des autres minéraux et dépourvue de structure nettement définie, qui se taillait dans n'importe quel sens.

La structure du silex était si dense, que son homogénéité laissait au tailleur la possibilité de le façonner à sa guise, la seule limitation résidant dans l'habileté de l'artisan.

Le voyant disposer ses outils, examiner soigneusement ses pierres puis fermer les yeux en tenant son amulette, Ayla crut que Droog l'avait oubliée. Elle fut d'autant plus surprise quand il se mit à parler par gestes.

— Les outils que je vais faire sont d'une extrême importance. Brun a décidé que nous irions à la chasse au mammouth. Dès l'automne, nous partirons en direction du nord à la recherche du troupeau. Je vais fabriquer les outils qui me serviront à tailler les armes spécialement réservées à cette chasse. Mog-ur va préparer un charme puissant pour que les Esprits nous portent assistance.

Mais si je ne rencontre aucune difficulté, ce sera un bon présage.

Ayla ne savait pas très bien si Droog s'adressait à elle, ou s'il se parlait à lui-même. Elle savait seulement qu'elle devait se tenir tranquille et ne rien faire qui pût le distraire.

En revanche, elle ignorait que Droog, depuis le jour où elle avait découvert la caverne, était persuadé qu'elle portait chance, conviction qui s'était raffermie avec le sauvetage de la petite Ona, et c'est pourquoi il acceptait de la garder auprès de lui en travaillant.

Droog était assis par terre, une peau sur les genoux, un rognon de silex dans la main gauche, qu'il soupesa un long moment pour l'avoir bien en main. Puis il choisit un marteau de pierre, de la bonne taille et du bon poids, dont les nombreuses entailles attestaient l'ancienneté, et fit délicatement sauter la gangue de calcaire qui recouvrait le silex. L'artisan s'arrêta un instant pour examiner la pierre d'un œil critique. La texture était parfaite, la couleur convenable et elle ne comportait aucune inclusion fâcheuse. Il entreprit alors de dégrossir la masse à l'aide d'une hachette. Des éclats tranchants et épais volaient à chaque coup, creusant une profonde dépression dans le cœur de la pierre.

Enfin, Droog posa son marteau pour prendre un morceau d'os avec lequel il affûta délicatement le bord acéré du silex. Son instrument, plus souple et d'un maniement plus délicat que le précédent, lui permit d'enlever des éclats beaucoup plus longs et fins que le marteau de pierre, sans risque d'émousser l'arête tranchante du futur outil.

Quelques instants plus tard, Droog brandissait son œuvre achevée. C'était une hachette relativement mince, longue et acérée, pointue à son extrémité, dont les deux plats auraient été parfaitement lisses sans les légères dépressions laissées par les éclats. On pouvait s'en servir pour couper du bois, ou pour évider un bol dans un billot, pour tailler une défense de mammouth, pour briser les os des animaux dépecés et dans toutes les circonstances nécessitant l'usage d'un instrument tranchant.

Mais la fabrication du fendoir n'était qu'un exercice d'entraînement. Une fois bien échauffé, Droog tourna son attention sur un autre silex qu'il avait choisi pour la finesse de son grain. Serrant entre ses jambes un os de pied de mammouth, en guise d'enclume, il y déposa la pierre qu'il tint fermement. L'un des côtés était déjà à peu près plat. À l'aide d'un os acéré, Droog y pratiqua plusieurs entailles en forme de V et considéra d'un air satisfait le petit grattoir qu'il venait de réaliser en un tournemain.

Ensuite, le tailleur d'outils s'attaqua à une autre pierre, plus petite et plus ronde, lui donnant une forme convexe pour en faire un outil muni de bords coupants, assez massif pour résister aux fortes pressions exercées en raclant du bois ou des peaux. Ramassant un autre éclat de bonne taille, il y fit une seule et profonde encoche tranchante particulièrement destinée à l'aiguisage des pointes de lances ; enfin, il gratta les deux faces d'un dernier éclat bien pointu, obtenant un outil propre à percer des trous dans le cuir ou à forer le bois ou l'os.

Ce travail accompli, Droog fit signe à Ayla qui l'avait observé sans oser faire un mouvement. Il lui tendit le grattoir ainsi que plusieurs grands éclats de silex provenant de la fabrication du hachereau.

— Tiens, tu peux les garder. Ils te seront utiles si tu viens avec nous à la chasse au mammouth, déclara-t-il.

Ayla, rayonnante de plaisir, reçut ces présents comme s'il se fût agi d'un trésor.

— La fille qui est devant toi gardera précieusement ces outils jusqu'à la chasse au mammouth, où elle s'en servira pour la première fois si elle y est autorisée, répondit Ayla.

Droog approuva d'un grognement tout en secouant la peau sur laquelle il travaillait pour en faire tomber tous les petits fragments et y envelopper le pied de mammouth, le marteau de pierre, celui en os, ainsi que les deux petits instruments réservés aux retouches. Il serra bien son baluchon et l'attacha avec une lanière de cuir. Puis il ramassa les outils récemment fabriqués et se dirigea vers le camp. Il en avait terminé de ce travail pour la journée.

— Iza ! Iza ! Regarde ce que m'a donné Droog ! Il m'a même laissée regarder comment il s'y prend, s'écria Ayla, ponctuant ses phrases d'une seule main, à la manière de Creb, tandis qu'elle tenait de l'autre son précieux trésor. Il a dit que les hommes allaient partir à la chasse au mammouth cet automne et qu'il fabriquait des outils spéciaux pour cette occasion ! Il a dit aussi que je pourrais en avoir besoin si je les accompagne. Crois-tu que je serais autorisée à les accompagner ?

— C'est possible, Ayla. Mais je ne comprends pas ce que tu trouves d'excitant à cela. Il y aura beaucoup de travail. Il faudra faire fondre toute la graisse et sécher la viande, et tu ne peux t'imaginer combien on en trouve dans un mammouth ! De plus le voyage sera long et tu seras lourdement chargée.

— Ça ne me fait pas peur. Je n'ai jamais vu de mammouth et j'ai tellement envie d'y aller ! Oh, Iza, pourvu qu'ils m'emmènent !

— Les mammouths fréquentent peu nos régions. Ils préfèrent le froid et nos étés sont beaucoup trop chauds pour eux. Cela fait bien longtemps que je n'ai pas mangé de cette viande. Il n'y a rien de plus succulent ni de plus tendre, et leur graisse sert à de multiples usages.

— Tu crois qu'ils vont me permettre d'y aller ? insista Ayla tout excitée.

— Brun ne m'a pas fait part de ses projets, Ayla. Tu en sais plus que moi sur le sujet, répondit Iza. Mais je pense que Droog ne t'aurait rien dit s'il n'en était pas question. Je crois qu'il t'est reconnaissant d'avoir sauvé Ona, et qu'il a voulu te le faire savoir en te donnant ces outils et en te parlant de la chasse. Droog est un homme respectable, Ayla. Tu as de la chance qu'il t'ait jugée digne de ses présents.

— Je lui ai dit que je les utiliserai pour la première fois pendant la chasse au mammouth, si j'y vais.

— Tu lui as fait une excellente réponse. Ayla. C'est exactement ce qu'il fallait lui dire.

XIV

Les préparatifs pour la chasse au mammouth, prévue au début de l'automne, mirent le Clan en émoi. Tous les membres valides feraient partie de l'expédition, qui se dirigerait vers le nord de la péninsule. Pendant la période où les chasseurs seraient occupés à voyager, puis à traquer le mammouth, sans avoir la certitude d'en rencontrer ni même de réussir à en tuer, ils délaisseraient tout autre gibier. Seule la perspective, en cas de succès, de rapporter au camp de la viande en suffisance pour plusieurs mois et de la graisse en grande quantité rendait le risque digne d'être encouru.

Néanmoins les chasseurs se livrèrent à de nombreuses chasses dès le début de l'été, afin de constituer un maximum de réserves de viande pour l'hiver. Ils ne pouvaient jouer leur avenir sur une chasse aléatoire, ni se dispenser de faire des provisions en vue de la saison froide. Le prochain Rassemblement des Clans devait avoir lieu l'été suivant et ils n'auraient alors guère l'occasion de chasser car il leur faudrait consacrer toute la saison à faire le voyage jusqu'à la caverne du Clan qui devait les recevoir, participer à la grande fête et retourner chez eux. Une longue expérience de telles expéditions avait appris à Brun qu'il fallait prévoir à l'avance la constitution de réserves pour l'hiver qui suivait le Rassemblement. C'est ce qui le décida à organiser la chasse au mammouth. Si les fruits d'une chasse couronnée de succès venaient s'ajouter aux provisions déjà entreposées, ils pourraient faire face en toute tranquillité. Leurs réserves de viande séchée, de légumes, de fruits et de céréales leur permettraient facilement, s'ils se montraient vigilants, de tenir deux ans.

Toute la préparation de la chasse baignait dans une atmosphère rituelle. À chaque stade des préparatifs, les chasseurs organisaient des cérémonies pour se concilier les forces invisibles qui les entouraient. Mog-ur s'affairait en pratiques magiques, préparant des charmes puissants, le plus souvent à l'aide des ossements trouvés dans la petite caverne sacrée. Tout événement heureux était interprété comme un présage favorable, et toute difficulté suscitait l'inquiétude. Chacun se sentait nerveux et Brun ne connut plus aucune véritable nuit de repos à partir du moment où il prit la décision d'organiser cette expédition. Il lui arrivait parfois de regretter d'y avoir songé.

Le chef réunit les hommes afin de décider qui participerait à la chasse et qui resterait à la caverne. Il leur fallait aussi penser à protéger leur refuge.

— Je me demande s'il ne faudrait pas que l'un de nous reste à la caverne, commença-t-il en regardant les chasseurs. Nous serons absents pendant au moins une lune entière, peut-être même deux, et nous ne pouvons la laisser sans protection aussi longtemps.

Les chasseurs évitèrent le regard de Brun. Aucun ne voulait se voir exclu de la chasse.

— Tu auras besoin de tous tes chasseurs, Brun, répondit Zoug. Si mes jambes sont trop faibles pour traquer le mammouth, mon bras peut encore soulever une lance. La fronde n'est pas la seule arme dont je sache me servir. Quant à Dorv, si sa vue baisse, ses muscles sont encore puissants : il est toujours capable de manier la massue ou la lance, et de défendre la caverne avec moi. Tant que nous ne laisserons pas le feu mourir, aucun animal n'approchera. Bien sûr, la décision t'appartient, mais je pense que tu devrais emmener tous tes chasseurs.

— Je suis d'accord avec Zoug, Brun, ajouta Dorv. C'est nous qui défendrons la caverne pendant que vous serez partis.

Brun regarda alternativement Zoug et Dorv. Il n'avait aucune envie de se laisser démunir de l'un de ses chasseurs, et ne voulait rien faire qui pût compromettre ses chances de réussite.

— Tu as raison, Zoug, finit par répondre Brun. Ce n'est pas parce que Dorv et toi n'êtes plus capables de chasser le mammouth que vous ne pouvez défendre la caverne. C'est une chance pour le Clan que de pouvoir compter sur vos capacités, et je suis heureux de profiter encore de tes sages conseils.

Les autres chasseurs se sentirent soulagés : ils partiraient donc tous. Il allait de soi que Mog-ur, n'étant pas chasseur, ne participerait pas à l'expédition. Mais Brun l'avait déjà vu brandir son gourdin avec une force certaine, et il le compta en son for intérieur parmi les défenseurs de la caverne. À eux trois, ils feraient certainement aussi bien qu'un seul chasseur.

— Bien, et quelles femmes allons-nous emmener ? demanda Brun. Ébra viendra.

— Uka aussi, ajouta Grod. Elle est forte, expérimentée, et n'a pas d'enfant en bas âge.

— C'est entendu, approuva Brun. Elle nous accompagnera ainsi qu'Ovra, dit-il en regardant Goov qui hocha la tête en signe d'approbation.

— Et Oga alors ? s'enquit Broud. Brac commence à marcher et il sera bientôt sevré. Il ne l'encombrera pas trop.

— Je n'y vois pas d'objection, répondit Brun après avoir réfléchi un moment. Les autres femmes l'aideront à s'en occuper et Oga est une excellente travailleuse. Elle nous sera utile.

Broud avait l'air ravi, heureux de la bonne opinion exprimée par le chef au sujet de sa compagne. C'était un compliment pour la manière dont il l'avait éduquée.

— Certaines femmes doivent rester pour s'occuper des enfants, déclara Brun. On pourrait choisir Aga et Ika : Groob et Igra sont trop petits pour un si long voyage.

— Aba et Iza pourraient les surveiller, proposa Crug. Igra ne leur posera aucun problème.

La plupart des hommes préféraient que leurs compagnes les suivent lors des grandes expéditions afin de ne pas dépendre de la compagne d'un autre pour se faire servir.

— Je ne sais pas ce qu'il en est pour Ika, intervint Droog, mais je pense qu'Aga ferait mieux de rester au camp cette fois-ci. Elle a trois enfants encore petits.

— Aga et Ika resteront, décida Brun.

Mog-ur n'était pas intervenu jusqu'à présent, mais il sentit le moment propice venu.

— Iza est trop faible pour nous suivre, et elle doit rester pour s'occuper d'Uba, mais il n'y a aucune raison pour qu'Ayla ne vienne pas.

— Ce n'est même pas une femme, répliqua Broud, et cela pourrait déplaire aux Esprits de voir cette étrangère parmi nous.

— Elle est plus grande qu'une femme et aussi forte, affirma Droog. C'est une bonne travailleuse, habile de ses mains et favorisée par les Esprits. Je pense qu'elle nous portera chance.

— Droog a raison, conclut Brun. Elle travaille vite et bien. Elle n'a pas d'enfant et possède quelques rudiments du savoir des guérisseuses qui pourront nous être utiles. Ayla viendra avec nous.

Ayla fut si heureuse d'apprendre qu'elle participerait à la chasse au mammouth qu'elle ne tenait plus en place. Elle accabla Iza de questions sur ce qu'elle devait emporter et fit et refit plusieurs fois son panier au cours des jours précédant leur départ.

— N'emporte pas trop de choses, Ayla. Vous serez lourdement chargées au retour si la chasse a été bonne. Viens, j'ai ici quelque chose pour toi.

Des larmes de joie montèrent aux yeux de la jeune fille en voyant la petite sacoche que lui tendait Iza. Elle avait été confectionnée dans une peau de loutre entière, dont on avait gardé intactes la fourrure, la tête, la queue et les pattes. Iza avait demandé à Zoug de lui attraper l'animal, dont elle avait caché la peau au foyer de Droog en mettant Aga et Aba dans le secret.

— Un sac de guérisseuse, rien que pour moi ! s'écria Ayla, en sautant au cou d'Iza.

Elle s'assit aussitôt pour sortir ses petites bourses de remèdes et les aligner comme elle avait vu Iza le faire si souvent. Elle ouvrit chacune d'elles pour en sentir le contenu. Il était difficile de distinguer à leur odeur les herbes et les racines séchées, quoique les plus dangereuses fussent souvent mélangées à une herbe inoffensive mais très parfumée pour éviter les accidents. En fait, les bourses étaient classées selon la cordelette qui les fermait et le type de nœuds utilisés.

Ayla mit les bourses dans sa sacoche de guérisseuse et la rangea près de son panier avec les grands sacs destinés à transporter la viande de mammouth. Tout était prêt. Seule une chose la préoccupait encore. Que ferait-elle de sa fronde ? Elle craignait qu'Iza ou Creb la découvre si elle la laissait dans la caverne. Elle pensa la cacher dans les bois, mais y renonça de peur que les animaux et les intempéries viennent à l'abîmer. Elle décida finalement de l'emporter, cachée dans un repli de son vêtement. Il faisait encore nuit lorsque le Clan s'éveilla le jour du départ des chasseurs. Ils se mirent en marche dès les premières lueurs, mais après avoir franchi l'escarpement qui protégeait la caverne, ils découvrirent le soleil levant illuminant la plaine de tous ses feux. Ils eurent tôt fait de gagner les steppes, et Brun adopta un pas rapide. Le fardeau des femmes était léger, mais leur manque d'habitude les obligeait à de grands efforts pour suivre le mouvement. Ils marchèrent ainsi jusqu'à la tombée de la nuit, se nourrissant des rations que les chasseurs avaient coutume d'emporter en expédition : de la viande séchée, hachée menue, mélangée à de la graisse, et des fruits.

Le voyage se déroula sans incident particulier. Pendant dix jours, ils avancèrent au même pas, jusqu'à ce que Brun décide d'envoyer des éclaireurs dans les alentours, ce qui ralentit leur progression au cours des jours suivants. Ils approchaient du nord de la péninsule, et ne devraient pas tarder à apercevoir des mammouths, s'il y en avait dans la région.

La petite troupe fit halte au bord d'une rivière. Brun avait envoyé Broud et Goov en éclaireurs plus tôt dans l'après-midi et il se tenait à l'écart, scrutant l'horizon dans la direction qu'ils avaient prise. Il faudrait bientôt décider s'ils allaient installer leur camp près de cette rivière ou continuer plus loin avant la nuit.

Soudain, il eut l'impression d'apercevoir au loin un mouvement, et après un instant, il distingua la silhouette des deux hommes en train de courir. Peut-être s'agissait-il d'une intuition, peut-être était-ce la manière dont il percevait leur course, mais lorsqu'ils arrivèrent en agitant les bras, Brun savait déjà la nouvelle qu'ils apportaient.

— Mammouth ! Mammouth ! criaient les éclaireurs hors d'haleine en se précipitant vers leurs compagnons.

— Un grand troupeau vers l'est ! s'exclama Broud avec de grands gestes.

— À quelle distance ? demanda Brun.

— À quelques heures, indiqua Goov en décrivant avec son bras un court arc de cercle.

— Montrez-nous le chemin, dit Brun en faisant signe aux autres de se mettre en route. Ils avaient encore le temps de se rapprocher du troupeau avant la nuit.

Le soleil déclinait à l'horizon lorsque les chasseurs aperçurent au loin une masse sombre en mouvement. C'est un grand troupeau, estima Brun en ordonnant la halte. Il leur faudrait se contenter de l'eau qu'ils avaient emportée du campement précédent car il faisait trop sombre pour se mettre en quête d'une rivière. Au matin, ils chercheraient un site plus hospitalier. L'important était d'avoir découvert les mammouths.

Le lendemain, après avoir établi le camp près d'un petit ruisseau serpentant entre deux haies de maigres buissons, Brun partit avec les chasseurs pour reconnaître les lieux. Il fallait élaborer une stratégie pour prendre au piège les lourds pachydermes. Brun et ses hommes explorèrent les ravins et les canyons des alentours, à la recherche d'une gorge ou d'un défilé bordé de rochers, se terminant de préférence en cul-de-sac, point trop éloigné du troupeau qui se déplaçait lentement.

À l'aube du second jour, Oga se présenta devant Brun, la tête baissée, tandis qu'Ovra et Ayla attendaient, inquiètes, derrière elle, l'issue de sa requête.

— Que veux-tu, Oga ? demanda Brun en lui tapant sur l'épaule.

— La femme qui est devant toi a une requête à te présenter, commença-t-elle avec hésitation.

— Oui ?

— La femme qui est devant toi n'a jamais vu de mammouth. Ovra et Ayla non plus. Le chef nous permettrait-il de nous approcher du troupeau ?

— Nous nous trouvons sous le vent. Cela n'affectera pas le troupeau si vous ne vous approchez pas trop.

— Nous ferons attention, promit Oga.

— Je crois que quand vous les aurez vus, vous n'aurez aucune envie de vous avancer trop près. Vous pouvez y aller, décida-t-il.

Les trois jeunes femmes étaient tout excitées à l'idée de cette aventure. C'était Ayla qui avait convaincu Oga de formuler la demande. L'expédition leur avait fourni l'occasion de se connaître mieux ; Ovra, de nature calme et réservée, avait toujours considéré Ayla comme une enfant. Quant à Oga, elle n'avait pas encouragé leurs relations, connaissant les sentiments de Broud à l'égard de la jeune fille. Leur participation commune à la chasse avait créé entre elles des rapports plus amicaux. Ayla, qui n'avait expérimenté jusqu'alors l'intimité qu'avec Iza, Creb et Uba, découvrait avec bonheur la chaleur de l'amitié entre femmes.

Elles se mirent aussitôt en route. Bientôt, leur promenade,

occupée par une conversation animée, se transforma à l'approche des animaux. Elles parlèrent de moins en moins, pour peu à peu se taire tout à fait, bouche bée devant les imposants mastodontes.

Les mammouths étaient des animaux parfaitement adaptés aux rudes conditions climatiques de leur environnement. Leur peau épaisse était couverte d'une fourrure dense et de longs poils brun-roux hirsutes. Ils étaient en outre protégés contre le froid par une épaisse couche de graisse. Leur énorme tête disproportionnée s'élevait en un dôme pointu entre leurs épaules massives, et ils avaient de petites oreilles, une queue courte et une trompe de modeste dimension, terminée par deux doigts l'un au-dessus de l'autre. De profil, ils présentaient un creux profond à la hauteur de la nuque, entre leur tête pointue et une grosse bosse de graisse située sur le garrot. Leur échine suivait une courbe rapide jusqu'à leurs pattes arrière, légèrement plus courtes. Mais le plus impressionnant était encore leurs longues défenses recourbées.

— Regardez celui-là ! s'écria Oga en désignant un vieux mâle, dont les défenses d'ivoire étaient enroulées sur elles-mêmes.

Le mammouth arrachait des touffes d'herbe avec sa trompe, et enfournait dans sa gueule le fourrage sec avant de le broyer dans un crissement de molaires. Un animal plus jeune, dont les défenses plus courtes conservaient encore leur efficacité, déracina un mélèze et entreprit d'en arracher les branchages et l'écorce.

— Je n'aurais jamais cru qu'il puisse exister des animaux aussi grands, s'exclama Ovra. Comment vont-ils s'y prendre pour en tuer un ? Ils ne pourront même pas le blesser avec leurs lances.

— Je ne sais pas, répondit Oga tout aussi inquiète.

— Je regrette d'être venue, déclara Ovra. La chasse sera dangereuse. Il y aura peut-être des blessés. Que deviendrai-je s'il arrivait quelque chose à Goov ?

— Brun a sans doute un plan, dit Ayla, sinon il n'aurait pas entrepris cette chasse. J'aimerais bien assister à ce qui va se passer, ajouta-t-elle avec regret.

— Pas moi, dit Oga. Je serai bien contente quand tout sera terminé.

— Il faut rentrer à présent, dit Ovra. Brun ne veut pas que nous approchions et nous sommes déjà trop près pour mon goût.

Les trois jeunes femmes rebroussèrent chemin. Ayla se

retourna plusieurs fois tandis qu'elles pressaient le pas, perdues dans leurs pensées.

Le lendemain, Brun ordonna aux femmes de lever le camp après le départ des chasseurs. Il avait découvert un endroit dont la configuration lui semblait propice : la chasse aurait lieu le jour suivant et il désirait que les femmes se tiennent à l'écart du danger. Il avait repéré la veille le canyon qui lui convenait, mais il se trouvait alors trop éloigné du troupeau. À présent, les mammouths, en se déplaçant lentement vers le sud-ouest, s'étaient approchés assez près pour rendre utilisable cette configuration du terrain, ce qu'il interpréta comme un présage particulièrement favorable.

Une neige légère et poudreuse balayée par les vents d'est accueillit les membres de l'expédition à leur réveil. Mais rien n'aurait pu faire obstacle à leur impatience : aujourd'hui, ils allaient chasser le mammouth. Les femmes s'empressèrent de faire des infusions, car les chasseurs n'absorberaient rien d'autre.

Grod prit un charbon ardent dans le feu et le plaça dans la corne d'auroch qu'il portait à la ceinture. Goov en fit autant. Ils troquèrent leurs épaisses fourrures contre de plus légères qui n'entraveraient pas leurs mouvements. Brun exposa une dernière fois rapidement le plan d'attaque.

Chaque homme ferma les yeux en portant la main à son amulette, puis s'empara d'une torche éteinte confectionnée la veille au soir, et on se mit en route. Ayla les regarda partir en regrettant de ne pouvoir les accompagner, puis elle se joignit aux femmes qui ramassaient des herbes sèches, de la bouse et des branchages pour le feu.

Les hommes arrivèrent vite à proximité du troupeau. Les mammouths s'étaient déjà remis en marche après le repos de la nuit. Les chasseurs se tapirent dans l'herbe haute tandis que Brun examinait les animaux. Il remarqua le vieux mâle aux énormes défenses recourbées. Quel trophée cela ferait, se dit-il en éliminant néanmoins cette proie éventuelle dont les massives défenses constitueraient un fardeau excessif au cours de leur long voyage de retour. Il leur serait plus facile de transporter celles d'un animal plus jeune, dont la chair en outre serait plus tendre.

Les jeunes mâles étaient cependant plus dangereux. Leurs défenses, plus courtes, ne leur servaient pas seulement à déraciner des arbres : elles représentaient aussi des armes redoutables. Brun attendit patiemment. Il n'avait pas préparé aussi minutieusement cette chasse et entrepris ce long voyage pour agir avec précipitation au dernier moment. Il connaissait les conditions qui devaient se trouver réunies et préférait revenir le lendemain plutôt que de compromettre leurs chances de réussite. Les autres chasseurs attendaient, non sans impatience.

— Quand va-t-il se décider à donner le signal ? signifia silencieusement Broud à Goov. Regarde comme le soleil est déjà haut à présent. Pourquoi partir de si bonne heure pour rester ensuite à ne rien faire ? Mais qu'est-ce qu'il attend ?

Grod surprit les gestes de Broud.

— Brun attend le moment propice. Préférerais-tu rentrer les mains vides ? Sois patient, Broud, et apprends. Un jour, c'est toi qui devras choisir le moment opportun. Brun est un bon chasseur. Tu as de la chance de l'avoir pour maître.

Broud n'apprécia guère le sermon de Grod. Il ne sera pas mon second le jour où je serai chef, décida-t-il. De toutes façons, il commence à se faire vieux.

Le soleil était haut dans le ciel quand Brun prévint enfin ses hommes de se tenir prêts et tous les chasseurs ressentirent un violent émoi. Une femelle, grosse d'un petit, se tenait à l'écart du troupeau. Son état en ferait assurément une proie plus facile ; quant au fœtus, sa chair délicate et tendre constituerait un régal pour tous.

La bête se dirigeait vers une belle touffe d'herbe, s'éloignant de ses congénères. Lorsqu'elle se trouva suffisamment isolée, Brun donna le signal de la chasse. Grod porta alors la braise à la torche qu'il tenait prête, et souffla dessus jusqu'à ce qu'elle s'enflamme. Droog en alluma deux autres à la première et en tendit une à Brun. Aussitôt Grod et Brun se précipitèrent vers le mammouth et mirent le feu à la prairie.

Les bêtes affolées se regroupèrent instinctivement tandis que Brun et Grod prenaient position entre le troupeau et l'animal solitaire. L'odeur de l'incendie déclencha chez les paisibles mastodontes une panique indescriptible et un charivari de barrissements. La femelle essaya de rejoindre le troupeau, mais il était trop tard ! Un mur de feu la séparait de ses congénères qui s'éloignaient en direction du couchant.

Barrissant d'effroi, le mammouth se rua dans la direction opposée. Droog courut à sa rencontre, en hurlant et en agitant sa torche pour le pousser vers le canyon. Puis, Crug, Broud et Goov, les chasseurs les plus jeunes et les plus vigoureux, s'élancèrent à toutes jambes au-devant de l'animal, tandis que Brun, Grod et Droog couraient derrière. Une fois lancé, le mammouth fonça droit dans la direction qu'on voulait lui faire prendre.

Les trois jeunes chasseurs parvinrent enfin à l'entrée du défilé. Fébrile et hors d'haleine, Goov saisit sa corne d'auroch, priant son totem pour que la braise fût toujours incandescente. Le brandon rougeoyait encore mais personne n'ayant assez de souffle pour l'attiser, ce fut le vent qui s'en chargea. Brandissant leurs torches enflammées, les jeunes gens guettèrent quelques instants l'arrivée de l'énorme pachyderme. Le mammouth terrorisé ne fut pas long à se présenter dans un vacarme de barrissements déchirants. Les courageux chasseurs se ruèrent alors au-devant de la bête qui fonçait sur eux et, agitant leurs torches, entreprirent la tâche dangereuse entre toutes de la faire pénétrer dans le canyon.

Pris de panique devant les torches, le mammouth chercha désespérément à s'échapper. Il fit un brusque écart, et fonça tête baissée dans l'étroit goulet sans issue, au bout duquel il se retrouva bloqué, et faute d'espace, dans l'impossibilité de se retourner.

Broud surgit alors en brandissant un des couteaux tranchants taillés par Droog. D'un mouvement aussi vif que l'éclair il se jeta sur les pattes arrière de la bête et lui trancha les tendons d'un coup de son arme acérée. Un horrible barrissement fendit l'air et la femelle tomba lourdement sur les articulations.

Caché derrière un rocher, Crug surgit devant l'animal et plongea sa lance dans la gueule ouverte. Mue par un dernier sursaut instinctif, la bête chercha à attraper l'homme, crachant du sang sur son assaillant désarmé qui s'empressa de se saisir d'une nouvelle lance. Au même instant, Brun, Grod et Droog pénétraient dans le défilé et, escaladant les rochers, encadraient le mammouth, dans les flancs duquel ils plongèrent ensemble leurs javelots. Le pachyderme s'écroula en poussant un dernier barrissement déchirant.

Un silence soudain environna les hommes éreintés dont le cœur battait d'excitation. Ils se regardèrent quelques secondes, interloqués, et comprenant brusquement l'exploit qu'ils venaient de réaliser, un fantastique hurlement de joie vint couronner leur victoire.

Six hommes, ridiculement petits comparés à leur proie, venaient, à force d'intelligence, de ruse et de courage, de tuer la puissante bête. Broud bondit sur le rocher aux côtés de Brun, puis grimpa sur la gigantesque femelle. En un clin d'œil, Brun le rejoignit, suivis de près par les quatre autres chasseurs qui donnèrent libre cours à leur joie en dansant sur le dos du mammouth terrassé.

— Nous devons remercier les Esprits, déclara Brun à ses compagnons. À notre retour, Mog-ur organisera une cérémonie en leur honneur. En attendant, partageons-nous le foie et gardons-en une part pour Zoug, Dorv et Mog-ur. Nous en enterrerons également un morceau pour l'Esprit du mammouth à l'endroit où nous l'avons abattu. Quant au cerveau, Mog-ur m'a bien recommandé de ne pas y toucher et de le laisser à sa place. Qui a porté le premier coup ? Broud ou bien Goov ?

— C'est Broud, répondit Goov.

— Eh bien, c'est lui qui recevra le premier morceau de foie, mais le mérite de la chasse revient également à tous.

Broud et Goov partirent chercher les femmes auxquelles incombait à présent la lourde tâche de découper et de préparer la viande. Les autres commencèrent à vider la bête et sortirent le fœtus parvenu pratiquement à terme. À l'arrivée des femmes, les hommes les aidèrent à dépecer le mastodonte, dont la taille gigantesque requérait la collaboration de tous. Ils en découpèrent certains morceaux de choix qu'ils mirent à l'abri dans des caches entre les pierres glacées. Ensuite, ils allumèrent des feux autour de la carcasse pour éloigner les inévitables charognards et l'empêcher de geler.

C'est avec un réel soulagement que tout le monde se glissa, épuisé mais heureux, dans les chaudes fourrures, après un repas de viande fraîche, le premier depuis qu'ils avaient quitté la caverne. Le lendemain matin, les femmes se mirent à l'œuvre.

Presque tout le mammouth pouvait être utilisé. Sa peau épaisse servirait à confectionner de solides chausses, des coupe-vent, des récipients, des lacets. Le duvet entrerait dans la confection d'oreillers ou de paillasses ; les poils longs et les tendons donneraient des cordes à toute épreuve ; la vessie, l'estomac et les intestins, des outres étanches. Il ne resterait presque plus rien sur la bête une fois le travail achevé. À tout cela, il fallait ajouter sa graisse, denrée des plus précieuses pour le Clan. Outre son utilité alimentaire, elle permettrait de faire prendre feu au bois mouillé ou de fabriquer des torches à combustion lente.

Tous les jours, en se mettant au travail, les femmes scrutaient le ciel, inquiètes du temps qu'il ferait. S'il restait beau, la viande sécherait en huit jours, avec l'aide du vent soufflant en permanence. Mais si les nuages et la pluie survenaient, il faudrait trois fois plus longtemps. Ébra et Oga se dépêchaient de découper en tranches fines les énormes quartiers de viande, avant de les mettre à sécher. Uka et Ovra étaient occupées à bourrer de graisse un gros intestin tandis qu'Ayla en lavait un autre à la rivière, dont les glaces commençaient à ralentir le cours. Quant aux hommes, installés auprès des défenses du mammouth, ils étaient en grande discussion pour savoir s'ils iraient chasser les gerboises à la fronde.

Assis auprès de sa mère, Brac jouait avec de petits cailloux. Bientôt lassé, il décida de trouver quelque chose de plus amusant et s'écarta des femmes qui, tout à leur besogne, ne le virent pas s'éloigner.

Soudain, on l'entendit pousser un terrible hurlement de frayeur.

— Mon enfant ! s'écria Oga. Une hyène emporte mon enfant !

En effet, l'horrible charognard avait attrapé le bambin par le bras et, le serrant dans ses redoutables mâchoires, l'entraînait au loin.

— Brac ! Brac ! hurla Broud en courant derrière le fils de sa compagne, suivi de tous les hommes. Sortant sa fronde, il se baissa pour ramasser une pierre et se dépêcha de la lancer avant qu'il ne soit trop tard.

— Oh non ! gémit-il de rage après avoir raté la bête pour avoir visé trop hâtivement. Brac ! Brac !

Et tout à coup, venant de la direction opposée, retentit le bruit mat de deux pierres projetées l'une après l'autre. Touchée à la tête, la hyène s'écroula.

Interdit, Broud vit alors Ayla se précipiter, la fronde à la main, vers l'enfant en larmes. En entendant crier Brac, sans songer un seul instant aux conséquences de son geste, elle avait saisi sa fronde et envoyé les deux pierres. Ce fut seulement après avoir libéré l'enfant de l'emprise du charognard qu'elle mesura toute la portée de son acte, en voyant les visages consternés tournés vers elle. Son secret se trouvait révélé à la vue de tous.

Serrant l'enfant dans ses bras, elle se dirigea vers le camp en évitant les regards incrédules. Ce fut Oga qui se remit la première de son étonnement et courut à leur rencontre. A peine arrivée, Ayla entreprit d'examiner le petit garçon, non seulement pour se rendre compte de l'importance de ses blessures, mais aussi pour ne pas avoir à affronter le regard de sa mère. Elle constata que la bête lui avait déchiré le bras et l'épaule et cassé l'avant-bras. Si elle n'avait jamais eu l'occasion de remettre en place un bras cassé, Ayla avait vu Iza le faire. Elle ranima le feu sur lequel elle mit de l'eau à bouillir, et elle alla chercher son sac de guérisseuse.

Encore sous le choc de cette découverte, les hommes demeuraient silencieux, peu désireux de se rendre à l'évidence. Pour la première fois de sa vie, Broud ressentait une certaine reconnaissance envers Ayla pour avoir sauvé Brac d'une mort horrible, mais les pensées de Brun allaient beaucoup plus loin.

Le chef ne fut pas long à mesurer toutes les conséquences du geste de la jeune fille et se vit brusquement confronté à un dilemme épouvantable. En effet, le châtiment infligé aux femmes coupables d'avoir utilisé une arme n'était autre que la malédiction suprême. Ainsi le voulaient les usages du Clan, si profondément ancrés qu'on ne les mentionnait même plus depuis longtemps. Les femmes se gardaient bien d'outrepasser cet interdit, mais la loi du Clan n'en subsistait pas moins. D'autre part, Ayla n'était pas née dans le Clan...

Brun adorait le fils de la compagne de Broud. Seul Brac avait le don de l'attendrir. L'enfant pouvait faire de lui tout ce qu'il désirait : lui tirer la barbe, lui mettre les doigts dans les yeux, lui cracher dessus ; Brun acceptait tout. Comment pouvait-il condamner à mort la fillette qui venait de lui sauver la vie ?

Comment a-t-elle pu réussir son coup ? se demanda-t-il. L'animal se trouvait hors de portée des hommes et Ayla était encore plus éloignée qu'eux. Brun s'approcha du cadavre de la hyène et toucha le sang qui coulait encore de ses blessures. Deux blessures. Il y avait bien deux blessures. Ses yeux ne l'avaient pas trompé quand il avait cru voir filer deux pierres. Personne, pas même Zoug, n'était capable de tirer deux pierres à la fronde avec une telle rapidité, une telle précision et une telle force.

Jamais personne d'ailleurs n'avait tué une hyène à la fronde. Pourtant, Zoug avait toujours prétendu l'entreprise réalisable, mais Brun n'y avait jamais cru. À présent, il détenait la preuve que le vieil homme disait vrai. Était-il donc possible de tuer un loup ou même un lynx à la fronde, comme il le prétendait aussi ? s'interrogea Brun, dont les yeux s'ouvrirent tout grands sous l'effet de la surprise. Un loup ou un lynx ? Ou alors un glouton, un chat sauvage, un blaireau, un furet ou tout autre prédateur trouvé mort récemment !

« Mais c'est évident ! s'exclama-t-il en son for intérieur. C'est elle ! Et il doit y avoir longtemps qu'elle chasse. Autrement, comment aurait-elle pu acquérir une telle adresse ? Si elle avait été un homme, elle aurait rendu jaloux tous les chasseurs. Mais Ayla est une femme, pensa-t-il, elle doit mourir pour avoir désobéi, sous peine de déplaire aux Esprits. Leur déplaire ? Mais quel déplaisir ? Il y a longtemps qu'elle chasse sans doute et ils n'ont pas l'air de lui témoigner le moindre mécontentement, bien au contraire. Ne venons-nous pas de tuer un mammouth sans qu'aucun chasseur ait été blessé ?

Ah, si Mog-ur était ici ! regretta le chef qui avait le plus grand mal à démêler cet écheveau de contradictions. Droog prétend qu'elle porte chance. Il est vrai que nous n'avons jamais été aussi fortunés que depuis son arrivée parmi nous. Si les Esprits la protègent, seront-ils contrariés de la voir mourir ? Mais que faire avec les traditions du Clan ? Elle a beau nous porter chance, elle ne cesse de me poser des problèmes. Il faut que je parle à Mog-ur avant de prendre une décision. »

Brun rentra au campement. Après avoir administré un analgésique à l'enfant qui finit par s'assoupir, Ayla entreprit de nettoyer sa blessure et de réduire la fracture. Elle plaça sur son bras un morceau d'écorce de bouleau humide qui, en séchant, durcirait en maintenant les os dans la bonne position. Elle frémit de peur en voyant Brun revenir, mais le chef passa devant elle sans mot dire. Elle comprit alors que son sort ne serait fixé qu'à leur retour dans la caverne.

XV

Les saisons semblaient se succéder à rebours et passer de l'hiver à l'automne, à mesure que le petit groupe de chasseurs se dirigeait vers le sud. La douceur de la température leur donnait l'étrange impression que le printemps était proche, impression démentie par les tons chatoyants des feuilles sur les arbres et la couleur dorée des steppes.

Les lourds fardeaux ralentissaient considérablement le voyage du retour. Mais ce n'était pas le poids de la viande de mammouth qui oppressait Ayla ; une angoisse insupportable, un sentiment de culpabilité et un grand abattement l'accablaient. Si personne ne mentionnait jamais l'incident, elle faisait l'objet de regards furtifs et on lui adressait rarement la parole. Elle se sentait abandonnée de tous.

À la caverne, chacun guettait le retour de l'expédition, et à l'approche du moment prévu, quelqu'un se postait en permanence au sommet de l'escarpement d'où la vue s'étendait jusqu'aux steppes. La plupart du temps, l'un des enfants assumait cette tâche.

Un beau matin, ce fut au tour de Vorn d'assurer la vigie. Il scruta consciencieusement le lointain pendant un petit moment, puis se lassa de son immobilité. S'imaginant à la chasse, il s'amusa à planter sa lance dans le sol, et ce fut par le plus grand des hasards qu'il dirigea ses regards au pied de la colline, au moment précis où apparaissaient les chasseurs.

— Les défenses ! les défenses ! s'écria Vorn en se précipitant vers la caverne.

— Les défenses ? s'étonna Aga. Qu'est-ce que tu racontes ?

— Ils arrivent ! insista-t-il tout excité. Brun, Groog et tous les autres... je les ai vus, ils portaient des défenses de mammouth !

Tout le monde s'élança pour accueillir les chasseurs victorieux, mais loin de jubiler, ils offraient des visages fermés. Brun avait l'air sombre et il suffit à Iza de porter son regard sur Ayla pour comprendre qu'il était arrivé un événement auquel la jeune fille se trouvait mêlée.

Lorsque le groupe s'arrêta un moment pour se décharger des fardeaux sur ceux qui venaient à leur rencontre, Iza apprit ce qui s'était passé. Si elle s'attendait à tout de la part de sa fille adoptive, elle ne l'aurait jamais crue capable de se livrer à semblable transgression et elle frémit à la pensée du châtiment qu'elle encourait.

En arrivant à la caverne, Oga et Ébra amenèrent le petit Brac dans le foyer d'Iza, qui, après avoir ôté l'écorce de bouleau, examina la blessure.

— Il pourra se servir de son bras comme si de rien n'était, déclara-t-elle. Il conservera une cicatrice, mais la plaie est en bonne voie de guérison et la fracture se soude parfaitement. Je vais tout de même lui changer son pansement.

Les deux femmes se sentirent soulagées. Un chasseur avait besoin de ses deux bras, et si Brac en avait perdu un, il n'aurait jamais pu devenir chef. S'il s'était révélé incapable de chasser, il ne serait jamais devenu un homme, au vrai sens du terme, et aurait fini sa vie dans le stade intermédiaire où végétaient les jeunes gens qui, bien que physiquement mûrs, n'étaient pas en mesure d'abattre leur première bête.

Brun et Broud se sentirent eux aussi vivement soulagés. Mais Brun accueillit cette nouvelle avec un plaisir mitigé : elle lui rendait la tâche plus difficile encore. Ayla ne s'était pas contentée de sauver la vie de Brac, elle lui avait aussi assuré une vie normale. Mais il fallait prendre une décision différée depuis trop longtemps. Brun fit signe à Mog-ur et les deux hommes s'éloignèrent.

Creb resta consterné au récit du chef. C'est lui qui avait assumé la lourde responsabilité de l'éducation et de la formation d'Ayla, et il avait lamentablement échoué dans sa tâche. Mais ce qui le troublait par-dessus tout, c'est qu'en dépit de ses doutes précis, il s'était toujours refusé à la croire capable de chasser. Avait-il donc laissé ses sentiments personnels prendre le pas sur les intérêts spirituels du Clan ? Méritait-il encore la confiance de son peuple ? Était-il encore digne d'Ursus ?

Pourtant ses regrets à l'égard de ce qu'il aurait dû faire ne lui épargnaient pas ce qui lui restait à accomplir à présent. Si la décision finale incombait à Brun, sa fonction exigeait que ce fût lui qui exécutât la sentence ; son devoir l'obligerait à sacrifier l'enfant qu'il adorait.

— Ce n'est qu'une supposition, dit Brun, mais je pense que c'est elle qui tuait les prédateurs aux alentours de la caverne. Il faudra le lui demander. Elle s'est forcément entraînée pour acquérir une telle adresse ; elle est plus adroite que Zoug, Mog-ur, et ce n'est qu'une fille ! Mais comment a-t-elle fait pour apprendre à tirer ? Je ne suis pas le seul à croire qu'il y a quelque chose de masculin en elle. Elle est aussi grande qu'un homme et n'est toujours pas une femme ! Penses-tu qu'elle le devienne jamais ?

— Ayla est une fille, Brun, et comme toutes les filles, elle deviendra femme un jour. Elle est tout simplement une femelle capable de se servir d'une arme, déclara le vieux sorcier.

— Bon, il me reste à savoir depuis combien de temps elle chasse. Nous sommes tous fatigués après ce long voyage. Dis à Ayla que je l'interrogerai demain.

Creb boitilla jusqu'à la caverne et ne s'arrêta devant son foyer que le temps de demander à Iza de transmettre le message de Brun. Puis il se dirigea vers la petite grotte sacrée où il passa toute la nuit.

Les femmes regardèrent en silence les hommes s'enfoncer dans les bois, Ayla sur leurs talons. Animées de sentiments contradictoires, elles ne savaient que penser. Quant à Ayla, elle était bouleversée, redoutant par-dessus tout de se voir chassée dans le monde des Esprits, qu'elle redoutait autant qu'elle croyait au pouvoir des totems protecteurs.

Arrivés dans une clairière, les hommes s'assirent autour de Brun sur des souches d'arbres, tandis qu'Ayla s'effondrait à ses pieds. Après lui avoir tapé sur l'épaule pour lui faire relever la tête, le chef commença d'emblée son interrogatoire.

— Est-ce toi qui tuais les carnassiers que les chasseurs ont découverts ?

— C'est moi, acquiesça-t-elle. Incapable de mentir, comme tous les autres membres du Clan d'ailleurs, Ayla, sachant son secret éventé, était prête à faire face à toutes les accusations.

— Comment as-tu appris à te servir d'une fronde ?

— C'est Zoug qui m'a appris, répondit-elle.

— Zoug ! s'exclama Brun, tandis que toutes les têtes se tournaient vers le vieillard.

— Je ne lui ai jamais appris à se servir d'une fronde, se défendit Zoug.

— Zoug ne savait pas qu'il était en train de m'apprendre, s'empressa d'ajouter Ayla. Je l'observais quand il apprenait à Vorn.

— Depuis quand sais-tu tirer ? poursuivit Brun.

— Voilà deux étés que je chasse, et je me suis entraînée, sans chasser, l'été d'avant.

— Cela correspond bien au moment où Vorn a commencé son apprentissage, commenta Zoug.

— Oui, répondit Ayla. J'ai commencé le même jour que lui.

— Comment peux-tu savoir exactement quand Vorn a commencé ? demanda Brun, surpris par son assurance.

— Parce que je l'ai vu.

— Qu'est-ce que tu racontes, où étais-tu ?

— Dans le pré où vous vous entraînez. Iza m'avait demandé de lui rapporter de l'écorce de cerisier et, quand je suis arrivée, vous étiez déjà là, expliqua-t-elle. Iza avait grand besoin de cette écorce, c'est pourquoi j'ai préféré attendre, et j'ai regardé Zoug donner à Vorn sa première leçon.

— Tu as vu Zoug donner à Vorn sa première leçon ? répéta Broud. Es-tu bien sûre que c'était sa première leçon ?

Broud se sentait encore honteux au souvenir de son humiliation.

— Oui, Broud, j'en suis sûre, répondit Ayla.

— Et qu'as-tu vu d'autre ? ajouta-t-il sur un ton inquisiteur, tandis que Brun se rappelait soudain l'incident survenu ce jour-là.

— J'ai vu les autres en train de s'entraîner, eux aussi, répondit Ayla avec hésitation, s'efforçant d'éluder la question. Et puis j'ai vu Broud faire tomber Zoug et Brun se mettre très en colère contre lui.

— Tu as vu tout ça ? Tu as assisté à toute la scène ? s'écria Broud, blême de rage et de honte. La façon désastreuse dont il avait manqué tous ses tirs lui revint en mémoire, de même que celle dont il avait raté la hyène, cette hyène qu'elle avait tuée, elle, une femelle.

Toute la reconnaissance qu'il éprouvait envers Ayla pour

avoir sauvé le fils de sa compagne s'évanouit d'un seul coup.

— Tu prétends donc avoir commencé à t'entraîner le même jour que Vorn, raconte-moi comment, poursuivit Brun, conscient des affres qui torturaient Broud.

— Après votre départ, j'ai trouvé la fronde que Broud avait jetée. Personne n'avait pensé à la ramasser. Alors je me suis demandé si je serais capable de tirer, et j'ai essayé en appliquant les conseils de Zoug à Vorn. Au début, j'ai eu beaucoup de mal, et je suis restée à m'entraîner tout l'après-midi, sans voir le temps passer. J'ai réussi à toucher le poteau une fois seulement, et j'ai cru que c'était un hasard. Mais j'ai pensé qu'en persévérant, je pourrais réussir encore, alors j'ai gardé la fronde.

— Et je suppose que c'est grâce à Zoug que tu as pu t'en fabriquer une autre ?

— Oui.

— Et ensuite tu as décidé de t'en servir pour chasser ; mais pourquoi t'en prendre aux carnassiers ? C'est plus difficile et fort dangereux. Nous avons trouvé des loups et des lynx morts. Tu as donné raison à Zoug qui affirmait qu'on pouvait les tuer à la fronde. Pourquoi les as-tu choisis ?

— Je savais que je ne pourrais jamais rien rapporter à la caverne, mais je désirais chasser ou du moins essayer. Comme les carnassiers n'arrêtent pas de nous voler de la viande, j'ai pensé qu'il serait utile de nous en débarrasser. Alors j'ai décidé de les chasser.

Si Brun se sentit satisfait par cette réponse, il ne comprenait toujours pas les motifs qui l'avaient poussée à chasser, à se servir d'une arme, elle, une femelle.

— Tu sais que tu aurais pu toucher Brac et non la hyène en tirant d'aussi loin, déclara Brun curieux de connaître sa réaction.

— Je savais que j'aurais la hyène, répondit calmement Ayla.

— Comment pouvais-tu en être aussi sûre ? La hyène se trouvait hors de portée.

— Pas pour moi ; j'ai déjà tué des animaux à cette distance, et en règle générale, je ne les ai pas ratés.

— Il me semble avoir vu la marque de deux pierres, ajouta Brun.

— C'est exact, répondit Ayla. J'ai appris à tirer deux pierres à la suite, après m'être fait attaquer par un lynx.

— Tu t'es fait attaquer par un lynx ? s'étonna Brun.

— Oui, répondit Ayla qui raconta l'épisode de son affrontement avec le félin.

— Et à quelle distance tires-tu ? s'enquit Brun. Montre-moi plutôt. Tu as ta fronde ?

Ayla acquiesça et se releva. Tout le monde se dirigea vers un petit ruisseau qui cascadait à l'autre bout de la clairière où la jeune fille choisit soigneusement quelques galets.

— Le petit rocher blanc à côté du gros, là-bas, indiqua-t-elle du doigt.

Brun hocha la tête pour donner son accord. La cible se situait au moins une fois et demie au-delà de la portée courante. Ayla prit une profonde aspiration, glissa un caillou dans sa fronde, et tira deux projectiles coup sur coup. Zoug se précipita pour constater le résultat.

— Il y a deux encoches toutes fraîches dans le rocher blanc. Elle l'a bien touché deux fois, annonça-t-il en revenant, non sans une légère nuance admirative dans la voix et même un soupçon de fierté.

— Ayla ! Vise ce lapin ! s'écria Brun en désignant un petit animal qui fuyait à travers la clairière.

En un clin d'œil, Ayla trouva le temps de repérer le lapin, d'ajuster son tir, et de l'abattre. Point n'était besoin d'aller vérifier. Elle est rapide, pensa-t-il, en regardant la fillette avec admiration. Tout en sachant les convenances bafouées, le chef ne pouvait s'empêcher de songer à la prospérité de son Clan et aux multiples bienfaits que lui apporterait la présence d'un chasseur supplémentaire. Non, c'est impensable, conclut-il après réflexion, c'est aller à l'encontre des traditions.

Quant à Creb, la démonstration d'Ayla venait de le convaincre : elle chassait, un point c'est tout.

— Pourquoi as-tu ramassé cette fronde la première fois ? demanda-t-il en la foudroyant du regard.

— Je n'en sais rien, répondit-elle en baissant les yeux.

— Non contente de la toucher, tu as chassé avec, tu as tué des animaux avec, tout en sachant parfaitement que tu n'en avais pas le droit.

— Mon totem m'a envoyé un signe, Creb, ou du moins j'ai cru que c'en était un, répondit Ayla en dénouant son amulette. Voilà ce que j'ai trouvé après avoir décidé de chasser, ajouta-t-elle en tendant le fossile à Mog-ur.

Le sorcier examina l'objet avec intérêt. En effet, il s'agissait d'un caillou très étrange, évoquant par sa forme un coquillage marin, mais de toute évidence, il s'agissait bien d'une pierre.

— Creb, ajouta-t-elle pour le convaincre, j'ai cru que mon totem voulait m'éprouver, et que cette épreuve consistait à endurer les mauvais traitements de Broud. Je me suis dit qu'il me laisserait chasser si je parvenais à les subir sans me plaindre.

Des regards interrogateurs se tournèrent vers le jeune homme qui semblait très mal à l'aise.

— Le jour où le lynx m'a attaquée, poursuivit Ayla, j'ai cru qu'il s'agissait d'une nouvelle épreuve. Après cela, j'ai failli arrêter de chasser pour toujours. Puis, j'ai eu l'idée de m'entraîner avec deux pierres, pour plus de sécurité. J'ai même cru que cette idée venait aussi de mon totem.

— Oui, je vois, répondit le sorcier. Brun, j'aimerais que l'on me laisse un peu de temps pour réfléchir à tout cela.

— Je crois que nous ferions bien d'y réfléchir tous, déclara le chef. Nous nous réunirons demain matin pour en discuter sans la fille.

— Je ne vois pas la nécessité de réfléchir indéfiniment, rétorqua Broud. Nous savons tous le châtiment qu'elle mérite.

— Ce châtiment pourrait se révéler néfaste pour tout le Clan, Broud. Avant de la condamner, je dois m'assurer que nous avons bien considéré tous les aspects du problème. Nous nous retrouverons demain.

En arrivant à la caverne, Ayla se dirigea droit vers le foyer de Creb et s'assit sur sa fourrure, le regard perdu dans le vague. Uba, qui ne comprenait pas très bien ce qui troublait sa grande amie, qu'elle adorait par-dessus tout, se glissa gentiment sur ses genoux. Ayla serra contre elle la petite fille en la berçant tendrement, jusqu'à ce qu'elle s'endorme. Peu après, Iza coucha Uba et s'allongea à son tour. Mais, le cœur gros en pensant à l'étrangère qu'elle appelait sa fille et qui fixait d'un air absent les dernières braises du foyer, elle ne put trouver le sommeil.

L'aube pointa claire et glacée. L'hiver n'allait pas tarder à confiner le Clan dans la caverne.

A son lever, Iza trouva Ayla toujours assise au même endroit. Pour la seconde nuit consécutive, Creb n'était pas rentré dans le foyer. Il ne quitterait pas son sanctuaire avant le matin. Après le départ des hommes, Iza apporta une infusion à la jeune fille qui resta muette devant ses questions et refusa de boire. On dirait qu'elle est déjà morte, songea-t-elle, brisée par le chagrin.

Brun conduisit ses hommes à l'abri d'un gros rocher au pied duquel il fit allumer un feu. Il ne tenait pas à ce que le froid les fît se prononcer trop hâtivement, et il voulait sonder les sentiments et connaître les points de vue.

— Une fille de notre Clan, Ayla, s'est servie d'une fronde pour tuer la hyène qui emportait Brac. Elle a utilisé cette arme pendant trois ans. C'est une femelle ; et les lois du Clan exigent le châtiment de toute femme ayant touché à une arme. Quelqu'un a-t-il quelque chose à dire ?

— Droog demande la parole, Brun.

— Droog a mon autorisation.

— Lorsque la guérisseuse a découvert la fille en question, nous errions à la recherche d'une nouvelle caverne, car les Esprits, mécontents de nous, avaient envoyé un tremblement de terre pour détruire notre précédente demeure. Mais peut-être, après tout, n'étaient-ils pas si mécontents et voulaient-ils que nous découvrions l'enfant. Elle est aussi étrange et surprenante que les signes de nos totems. Depuis son arrivée parmi nous, la chance nous a toujours souri. Je suis persuadé que son totem nous est favorable. Si elle n'était pas différente de nous, elle n'aurait jamais pu sauver Ona de la noyade. Et, bien qu'Ona ne soit qu'une fille, je l'aime et suis heureux qu'elle ne nous ait pas quittés pour le monde des Esprits.

Nous ne savons pas grand-chose des Autres. J'ignore ce qui l'a poussée à apprendre à chasser, mais si elle n'avait pas su tirer à la fronde, Brac serait mort, lui aussi. Et je préfère ne pas évoquer la façon dont il nous aurait quittés... Sans compter ton affliction, Brun et celle de Broud, le Clan entier aurait eu à déplorer sa perte. Certes, nous ne serions pas ici à décider du sort de celle qui lui a sauvé la vie, mais nous aurions perdu un futur chef. Je pense qu'elle mérite une punition, mais comment pourrions-nous la condamner au châtiment suprême ? J'ai dit tout ce que j'avais à dire.

— Zoug demande la parole, Brun.

— Zoug a mon autorisation.

— Je suis d'accord avec tout ce que vient de dire Droog ; comment pouvez-vous condamner la fille qui a sauvé la vie de Brac ? Elle est différente, elle n'est pas née au sein du Clan, et ne pense pas comme une femme devrait le faire. Mais, exception faite de la fronde, elle s'est toujours conduite d'une manière correcte, obéissante, respectueuse...

— C'est faux ! Elle est insolente et révoltée ! coupa Broud.

— C'est moi qui ai la parole, Broud, rétorqua violemment Zoug, tandis que Brun intimait silence au jeune homme d'un regard courroucé.

— Il est vrai, poursuivit Zoug, qu'étant petite, elle s'est montrée insolente à ton égard, Broud. Mais tu es entièrement responsable de cet état de fait. Comment voulais-tu qu'elle te traite en adulte ? Toute ton attitude envers elle était puérile. Elle s'est toujours bien comportée envers moi et n'a jamais fait montre d'insolence envers personne d'autre que toi.

Broud fulminait de rage aux saillies du vieux chasseur.

— En dépit de ses torts, poursuivit Zoug, je n'ai jamais vu manier la fronde avec autant d'adresse. Elle prétend tenir son savoir de mes propres enseignements. Je n'en ai jamais eu conscience, mais je dois avouer que j'aurais aimé former un élève aussi brillant, et je dois reconnaître qu'elle pourrait à présent me donner des leçons. Comme il lui était interdit de chasser pour nourrir le Clan, elle a découvert un autre moyen de contribuer à son bien-être. Elle a toujours fait passer les intérêts du Clan avant les siens. Elle n'a pas songé au danger en se portant au secours d'Ona, et j'ai vu combien elle était épuisée en regagnant le rivage. Elle savait qu'elle ne pouvait pas chasser et qu'elle devait protéger son secret le plus longtemps possible, mais elle s'est précipitée pourtant au secours de Brac, sans hésiter un seul instant.

Elle excelle au tir à la fronde et il serait regrettable pour tout le monde de laisser perdre une telle habileté. Je dirais en conséquence qu'il faut la laisser chasser...

— Non, non, non et non ! s'écria Broud, fou de colère. C'est une fille, et les filles n'ont pas le droit de chasser...

— Broud, rétorqua placidement le vieux chasseur, je n'ai pas encore terminé. Tu demanderas la parole quand j'aurai fini.

— Laisse parler Zoug, ajouta Brun. Si tu n'es pas capable de respecter les règles dans ce genre de débat, tu peux t'en aller !

— La fronde n'est pas une arme très importante. Pour ma part, je n'ai commencé à l'utiliser qu'au moment où l'âge m'a empêché de chasser à la lance. Je disais donc qu'il faut la laisser chasser, mais à la fronde seulement. La fronde deviendra l'arme des vieillards et celle des femmes, à tout le moins de cette femme-là. J'ai terminé.

— Zoug, tu sais aussi bien que moi qu'il est plus difficile de manier une fronde qu'une lance. Ne sous-estime pas ta propre habileté pour sauver la fille. Seule la force suffit pour savoir chasser à la lance, déclara Brun.

— Il faut aussi un cœur solide et de bonnes jambes, sans parler d'une bonne dose de courage, répliqua Zoug.

— Je me demande s'il ne faut pas autrement de courage pour oser affronter les attaques d'un lynx, seul et muni d'une simple fronde, demanda Droog. Je m'associe à la proposition de Zoug. Les Esprits ne semblent pas s'y opposer et elle nous a encore porté chance lors de la chasse au mammouth.

— Je ne crois pas que nous puissions prendre ce genre de décision, dit Brun. Vous connaissez tous les traditions du Clan. Il n'y a aucun moyen de la laisser vivre et moins encore de la laisser chasser. Cela ne s'est jamais vu, et nous ignorons ce que pourrait être la réaction des Esprits. Comment peux-tu penser à une chose pareille, Zoug ? Les femmes du Clan ne chassent pas.

— Je sais, mais elle, oui. Je n'y aurais jamais songé si je ne l'avais vue à l'œuvre. Je propose simplement de la laisser continuer.

— Qu'as-tu à dire, Mog-ur ? demanda Brun au sorcier.

— Que veux-tu qu'il dise, elle vit dans son foyer ! s'exclama amèrement Broud.

— Broud ! se récria Brun. Accuserais-tu Mog-ur de faire passer ses intérêts personnels ou ses propres sentiments avant ceux du Clan ? N'est-il pas le Mog-ur, notre Mog-ur ?

— N'insiste pas, Brun. Broud a touché juste, dit Creb. Mes sentiments à l'égard d'Ayla ne sont un mystère pour personne. N'oubliez pas d'en tenir compte car je ne suis pas certain d'être parvenu à faire abstraction de mon affection pour elle. La nuit dernière, Brun, au cours de ma méditation, j'ai réussi à rappeler à moi des souvenirs qui ne m'étaient jamais apparus auparavant.

Il y a très, très longtemps de cela, bien avant la naissance de notre Clan, les femmes chassaient avec les hommes, poursuivit Mog-ur à la grande stupeur de l'assemblée. C'est rigoureusement vrai. Lorsque notre peuple ne connaissait encore que les premières ébauches de nos outils, les femmes et les hommes tuaient ensemble les animaux indispensables à leur survie. Les hommes n'étaient pas obligés de nourrir les femmes, qui chassaient pour elles et pour leurs enfants, comme les louves ou les ourses.

C'est beaucoup plus tard seulement que les hommes se mirent à chasser pour nourrir leur foyer. Avant, quand la mère mourait à la chasse, son petit mourait de faim. Puis le Clan s'est constitué et ne s'est développé réellement qu'au moment où ses membres apprirent à s'entraider et à chasser pour le bien commun. Au début, il y avait encore des femmes pour chasser ; celles qui communiquaient avec les Esprits. Brun, tu te trompes en prétendant que l'on n'avait jamais vu de femme chasser. Il fut un temps où les Esprits approuvaient de telles pratiques.

Tout le monde resta bouche bée devant pareilles affirmations. Mog-ur faisait allusion à des temps si reculés que leur simple évocation suffisait à faire frémir son auditoire.

— Je serais fort surpris si aujourd'hui une femme du Clan désirait chasser, poursuivit Mog-ur. Je ne suis même pas certain qu'elles en soient capables physiquement. Mais Ayla est différente de nous ; les Autres sont différents. Je crois que si nous lui donnions la permission de chasser, cela n'aurait aucune importance en ce qui concerne les autres femmes du Clan. C'est tout ce que j'ai à dire.

— Quelqu'un veut-il ajouter quelque chose ? demanda Brun qui commençait à ne plus savoir que penser devant l'afflux de tant d'idées nouvelles.

— Goov demande la parole, Brun.

— Goov a mon autorisation.

— Je ne suis que l'acolyte de Mog-ur et mon savoir est moins étendu, mais je crois que le sorcier a oublié quelque chose. Dans son désir de reléguer au second plan ses sentiments envers Ayla, il ne s'est pas assez concentré sur la personnalité de la fille et a négligé de penser à son totem.

Avez-vous songé aux raisons pour lesquelles un totem masculin aussi puissant choisit une fille ? Le lion des cavernes chasse le mammouth, les jeunes comme les vieux, mais il le chasse néanmoins. Pourtant, le lion des cavernes ne chasse pas le mammouth !

— Tu dis n'importe quoi, Goov, s'exclama Brun. Tu prétends d'abord que le lion des cavernes chasse le mammouth et ensuite tu affirmes le contraire !

— Ce n'est pas le lion, c'est la lionne qui le chasse ! C'est elle qui rapporte ses proies au mâle qui, de son côté, se charge de la protéger quand elle chasse.

Personne n'a-t-il songé que son totem n'est peut-être pas le Lion des Cavernes, mais plutôt la Lionne ? La femelle ? Cela n'explique-t-il pas la raison pour laquelle elle désire tant chasser ? C'est la femelle qui l'a marquée à la cuisse. Je ne sais pas si ce que j'avance est vrai, mais reconnaissez au moins que c'est logique. Que son totem soit le Lion des Cavernes ou la Lionne, il nous faut admettre qu'elle était destinée à chasser. Oserons-nous la condamner pour avoir obéi aux ordres de son totem ? conclut Goov. J'ai terminé.

Brun ne savait plus où il en était. Tournant et retournant les arguments dans sa tête, il ne parvenait pas à prendre son parti. Le chef devait tenir compte de l'avis de tous les chasseurs, mais il aurait préféré se donner le temps de la réflexion avant de prendre une décision. Néanmoins, l'heure n'était plus aux hésitations.

— Vous n'avez plus rien à ajouter ?

— Broud demande la parole, Brun.

— Broud a mon autorisation.

— Tout cela est fort intéressant, et nous pourrions en débattre à notre aise durant les longues soirées d'hiver ; mais les traditions du Clan sont parfaitement claires. Qu'elle soit née chez nous ou chez les Autres, elle fait partie du Clan. Les femmes du Clan n'ont pas le droit de chasser ni même de toucher à une arme ou à un outil destiné à fabriquer une arme. Nous savons tous le châtiment encouru : la malédiction suprême. Peu importe si les femmes chassaient dans le passé. Ce n'est pas parce que la lionne ou l'ourse chassent que la femme en a le droit. Nous ne sommes ni des ours, ni des lions. Peu importe qu'elle possède un totem puissant et qu'elle porte chance au Clan. Peu importe son adresse à la fronde et même qu'elle ait sauvé la vie du fils de ma compagne. Je lui en suis, certes, reconnaissant et je ne m'en suis pas caché, mais encore une fois, cela importe peu. Les traditions du Clan sont formelles. Toute femme prise à se servir d'une arme doit mourir. Nous n'y pouvons rien changer. C'est ainsi.

Nous perdons notre temps à tergiverser. Tu n'as pas le choix, Brun. J'ai terminé.

— Broud a raison, dit Dorv. Ce n'est pas à nous de modifier les lois du Clan. Une exception en entraînera forcément d'autres et bientôt nous n'aurons plus aucune règle sur laquelle nous fonder. Le châtiment est la mort ; la fille doit mourir.

Deux hochements de tête affirmatifs vinrent saluer la déclaration de Dorv. Brun, quant à lui, ne se sentait pas plus avancé qu'au premier jour.

— Je tiendrai compte de vos avis respectifs, avant de prendre une décision, déclara-t-il. Mais auparavant, je voudrais connaître votre opinion définitive.

Assis en rond autour du feu, les hommes serrèrent leur poing sur leur poitrine. En le bougeant de haut en bas, ils exigeraient la mort pour Ayla et un mouvement latéral signifierait sa grâce.

— Grod, dit Brun, en s'adressant tout d'abord à son second. Exiges-tu la mort pour Ayla ?

Grod hésitait. Les longues années au cours desquelles il avait appris à connaître Brun lui permettaient de deviner les pensées de son chef et de comprendre son dilemme. Mais cette fois-ci, le choix ne faisait aucun doute. Il leva le poing puis le rabaissa.

— Je n'ai pas le choix, Brun, ajouta-t-il.

— Grod a dit oui. Droog ? demanda Brun en se tournant vers le tailleur de pierre.

Sans hésiter, Droog bougea son poing de droite à gauche.

— Droog a dit non. Crug, à toi.

Crug regarda tour à tour Brun, puis Mog-ur et enfin Broud. Il leva le poing.

— Crug pense qu'elle doit mourir, confirma Brun. Goov ?

Le jeune acolyte répondit aussitôt en bougeant son poing latéralement.

— Goov répond négativement. Broud ?

Broud leva son poing avant même d'avoir entendu son nom et Brun n'eut aucun besoin de le regarder pour connaître sa réponse.

— Oui. Zoug ?

Le vieux chasseur, passé maître dans l'art de la fronde, se redressa fièrement et bougea son poing latéralement avec une assurance qui ne laissait planer aucun doute sur ses sentiments.

— Zoug estime qu'elle ne mérite pas la mort, qu'en penses-tu Dorv ?

Le poing du vieil homme se leva et avant même qu'il fût retombé, tous les regards s'étaient tournés vers Mog-ur.

— Dorv a dit oui. Mog-ur, quel est ton avis ? demanda Brun,

qui, s'il avait pu deviner le verdict de tous les autres, ne savait pas à quoi s'en tenir en ce qui concernait le vieux sorcier.

Creb était au supplice. Il connaissait les traditions du Clan. Il s'en voulait d'avoir accordé trop de liberté à Ayla, et se sentait personnellement responsable de son crime. Il se reprochait son amour pour elle, redoutant qu'elle lui fît perdre la raison et oublier ses devoirs envers le Clan. Tout le poussait à requérir la peine de mort, mais au moment où il s'apprêtait à lever le poing, celui-ci se déplaça latéralement, comme mû par une impulsion soudaine, échappant totalement à sa volonté. Creb ne pouvait se résoudre à condamner la fillette, tout en sachant qu'il devrait se soumettre à la décision finale, dont le choix incombait à Brun et à lui seul.

— Les choix sont également partagés, annonça le chef. Quoi qu'il en soit, c'est à moi qu'il appartient de décider, mais je tenais à connaître votre opinion à tous. Je vais devoir consacrer quelque temps à peser vos avis respectifs, et je vous ferai part de ma décision demain matin.

Après le départ de ses hommes, Brun resta un long moment seul devant le feu. Des nuages s'amoncelaient dans le ciel, poussés par les vents froids, et crevaient par intermittence en averses glaciales. Indifférent aux intempéries comme au feu moribond, Brun ne regagna la caverne qu'à la tombée de la nuit. Elle s'attend au pire, se dit-il en apercevant Ayla assise à la place où il l'avait vue le matin. A quoi peut-elle s'attendre d'autre ?

XVI

Un vent glacial soufflait, le lendemain matin, quand le Clan au grand complet se réunit devant la caverne. Tout le monde prit place en silence pour apprendre le sort réservé à cette fille dont la présence était devenue familière à tous.

Creb se tenait à l'entrée. Jamais le grand sorcier n'avait affiché un air aussi sombre et menaçant. Sur un signe de Brun, il se dirigea d'un pas lent vers son foyer, accablé par le chagrin et, au prix d'un suprême effort, il se força à s'approcher de la jeune fille, toujours assise sur la peau de bête.

— Ayla, Ayla, lui dit-il avec douceur, tandis qu'elle levait les yeux vers lui. Il faut que tu viennes, Ayla, Brun est prêt.

Ayla hocha la tête puis se leva avec difficulté, les jambes ankylosées pour être restées aussi longtemps sans bouger. Hagarde, elle suivit le vieux sorcier et ne releva les yeux qu'en se voyant devant Brun, aux pieds duquel elle s'effondra.

La tape qu'il lui donna sur l'épaule sembla soudain la réveiller. Le regard dur, fier et impitoyable du chef avait fait place à une sincère compassion et à une tristesse évidente.

— Ayla, commença-t-il à voix haute pour continuer en employant les gestes appropriés à des circonstances aussi dramatiques, Fille du Clan, nous respectons nos traditions depuis des générations, depuis la naissance du Clan. Sans être née parmi nous, tu es aujourd'hui des nôtres, soumise à la même loi que nous tous. Lors de la chasse au mammouth, tu as été surprise une fronde à la main et tu as avoué chasser depuis longtemps déjà. Selon nos coutumes, les femmes du Clan n'ont pas le droit de se servir d'une arme. Le châtiment qu'elles encourent est également prévu par nos traditions. Rien ne peut les modifier.

Brun se pencha et plongea son regard pénétrant dans les yeux bleus de la jeune fille.

— Je sais pourquoi tu as fait usage de ta fronde, poursuivit Brun. Mais je ne comprends toujours pas ce qui t'a poussée la première fois à t'en servir. Néanmoins, le chef de ce Clan t'est reconnaissant d'avoir sauvé la vie du fils de la compagne du fils de sa compagne.

Les membres du Clan échangèrent aussitôt des regards surpris. Un chef ne devait pas s'abaisser et témoigner de la reconnaissance envers quiconque, et encore moins envers une fille.

— Oui, nos traditions sont impitoyables, poursuivit-il, en faisant un signe à Creb qui disparut aussitôt dans la caverne. Je n'ai pas le choix, Ayla. Quand Mog-ur aura fini d'invoquer les Esprits occultes, tu mourras. Ayla, fille du Clan, tu es maudite !

Ayla blêmit, tandis qu'Iza poussait un cri strident qui se prolongea en une longue plainte déchirante, brutalement interrompue par un geste de Brun.

— Je n'ai pas encore terminé, ajouta-t-il, devant un auditoire suspendu à ses lèvres et à ses gestes. Les traditions du Clan sont parfaitement claires et, en tant que chef, je dois les respecter. Mais si une femme doit recevoir la malédiction suprême pour avoir utilisé une arme, il n'est dit nulle part que son châtiment doive demeurer éternel. Ayla, tu es maudite pour la durée d'une lune entière. Si les Esprits te font la grâce de te laisser revenir de l'au-delà quand la lune aura accompli un cycle complet, nous t'accepterons de nouveau parmi nous.

Une émotion intense envahit l'assemblée. Personne ne s'attendait à une telle éventualité.

— C'est juste, approuva Zoug. Rien n'indique que la malédiction doive être éternelle.

— Mais quelle différence cela fait-il ? demanda Droog. Comment peut-on mourir aussi longtemps pour revivre ensuite ? Quelques jours peut-être, mais certainement pas une lune entière.

— Alors, pourquoi ne se contente-t-il pas de la maudire une bonne fois pour toutes, s'exclama Broud, furieux. Les traditions n'ont jamais fait allusion à une malédiction temporaire. La mort doit être son seul châtiment.

— Parce que tu crois qu'elle ne mourra pas, Broud ? Tu t'imagines qu'elle reviendra parmi nous ? demanda Goov.

— Je ne crois rien du tout. Je me demande simplement pourquoi Brun ne l'a pas maudite éternellement. Est-il donc désormais incapable de prendre une simple décision ?

Soudain, un silence de mort tomba sur le Clan. Mog-ur apparut à l'entrée de la caverne, les traits tirés et le visage couleur de cendres. Le sorcier avait accompli son devoir. Ayla était morte.

Une plainte douloureuse s'éleva, tandis qu'Oga et Ébra entouraient Iza qui donnait libre cours à son chagrin. Devant la peine de la femme qu'elle aimait par-dessus tout, Ayla courut vers elle pour la réconforter, mais au moment même où elle s'apprêtait à la prendre dans ses bras, Iza se détourna. Tout se passait comme si elle ne la voyait pas. La jeune fille ne comprenait pas ce qui lui arrivait. Elle se tourna vers Ébra d'un air interrogatif, mais le regard de la compagne du chef ne la vit pas ; puis elle s'approcha d'Aga et ensuite d'Ovra. Personne ne la voyait plus. Tout le monde cherchait à l'éviter. Désespérée, elle courut alors à Oga.

— C'est moi. C'est Ayla ! Tu ne me vois donc pas ? Je suis là, devant toi ! s'écria-t-elle.

Le regard d'Oga lui passait au travers et elle se détourna sans un geste, sans un signe de reconnaissance, comme si Ayla était invisible.

Elle aperçut alors Creb qui se dirigeait vers Iza.

— Creb ! C'est moi, Ayla ! Je suis là ! cria-t-elle en faisant de grands gestes. Le vieux sorcier passa son chemin, s'écartant juste ce qu'il fallait pour éviter la jeune fille prosternée à ses pieds, comme il aurait évité une pierre. Creb ! hurla-t-elle. Pourquoi ne me vois-tu pas ? Ayla se releva pour s'élancer de nouveau vers Iza.

— Iza ! Maman ! Mamaaaaan ! Regarde-moi ! Mais regarde-moi donc ! hurla-t-elle, avec de grands gestes. Mais Iza émit de nouveau une longue plainte en se frappant la poitrine.

— Mon enfant, mon Ayla, ma fille est morte. Elle n'est plus. Ma pauvre Ayla. Elle est partie, elle nous a quittés...

En voyant Uba s'accrocher désespérément aux jambes de sa mère, l'air effarouché, Ayla s'agenouilla auprès de la petite fille.

— Tu me vois, toi, Uba ? Je suis là, dit Ayla, mais Ébra se précipita aussitôt vers l'enfant et l'emporta dans ses bras.

— Je veux Ayla ! cria la petite fille en se débattant pour descendre.

— Ayla est morte, Uba. Ce n'est plus elle que tu vois, c'est son Esprit. Laisse-le trouver son chemin vers l'autre monde. Si tu lui parles ou si tu le regardes, il t'emmènera avec lui. Ne le regarde surtout pas, Uba.

Ayla s'effondra sur le sol. Elle avait imaginé toutes sortes d'horreurs en pensant à la malédiction qui l'attendait, mais la réalité se révélait encore pire. Elle avait cessé d'exister aux yeux du Clan. La vraie Ayla ne faisait plus partie de leur monde. Seul son Esprit animait encore son corps, et tout le monde désirait qu'il disparaisse au plus vite.

Dans un climat de tension, chacun retourna à ses occupations habituelles. Creb et Iza se dirigèrent vers la caverne où Ayla les suivit. Personne n'essaya de l'en empêcher et l'on se contenta de tenir Uba à l'écart. Iza fit un ballot de toutes les affaires de la jeune fille, sans oublier sa couverture de fourrure et l'herbe de sa paillasse, qu'elle sortit de la caverne aidée de Creb. Après en avoir fait un gros tas sur un bûcher prêt à être allumé, elle rentra précipitamment tandis que le sorcier y mettait le feu.

Avec un désespoir croissant, Ayla vit Creb nourrir les flammes avec chacun de ses biens. Si son châtiment exigeait qu'aucune cérémonie ne fût célébrée pour sa mort, toutes traces de son existence devaient être effacées ; rien de ce qui pourrait l'inciter à revenir ne devait subsister. Elle vit sa bêche jetée au feu, puis son panier, l'herbe sèche de sa couche, ses vêtements de peau. Lorsque Creb saisit sa fourrure favorite, ses mains tremblèrent légèrement. Il la serra un instant contre son cœur avant de la jeter dans les flammes...

— Creb, je t'aime, s'écria Ayla, en larmes.

Le sorcier ne semblait pas la voir ; il ramassa la petite sacoche de guérisseuse qu'Iza avait confectionnée juste avant la fatale chasse au mammouth, et la jeta dans le bûcher.

— Non, Creb, non ! Pas mon petit sac de guérisseuse ! gémit Ayla, le cœur brisé. Mais il était trop tard, le cuir commençait déjà à se racornir sous l'effet de la chaleur.

Incapable d'en supporter davantage, Ayla, aveuglée par les larmes, s'élança dans le sentier, puis s'enfonça dans la forêt en courant éperdument. Elle traversa comme une folle les épais taillis et les branches qui lui obstruaient le passage, indifférente aux égratignures qui lui striaient les bras et les jambes. Puis elle traversa la rivière glacée, insensible au froid qui lui engourdissait les pieds et alla s'écrouler dans l'herbe mouillée, souhaitant de tout son cœur que la mort vienne au plus vite mettre un terme à ses souffrances.

Mais son désir de vivre l'emporta sur ses pensées macabres. Elle parvint tant bien que mal à se relever, flageolant sur ses jambes, les pieds bleuis par le froid. Elle se laissa conduire par l'habitude et, sans y penser, emprunta le chemin familier qui conduisait à sa prairie. Dégageant l'épais feuillage qui dissimulait aux regards indiscrets l'entrée de la faille dans la paroi rocheuse, elle pénétra dans son antre.

Sa grotte lui parut beaucoup plus exiguë qu'à l'accoutumée. Elle y découvrit la vieille couverture de fourrure qu'elle y avait apportée depuis longtemps et s'en enveloppa pour se réchauffer. Elle y trouva également une peau de bête qu'elle avait bourrée d'herbe pour s'en faire une couche, puis elle chercha son couteau. Elle réussit à le trouver, à demi enfoui dans la terre et entreprit de se confectionner de nouvelles chausses dans la peau de bête pour remplacer les siennes, qu'elle mit à sécher au-dehors.

« Il faut que je fasse du feu, se dit-elle. Tiens, voilà mon écuelle en écorce de bouleau, elle me sera utile pour aller chercher de l'eau. Ma vieille fronde ! J'avais oublié que je l'avais laissée là. Elle est trop petite pour moi maintenant, il faudra que je m'en confectionne une nouvelle. »

Les yeux rivés sur le morceau de cuir, Ayla réalisa tout à coup qu'elle était maudite. « Je suis morte, se rappela-t-elle. Mais pourtant cela ne m'empêche pas de penser à faire du feu... J'ai froid, j'ai faim... Je ne me sens absolument pas morte ! » Et à son insu, petit à petit, elle reprit goût à la vie. Elle sortit ramasser des noisettes et en mangea à satiété. Puis, taillant un morceau de cuir dans sa vieille couverture, elle se confectionna une fronde qui, sans être aussi parfaite que la précédente, ferait néanmoins l'affaire.

C'était la première fois qu'elle allait tuer des animaux pour se nourrir. Si le lapin qu'elle visa était rapide, il ne le fut pas assez pour échapper à son tir précis. Elle se rappela avoir aperçu un castor près de la rivière et l'abattit avant qu'il eût le temps de plonger dans l'eau. Puis elle rapporta son précieux butin à la grotte, non loin de laquelle elle découvrit une petite pierre grise, un silex.

Après un effort soutenu et une intense application, elle réussit, en frottant deux morceaux de bois l'un contre l'autre, à faire naître une petite étincelle qui bientôt mit le feu aux herbes sèches auxquelles elle s'empressa d'ajouter quelques bûches. « Il va falloir que je me fabrique un récipient pour faire la cuisine, décida-t-elle en embrochant le lapin après l'avoir dépecé. Il me faudra aussi une bêche et un panier. Creb a jeté les miens au feu, il a tout brûlé, même mon sac de guérisseuse. »

Cette nuit-là, Ayla se félicita d'avoir su allumer le feu. Elle s'assura qu'il ne s'éteindrait pas avant le matin, s'enveloppa dans sa vieille couverture et s'allongea pour dormir. La fatigue l'emporta bientôt et elle sombra dans un sommeil agité et entrecoupé de cauchemars dans lesquels elle appelait Iza et aussi une autre femme dans une langue qu'elle avait complètement oubliée.

Les journées d'Ayla étaient bien remplies. Elle se confectionna des récipients étanches pour transporter l'eau et faire la cuisine ; elle travailla la peau des animaux qu'elle tuait, pour s'en faire toutes sortes de vêtements pour l'hiver ; elle se fabriqua des outils de silex et ramassa de l'herbe pour amollir sa couche.

Quelque temps après son arrivée dans sa retraite, elle décida qu'il lui fallait une nouvelle peau de bête. La température glaciale faisait déjà sentir sa morsure et la neige ne semblait pas loin. Après avoir passé en revue tous les animaux dont la fourrure lui serait utile, elle fixa son choix sur le daim, qui avait le mérite d'être comestible de surcroît. La fourrure de la bête qu'elle tua était à la fois douce et épaisse, et le ragoût qu'elle fit s'avéra excellent. Quand par l'odeur alléché un glouton s'approcha de la caverne, Ayla l'abattit d'une seule pierre et se rappela le premier qu'elle avait tué parce qu'il volait le Clan... Voilà qui me fera un bonnet, décida-t-elle en traînant la dépouille dans la grotte.

Par une nuit où de lourds nuages cachaient la lune à ses regards, Ayla commença à se préoccuper de l'écoulement du temps. Elle se rappelait parfaitement ce que lui avait dit Brun : « Si les Esprits te font la grâce de te laisser revenir de l'au-delà, quand la lune aura accompli un cycle complet, nous t'accepterons de nouveau parmi nous. » Elle ne savait pas si elle se trouvait réellement dans l'au-delà, mais elle tenait absolument à retrouver le Clan, et elle se raccrocha désespérément à la promesse de Brun.

Elle se souvint alors de la fois où elle s'était amusée à compter les jours que mettait la lune à parcourir sa révolution, mais sans parvenir à s'en rappeler le nombre exact. Il lui fallut toute la journée pour qu'il lui revînt en mémoire et elle décida de faire tous les soirs une entaille dans un bout de bois. En dépit de tous ses efforts, elle ne pouvait s'empêcher de fondre en larmes chaque fois qu'elle ajoutait une encoche.

De fait, Ayla pleurait souvent. Un rien faisait affluer des milliers de souvenirs douloureux ; ainsi, le passage d'un lapin lui rappelait ses longues promenades avec Creb, une plante qu'elle avait cueillie avec Iza la faisait éclater en sanglots et le simple souvenir de son petit sac de guérisseuse jeté au feu avait le don de la faire redoubler de pleurs. C'est encore la nuit qu'elle avait le plus de mal à supporter. Seule dans la grotte, assise devant le feu dont les grandes flammes projetaient des ombres dansantes sur les parois, elle pleurait l'absence des êtres qu'elle chérissait, et tout particulièrement celle d'Uba.

Un beau matin, la neige fit son apparition et la température baissa brutalement. Pendant quatre jours, la tempête souffla, accumulant la neige devant la petite grotte dont l'entrée fut bientôt obstruée. En grattant avec les mains, Ayla réussit à se frayer un passage pour aller chercher du bois. Si elle avait fait amples provisions de viande, elle s'était montrée moins prévoyante en ce qui concernait l'alimentation de son feu, et si la neige continuait à tomber au même rythme, elle n'était pas sûre de pouvoir de quelque temps sortir de son abri.

Pour la première fois depuis le début de son isolement forcé, Ayla craignit pour sa vie. Si jamais elle se trouvait prisonnière, elle ne pourrait certainement pas tenir longtemps. En rentrant dans la grotte, Ayla se promit de retourner chercher du bois dès le lendemain.

Le jour suivant, elle trouva l'entrée de son refuge complètement obstruée, après une nuit où le blizzard n'avait cessé de souffler avec violence. Terrorisée, elle se sentit prise au piège. Afin de savoir sous quelle épaisseur de neige elle se trouvait prisonnière, elle enfonça une longue branche dans le mur blanc et réussit à ménager une petite ouverture. La neige tombait toujours. Elle laissa la branche dans le trou et s'installa auprès du feu, mais elle ne fut pas longue à s'apercevoir qu'elle n'avait pas besoin d'entretenir le foyer pour avoir chaud, la neige isolait parfaitement la grotte dans laquelle régnait une douce chaleur. Mais comme il lui fallait de l'eau, elle attisa néanmoins son feu pour faire fondre la neige.

Seule dans son antre éclairé par les maigres flammes, Ayla ne pouvait distinguer le jour de la nuit qu'à la faible lueur qui filtrait lorsqu'elle retirait la branche de son trou. Et, chaque fois que la lumière déclinait, elle prenait grand soin de tailler une nouvelle encoche dans le morceau de bois.

Les jours se suivaient et se ressemblaient tous. Un soir, après avoir nourri son feu exigeant, Ayla décida de compter les entailles. Elle commença par placer tous les doigts de la main droite sur chacune des encoches, puis ceux de la main gauche, à nouveau ceux de la main droite et ainsi de suite jusqu'à ce qu'elle les eût toutes recouvertes. C'est hier que mon châtiment a pris fin, constata-t-elle. Demain, je pourrai rentrer à la caverne, mais comment faire avec toute cette neige ?

Le lendemain, Ayla mit un grand moment à se convaincre qu'elle était bien éveillée. Elle chercha à tâtons la longue branche qui traversait la paroi glacée obstruant la grotte et poussa frénétiquement jusqu'au moment où des paquets de neige se détachèrent, laissant apparaître un lambeau de ciel bleu.

Une bouffée d'air frais lui fouetta le visage. Ça y est ! s'exclama-t-elle. Il ne neige plus ! Je peux retourner à la caverne ! La fillette entreprit d'élargir l'ouverture avec son bâton, faisant tomber de grands blocs de neige compacte. Une fois l'entrée dégagée, elle se força à se calmer et à penser sérieusement à son départ. Tout en grignotant un morceau de viande fumée, elle passa en revue ce qu'elle désirait emporter. En réfléchissant, elle se mit à enfiler tous les vêtements qu'elle s'était confectionnés. Elle s'entortilla les jambes de fourrure de lapin, se glissa aux pieds les deux paires de chausses, s'enveloppa dans une autre peau de lapin et enfin s'emmitoufla dans sa fourrure de daim, dans les replis de laquelle elle serra ses outils. Après avoir mis son capuchon et ses moufles, elle entreprit de sortir de sa prison, non sans avoir jeté un dernier regard derrière elle.

Elle trouva en sortant le paysage méconnaissable. Toute la colline était recouverte d'une épaisseur de neige dissimulant aux regards les points de repère autrefois familiers. Dès qu'elle voulut avancer, Ayla s'enfonça profondément dans la neige. Ses chausses aux larges semelles l'empêchaient de tomber à chaque pas, mais la progression était lente et difficile. Marchant à petites enjambées, elle réussit à se frayer un chemin vers ce qui avait été l'impétueux ruisseau. Elle s'y arrêta pour décider de la route à suivre : longerait-elle le cours d'eau jusqu'à la rivière pour gagner la caverne en faisant un grand détour, ou emprunterait-elle le chemin le plus direct ? Impatiente d'arriver, elle opta pour le plus court, sans imaginer à quel point cet itinéraire se révèlerait dangereux.

Quand le soleil parvint au zénith, elle avait à peine parcouru la moitié du chemin. Malgré la chaleur de ses rayons, il faisait un froid vif et Ayla commençait à se sentir fatiguée. En descendant une pente raide et verglacée, son pied glissa sur des éboulis. Dans leur chute, ceux-ci ébranlèrent des roches, entraînant avec elles une coulée de neige qui renversa la jeune fille et la précipita au bas de la pente dans un grondement formidable d'avalanche.

Creb était réveillé quand Iza s'approcha sans bruit, un bol d'infusion brûlante à la main.

— Je savais que tu ne dormais pas, Creb, et j'ai pensé que tu aimerais boire quelque chose de chaud avant de te lever. La neige s'est arrêtée de tomber cette nuit.

— Oui, je sais ; j'ai vu le ciel bleu ce matin à l'entrée de la caverne.

Ils s'assirent tous deux pour boire leur infusion matinale, comme ils le faisaient souvent depuis la disparition d'Ayla, cherchant dans cette intimité un réconfort susceptible de remplir le vide créé par son absence. Uba même n'avait plus goût à rien ; personne n'avait pu la convaincre de la mort de son amie et elle ne cessait de la réclamer.

Creb avait terriblement vieilli. Pas une seule fois il n'était retourné dans la grotte sacrée, depuis le jour fatal où il s'était adressé aux Esprits. Pour la profonde consternation du Clan, il se déchargeait peu à peu de ses fonctions sur son acolyte, en dépit des exhortations de Brun.

— Je pense que je vais laisser Goov me remplacer, Iza, annonça-t-il à la femme assise à ses côtés.

— La décision te revient entièrement, répondit-elle, sans chercher à le dissuader. Le délai est dépassé, n'est-ce pas Creb ? ajouta la guérisseuse.

— Oui, il est dépassé, Iza.

— Mais comment pourrait-elle le savoir ? On ne peut pas voir la lune avec tous ces nuages.

Creb se souvint alors du jour où il lui avait appris à compter les années et où il l'avait surprise à compter toute seule les jours du cycle lunaire.

— Si elle est toujours en vie, elle le saura, Iza.

— Mais songe à la tempête, personne ne pourrait en réchapper.

— N'y pense plus. Ayla est morte.

— Je le sais bien, Creb, répondit Iza d'un ton las.

Devant le chagrin de sa sœur, Creb chercha à la réconforter ou du moins à compatir.

— Je ne devrais pas en parler, mais à présent que le délai est passé, je dois te dire que son Esprit s'est adressé à moi avant de disparaître, Iza. Il m'a dit qu'elle m'aimait et sur un ton si réel que j'ai failli m'y laisser prendre.

— Moi aussi, Creb. Quand son Esprit m'a dit « maman », je... Je...

— Son Esprit m'a supplié de ne pas brûler sa sacoche de guérisseuse, Iza. Les larmes lui sont montées aux yeux comme avant. Je crois que je la lui aurais donnée si je ne l'avais déjà jetée dans le feu. Ce fut sa dernière tentative pour m'emmener avec lui, il est parti aussitôt après.

Creb se leva, s'enveloppa dans sa fourrure et prit son bâton. Étonnée qu'il désire sortir, Iza le regarda se diriger vers l'entrée de la caverne où il resta un long moment, les yeux rivés sur l'étendue de neige étincelante. Bientôt Iza alla le retrouver.

— Il fait froid, Creb. Tu ne devrais pas rester ainsi exposé au vent, lui conseilla-t-elle.

— Voilà des jours que le ciel n'a été aussi limpide.

— Viens quand même te réchauffer un moment.

Creb passa le reste de la journée à son foyer. Au crépuscule, un cri strident retentit, venant du foyer de Brun. Iza leva les yeux. Une étrange apparition se tenait à l'entrée de la caverne, blanche de neige et battant la semelle.

— Creb, s'écria Iza. Qui est-ce ?

Les yeux grands écarquillés, Creb resta un instant sur la défensive, craignant un vilain tour des Esprits maléfiques. Mais sa prudence fut de courte durée.

— C'est Ayla ! s'écria-t-il en se précipitant vers elle et, oubliant son bâton, sa dignité et même les bons usages, il la serra contre son cœur.

XVII

— Ayla ? Es-tu bien sûr qu'il s'agisse d'Ayla et non pas de son Esprit ? demanda Iza au vieil homme bouleversé.

— C'est bien elle, répondit Creb en conduisant vers son foyer la jeune fille couverte de neige. Elle a réussi à vaincre les Esprits maléfiques et à revenir parmi nous.

— Ayla ! s'écria alors Iza en ouvrant les bras à sa fille qui pleurait de joie tandis que la petite Uba, elle aussi, s'agrippait à elle.

— Ayla ! Ayla revenue ! Uba savoir Ayla pas morte ! déclara Uba avec l'autorité de quelqu'un convaincu d'avoir eu raison depuis toujours. Ayla la prit dans ses bras et la serra à lui couper le souffle.

— Ayla, change de vêtements, tu vas prendre froid, recommanda Iza, profitant de ce prétexte pour cacher son émotion en lui apportant des fourrures sèches et en remettant du bois dans le feu.

— Je meurs de faim, je n'ai rien mangé de la journée, dit Ayla. J'aurais dû arriver plus tôt mais je me suis fait prendre dans une avalanche. Heureusement, elle ne m'a pas ensevelie trop profond. Néanmoins, il m'a fallu longtemps pour me dégager.

La stupéfaction d'Iza ne dura que l'espace d'un instant, le retour d'Ayla constituant une preuve amplement convaincante de son invincibilité. Creb, pour sa part, la regardait en silence, sans croire encore tout à fait à la réalité de ce qu'il voyait. Certes, il avait entendu raconter que les morts pouvaient revenir après leur malédiction, mais il ne l'avait jamais constaté par lui-même. Et, songeant au monde des Esprits, il se rappela soudain qu'il devait rompre le maléfice en changeant l'ordonnance des ossements dans la grotte sacrée.

Il se rua dans le sanctuaire pour apporter les modifications nécessaires et, brandissant la torche qui brûlait à l'entrée de l'étroit passage, il pénétra dans la grotte. Le crâne de l'ours avait été déplacé.

Pris d'un violent tremblement, Creb s'empressa de remettre tous les ossements à leur place et sortit précipitamment. Brun l'attendait au-dehors.

— Brun ! s'exclama le sorcier, tu sais parfaitement que personne ne s'est introduit dans le sanctuaire depuis la malédiction d'Ayla. Eh bien les ossements ont été déplacés !

— Que s'est-il donc passé ? demanda Brun, inquiet.

— Je pense que c'est son totem. Il voulait nous signifier qu'il lui permet de revenir parmi nous.

— Tu dois avoir raison, répondit Brun, l'air hésitant, comme s'il désirait poursuivre la conversation.

— Tu désires me parler, Brun ?

— Oui, je veux te parler des cérémonies, répondit-il d'un air embarrassé. Enfin... d'une cérémonie pour son retour...

— Ce ne sera pas nécessaire, rétorqua Mog-ur. Les Esprits maléfiques se sont éloignés.

— Je ne pensais pas à ce genre de cérémonie.

— Que veux-tu dire alors ?

Brun hésita de nouveau, puis choisit d'aborder le sujet par un autre biais.

— Je regardais Ayla tout à l'heure quand elle te parlait à toi et à Iza. As-tu remarqué un changement chez elle ?

— Quel genre de changement ? répondit Mog-ur, qui ne voyait pas du tout où Brun voulait en venir.

— Nous savons tous qu'elle possède un totem très puissant qui, non seulement la protège, mais lui porte chance. Droog l'a toujours pensé et je crois qu'il a raison. Elle ne serait jamais revenue sans cela, et je pense qu'aujourd'hui elle le sait ; voilà ce qu'il y a de différent en elle.

— Oui, je m'en suis aperçu, mais je ne vois pas le rapport avec les cérémonies.

— Depuis son départ, je n'ai cessé de penser à ce que nous ferions si elle revenait.

— Que faudrait-il faire ? Nous n'avons rien à faire ! Elle est de retour, et il n'y a rien de changé. C'est toujours une fille, Brun.

— Et si je désirais changer quelque chose, moi, y a-t-il une cérémonie pour cela ?

— Mais une cérémonie pour quoi faire ? insista Mog-ur qui ne comprenait toujours pas. Tu n'as pas besoin de cérémonie pour modifier ton comportement envers elle. De quels changements veux-tu parler ? Je ne peux te répondre si tu n'en dis pas davantage !

— Voilà, je voudrais que tous les totems du Clan soient heureux, Mog-ur, et que tu organises une cérémonie, mais je ne sais pas si une telle cérémonie existe.

— Je n'y comprends absolument rien ! s'exclama Mog-ur exaspéré par les propos sibyllins de Brun.

Brun baissa les yeux, découragé. Tout ce qu'il avait échafaudé pendant l'absence d'Ayla s'écroulait lamentablement, faute de pouvoir l'exprimer clairement.

— Moi-même, je ne comprends pas très bien, alors comment pourrais-je t'en parler ? Et qui aurait cru qu'elle allait revenir ? Je ne comprendrai jamais rien aux Esprits, mais c'est pour ça que tu es là ! Tu ne m'aides pas beaucoup d'ailleurs. De toutes façons, toute cette histoire est ridicule et je ferais mieux d'y repenser sérieusement.

Brun tourna les talons, laissant le vieux sorcier dans la confusion la plus complète.

— Dis à la fille que je désire la voir, ajouta-t-il en se retournant une dernière fois avant de gagner son foyer.

Creb rentra chez lui, perplexe.

— Brun veut voir Ayla, annonça-t-il en arrivant.

— Il veut la voir tout de suite ? demanda Iza en poussant un plat de viande vers la jeune fille. Il voudra bien attendre qu'elle ait fini de manger, n'est-ce pas ?

— Ça y est, j'ai fini. Je ne pourrais rien avaler de plus ; j'y vais.

Ayla se présenta au foyer du chef aux pieds duquel elle s'assit, les yeux baissés. Il portait les mêmes chausses que la dernière fois qu'elle s'était tenue à ses pieds ; mais cette fois-ci, elle ne se sentait plus impressionnée. Elle ne craignait plus le chef du Clan, mais elle le respectait davantage. Elle attendit très longtemps qu'une tape sur l'épaule lui fît relever la tête.

— Je vois que tu es de retour, Ayla, commença-t-il maladroitement, sans savoir qu'ajouter.

— Oui, Brun.

— Je suis surpris de te revoir ; je ne m'y attendais pas du tout.

— La fille qui se tient devant toi ne s'y attendait pas non plus.

Brun était complètement dérouté. Il désirait lui parler, mais ne trouvait rien à lui dire et ne savait pas non plus comment mettre un terme à l'entretien. Ayla attendit un instant, puis lui demanda la parole.

— La fille qui se tient devant toi aimerait parler, Brun.

— Je te donne mon autorisation.

— La fille qui se tient devant toi, Brun, est heureuse d'être revenue. J'ai eu peur plus d'une fois et plus d'une fois j'ai cru ne jamais pouvoir rentrer à la caverne.

Brun émit un grognement. Il ne doutait pas qu'elle dise la vérité.

— Ce fut assez pénible au début, poursuivit-elle, mais je pense que mon totem m'a protégée. Tout ce que j'avais à faire ne me laissait guère de temps pour réfléchir, mais quand je me suis retrouvée bloquée, je n'avais plus le choix.

Tout ce qu'elle avait à faire ? Bloquée ? Que se passe-t-il donc dans le monde des Esprits ? se demanda Brun qui faillit lui poser la question, mais préféra ne pas trop en apprendre.

— Brun, poursuivit-elle en hésitant légèrement, tu m'as dit un jour que tu m'étais reconnaissant d'avoir sauvé Brac... Aujourd'hui, c'est moi qui te suis reconnaissante...

Cette déclaration était bien la dernière à laquelle Brun s'attendait de la part d'une fille qu'il avait maudite. « Il est vrai qu'elle ne prétend pas m'être reconnaissante pour avoir ordonné son châtiment, pensa-t-il. A-t-elle donc compris que je lui ai donné sa chance, la seule et unique chance que je pouvais lui accorder ? Cette étrange fille serait-elle capable de comprendre plus de choses que les chasseurs, et peut-être même que Mog-ur ? À n'en pas douter », décida-t-il avec conviction. Et pour la première fois, il regretta l'espace d'un instant qu'elle ne fût pas un garçon. À partir de ce moment-là, il put se dispenser de réfléchir à ce qu'il voulait demander à Mog-ur ; il le savait clairement.

— Je me demande ce qui est en train de se tramer, et j'ai même l'impression que les autres chasseurs ne sont pas au courant, dit Ébra. En tout cas, je n'ai jamais vu Brun aussi agité.

Les femmes étaient occupées à préparer un festin, dont elles ignoraient le motif, Brun s'étant contenté de leur en donner l'ordre.

— Il va y avoir sans doute une cérémonie, avança Iza. Mog-ur a passé toute la journée d'hier et une partie de la nuit enfermé dans la grotte sacrée. Quand je pense qu'il n'y a pas pénétré une seule fois en l'absence d'Ayla ! À présent, il n'en sort quasiment plus. Et s'il le fait, il est tellement distrait qu'il en oublie même de manger !

— Mais s'ils préparent une cérémonie, quel besoin a donc Brun de passer la journée à nettoyer lui-même le fond de la caverne ? s'étonna Ébra. Quand je lui ai proposé de le faire à sa place, il m'a envoyée promener ! Ils ont déjà un lieu pour leurs cérémonies...

— Je ne vois pas à quoi d'autre il faut s'attendre, dit Iza. Chaque fois que je lève la tête, je surprends Brun et Mog-ur en grande conversation, et ils se taisent avec des airs coupables dès qu'ils constatent que je les observe. Je me demande ce qu'ils complotent tous les deux. Et pourquoi un festin ce soir ? Mog-ur a passé la journée en allées et venues entre la grotte sacrée et l'endroit que Brun a nettoyé. Il m'a semblé le voir transporter quelque chose, mais il faisait trop noir pour distinguer ce que c'était.

Quant à Ayla, elle retrouvait les joies de la vie en communauté. Cinq jours après son retour, elle avait encore du mal à croire qu'elle se trouvait réellement au sein du Clan. Les femmes ne se sentaient pas très à l'aise en sa présence. Après l'avoir crue morte, elles avaient du mal à admettre son retour.

Broud la vit prendre Brac dans ses bras et examiner sa blessure, ce qui lui rappela le jour où elle avait sauvé la vie du petit garçon et celui également où elle avait été témoin de son humiliation. Comme tous les autres, il s'était senti bouleversé de la voir revenir et le premier jour il l'avait considérée avec une sorte de respect mêlé d'appréhension.

À présent, il la foudroyait du regard. Pourquoi fallait-il qu'elle revienne ? se disait-il. Tout le monde ne parle que d'elle, comme ce fut toujours le cas d'ailleurs. Quand j'ai tué le bison, tout le monde ne parlait que de son totem ! Puis on ne parla que de ses dons de guérisseuse ; ensuite, du jour où elle sauva Ona de la noyade ; et de son adresse à la fronde ; et de la hyène qu'elle a tuée pour sauver Brac ; et à présent de son retour du monde des Esprits !... Chaque fois que Broud avait fait preuve d'un grand courage, Ayla avait trouvé le moyen d'usurper l'admiration, le respect et l'attention qui lui étaient dus.

— Mais que t'arrive-t-il, Creb ? Je ne t'ai jamais vu aussi agité ! Tu fais penser à un jeune homme sur le point de prendre sa première compagne. Veux-tu que je te fasse une infusion pour te calmer ? demanda Iza au sorcier qui, pour la troisième fois, s'apprêtait à partir, puis se rasseyait pour se lever à nouveau.

— Qu'est-ce qui te fait croire que je suis nerveux ? J'essaye simplement de ne rien oublier et de réfléchir un peu, rétorqua-t-il d'un air penaud.

— Ne rien oublier ? Mais ça fait des années que tu es mog-ur, Creb, et il n'est pas une cérémonie que tu ne puisses célébrer les yeux fermés ! Laisse-moi te préparer une tisane.

— Non, non. Je n'en ai pas besoin. Où est Ayla ?

— Elle est sortie pour chercher des ignames, pourquoi ?

— Pour savoir, répliqua Creb en se rasseyant.

Quelques instants plus tard, Brun s'approcha et fit signe au vieux sorcier de le rejoindre au fond de la caverne. Mais que peuvent-ils bien manigancer ? se demanda Iza, perplexe. Ils avaient interdit aux femmes de s'approcher de cette partie de la grotte et même de regarder dans cette direction. Quand la guérisseuse vit Brun appeler ses hommes, elle fit comme si de rien n'était, mais un pressentiment lui fit relever la tête au moment précis où deux hommes, le visage peint à l'ocre rouge, se précipitaient sur Ayla.

La fillette ne s'était rendu compte de rien, tout occupée à déballer le contenu de ses paniers, à l'autre bout de la caverne. La brutale apparition des deux hommes, et tout particulièrement la présence du chef, la fit sursauter.

— Pas un bruit, pas de résistance, lui signifia Brun par gestes.

Elle ne commença à s'inquiéter réellement qu'au moment où ils lui bandèrent les yeux et la soulevèrent dans leurs bras.

En voyant arriver Brun et Goov chargés de leur fardeau, les

autres hommes ressentirent un pincement d'angoisse. Eux aussi ignoraient tout de la cérémonie qui allait se dérouler. Mog-ur s'était contenté de leur intimer silence lorsqu'ils avaient pris place en cercle autour des pierres que le sorcier avait apportées de la grotte sacrée. Et il n'eut pas besoin de réitérer son ordre quand il tendit à chacun deux ossements d'ours à croiser sur leur poitrine. Le danger devait être grand s'il leur fallait recourir à une telle protection.

Brun fit asseoir la fillette au centre du cercle, face à Mog-ur, et prit place derrière elle. Au signal du sorcier, il lui ôta son bandeau. La lueur des torches éblouit Ayla, lui révélant progressivement Mog-ur, assis derrière un crâne d'ours, et les autres hommes protégés par les os croisés. Atterrée, elle se recroquevilla sur le sol, tremblante de peur.

— Pas un mot, pas un geste ! l'avertit Mog-ur.

Les yeux écarquillés, elle vit le sorcier se lever pesamment et accomplir les signes rituels destinés à s'attirer la protection d'Ursus et des Esprits totémiques. Elle connaissait bien le vieil homme, l'infirme aux gestes gauches, claudiquant à chaque pas, lourdement appuyé sur son bâton. Mais l'homme qui se dressait alors devant elle avait perdu toute maladresse. Mog-ur s'était transformé en un éloquent orateur aux gestes persuasifs. Le mog-ur du Clan de l'Ours des Cavernes ne déployait jamais autant de grâce et d'assurance que lorsqu'il communiquait avec les puissances surnaturelles.

— Ô Esprits vénérables, Esprits que nous n'avons pas invoqués depuis l'aube de l'humanité, écoutez-nous ! Nous vous appelons pour vous rendre hommage et implorer votre protection. Ô puissants Esprits, éveillez-vous et laissez-nous vous honorer. Nous voulons offrir un sacrifice à vos cœurs séculaires ; écoutez-nous, nous vous appelons.

Esprit du Vent. Ooooha ! Esprit de la Pluie. Zheena ! Esprit des Brouillards. Eeecha ! Prêtez-nous attention et soyez indulgents. L'un d'entre vous se trouve aujourd'hui parmi nous. Le Grand Lion des Cavernes en a décidé ainsi.

Ô Esprits séculaires, vos voies sont impénétrables, nous ne sommes que des humains ignorant la raison pour laquelle cette fille a été choisie par le plus puissant d'entre vous. Il l'a défendue contre les malins et nous l'a rendue pour se faire reconnaître de nous. Ô puissants Esprits du Passé, si nous vous avons longtemps négligés, nous vous vénérerons désormais en l'honneur de celle qui se trouve aujourd'hui parmi nous. Nous vous supplions de l'accueillir et de la protéger ainsi que son Clan. Puis se tournant vers Ayla : Qu'on me l'amène, ordonna-t-il.

Ayla se sentit soulevée de terre et déposée devant le vieux sorcier. Se retenant de crier quand Brun lui tira la tête en arrière par les cheveux, elle vit du coin de l'œil Mog-ur brandir un long couteau au-dessus de son visage révulsé par la peur et manqua de s'évanouir en le voyant plonger le stylet acéré vers sa gorge nue.

La douleur aiguë du coup ne lui arracha pas un seul cri. Mog-ur venait de lui faire une petite estafilade à la base du cou, dont le sang fut aussitôt absorbé par un morceau de peau de lapin. Brun attendit qu'il se teintât entièrement de rouge pour relâcher la jeune fille.

Fascinée, elle regarda Mog-ur déposer le petit carré imbibé de sang dans une écuelle à demi remplie d'huile à laquelle il mit le feu. Une fumée âcre s'éleva bientôt tandis que la peau se consumait en crépitant. Puis Brun exposa la cuisse nue d'Ayla et Mog-ur, trempant ses doigts dans le liquide résiduel de l'écuelle, dessina quatre traits noirs sur chacune des cicatrices. Ayla n'en crut pas ses yeux : on aurait dit les marques totémiques du rite de passage des jeunes gens à l'âge adulte. Elle se sentit alors tirée en arrière, pendant que Mog-ur adressait une dernière prière aux Esprits.

— Acceptez ce sacrifice du sang, ô Esprits vénérables, et sachez que c'est l'Esprit du Lion des Cavernes qui l'a choisie pour que nous suivions vos enseignements. Nous vous avons rendu hommage. Accordez-nous votre protection et retournez dans les ténèbres de vos demeures.

Ayla, qui ne comprenait toujours pas l'objet de cette cérémonie, crut qu'elle était terminée en voyant Mog-ur s'asseoir. Mais il n'en était rien. Brun lui fit signe de se lever et sortit d'un repli de sa peau de bête un petit morceau d'ivoire teint en rouge.

— Ayla, pour la première et dernière fois, te voilà l'égale des hommes, déclara Brun. Mais à la fin de cette cérémonie, tu devras te considérer de nouveau comme une femme.

Ayla acquiesça sans vraiment comprendre ce qu'il voulait dire.

— Cet ivoire provient de la défense du mammouth que nous avons tué. Ce fut une excellente chasse au cours de laquelle personne ne fut blessé. Cet objet a été sanctifié par Ursus et teinté à l'ocre rouge sacré par Mog-ur. C'est le puissant talisman des chasseurs que tous les hommes ici réunis portent en amulettes.

Ayla, les garçons ne deviennent adultes qu'après leurs premières chasses. Il y a très longtemps de cela, les femmes du Clan chassaient aussi. Nous ignorons la raison pour laquelle ton totem t'a poussée à suivre leurs traces, mais nous ne pouvons renier l'Esprit du Lion des Cavernes. Ayla, tu as fait ta première chasse ; tu dois désormais assumer les responsabilités des adultes. Mais tu es une femme et tu le resteras à tous égards, à l'exception d'un seul : tu auras le droit de te servir d'une fronde. Te voilà aujourd'hui la Femme-qui-Chasse.

Ayla rougit de plaisir. Avait-elle bien compris les propos de Brun ? Après avoir frôlé la mort pour s'être servie d'une fronde, on l'autorisait à présent à en faire usage ? À chasser ?

— Ce talisman est à toi, range-le avec tes amulettes, ajouta Brun en le tendant à Ayla qui défit le lacet de cuir noué à son cou, et glissa dans la petite bourse l'ovale d'ivoire à côté du morceau d'ocre rouge et du fossile marin.

— Ne parle de cela à personne pour l'instant, lui recommanda le chef. J'annoncerai la nouvelle au Clan ce soir avant le festin. C'est en ton honneur, Ayla, que nous l'avons organisé, en l'honneur de ta première chasse. J'espère qu'à la prochaine, tu rapporteras quelque chose de plus comestible qu'une hyène, ajouta-t-il avec humour. Maintenant, tourne-toi.

On lui remit le bandeau sur les yeux et les deux hommes la reconduisirent au centre de la caverne avant de retourner auprès de leurs compagnons.

La cérémonie avait amplement suffi à convaincre les hommes d'accorder à Ayla le privilège de chasser ; tous sauf un. Broud était fou de rage. S'il n'avait pas tant redouté Mog-ur, il aurait instantanément quitté la cérémonie, et refusé obstinément de cautionner tout ce qui pourrait accorder à cette odieuse fille le moindre privilège. S'il en voulait à Mog-ur, sa hargne se dirigeait plus particulièrement contre Brun qu'il estimait directement responsable.

« Il l'a toujours protégée et favorisée, pensa-t-il amèrement. Il aurait dû la maudire éternellement. Et voilà qu'au contraire il la laisse chasser, comme un homme. Comment a-t-il pu en arriver là ? Mais il commence à se faire vieux et ne sera pas toujours le chef. Un jour, ce sera mon tour, et alors nous verrons. »

XVIII

Ayla devint pleinement la Femme-qui-Chasse au cours de l'hiver où elle entra dans sa dixième année. C'est avec un certain soulagement et une satisfaction personnelle qu'Iza remarqua chez la jeune fille les signes avant-coureurs annonçant l'approche de ses menstruations.

Un beau matin, Ayla s'aperçut que l'Esprit de son totem se battait contre un autre Esprit, jusqu'au sang. Elle comprit alors combien il était improbable qu'elle eût jamais un enfant : son totem était trop puissant. Mais elle se résigna et prit d'autant plus plaisir à s'occuper des enfants des autres, regrettant seulement de ne pouvoir les allaiter elle-même.

Elle ressentait une grande sympathie pour Ovra dont les fausses couches se succédaient. Le Castor, son totem, était lui aussi trop vindicatif et la jeune femme semblait destinée à ne jamais avoir d'enfant. Depuis la chasse au mammouth, Ayla et Ovra s'étaient découvert de nombreuses affinités et il s'était noué entre elles des liens d'amitié dont Goov n'était pas exclu. Personne n'ignorait l'attachement qu'éprouvait le jeune acolyte envers sa compagne, qui regrettait d'autant plus de ne pouvoir lui donner d'enfant.

À la grande satisfaction de Broud, Oga était de nouveau enceinte. Brac n'avait que trois ans et la jeune femme semblait suivre les traces d'Aga et d'Ika qui avaient donné le jour à une nombreuse progéniture. Le Clan de Brun ne cessait de s'accroître.

Conformément à la règle d'exclusion imposée à toutes les femmes lors de leurs premières règles, Ayla se retira au début du printemps dans sa grotte des hauts pâturages. Après les souffrances qu'elle y avait endurées, ce court séjour lui sembla une partie de plaisir. Elle consacra son temps à perfectionner son tir qu'elle n'avait plus pratiqué depuis l'hiver. Iza venait la voir tous les jours à un endroit convenu, non loin de la caverne, et lui apportait à manger. Mais c'est sa compagnie qui réconfortait le plus Ayla.

Elles restaient ensemble tard le soir, et c'est à la lueur d'une torche qu'Ayla retrouvait le chemin de sa retraite. La guérisseuse apprit à la jeune fille tout ce qu'une femme doit savoir, lui indiquant les signes symboliques qu'elle devait tracer sur les peaux de lapin souillées de sang avant de les enterrer profondément. Elle lui expliqua la manière de se comporter si un homme voulait assouvir avec elle ses désirs, lui montrant la position convenable, les mouvements qu'elle devrait faire et la façon de se purifier après. Elle lui indiqua également les positions et les gestes susceptibles de plaire aux hommes du Clan, ainsi que les diverses manières de faire naître leur désir. Elle lui transmit tout le savoir qu'elle tenait elle-même de sa mère, doutant en son for intérieur que ces connaissances puissent un jour se révéler utiles à une jeune fille aussi laide.

Mais Iza se gardait bien d'aborder ce sujet. Parvenues à l'âge d'Ayla, la plupart des jeunes femmes se sentaient déjà attirées par un jeune homme en particulier. Si la fille ni la mère n'avaient leur mot à dire dans l'histoire, cette dernière pouvait, dans une certaine mesure, s'en ouvrir à son compagnon, qui, s'il le jugeait bon, pouvait à son tour en parler au chef auquel revenait la décision finale. Et si rien ne s'y opposait, le chef accédait souvent aux désirs de la jeune femme.

Mais tous les jeunes gens du Clan possédaient déjà un foyer, et même si tel n'avait pas été le cas, Iza demeurait persuadée que personne n'aurait voulu prendre Ayla pour compagne. Quant à la jeune fille, aucun homme ne l'intéressait, et elle n'y avait jamais pensé avant qu'Iza lui en parlât. Mais elle devait avoir l'occasion de se préoccuper de cela plus tôt qu'elle ne l'aurait cru.

Par un beau matin de printemps, Ayla se rendit à la mare pour y remplir une outre. Personne d'autre n'était encore sorti. S'étant mise à genoux, elle se pencha vers l'eau, l'outre à la main, et s'arrêta soudain pétrifiée d'horreur. Comme elle puisait de préférence l'eau à la rivière, et n'allait à la mare que lorsqu'elle était pressée, Ayla n'avait jamais eu l'occasion de voir son reflet sur la surface lisse du bassin.

La jeune femme observa attentivement son visage. Il était plutôt anguleux, terminé par des maxillaires très prononcés, mais adouci par la rondeur des hautes pommettes, et soutenu par un long cou lisse. Une légère fossette creusait son menton, ses lèvres étaient charnues et son nez droit et fin. Ses grands yeux gris-bleu étaient rehaussés par de longs cils un ton plus foncé que ses longs cheveux blonds, tombant en cascade sur ses épaules et brillant dans les rayons du soleil. L'arc de ses sourcils délicatement dessinés soulignait la courbe de son front. Quittant précipitamment la mare, Ayla se rua vers la caverne.

— Ayla, que se passe-t-il ? lui demanda Iza en la voyant bouleversée.

— Oh maman ! Je me suis vue dans la mare. Pourquoi suis-je si laide ? répondit-elle sur un ton pathétique, avant de fondre en larmes. Aussi loin que remontaient ses souvenirs, Ayla n'avait jamais vu personne d'autre que les membres du Clan et son aspect provoqua en elle un choc douloureux.

— Ayla, Ayla, calme-toi, dit Iza en la serrant contre elle.

— Je ne savais pas que j'étais si vilaine, maman. Pourquoi suis-je si laide ?

— Mais tu n'es pas si vilaine que ça, Ayla. Tu es différente, c'est tout.

— Je suis laide ! Je suis laide ! répondit Ayla avec entêtement. Regarde-moi ! Je suis trop grande ; je suis plus grande que Broud et que Goov, je suis presque aussi grande que Brun ! Et je suis laide. Je suis grande et laide. Je n'aurai jamais de compagnon, personne ne voudra de moi ! s'écria-t-elle en redoublant de sanglots.

— Ayla ! arrête ! lui ordonna Iza. Tu n'y peux rien changer. Tu n'es pas née au sein du Clan, tu es née chez les Autres et tu leur ressembles. Tu dois te faire à cette idée. S'il est vrai que tu ne puisses jamais trouver de compagnon, tu dois te faire à cela aussi. Mais on ne sait jamais... Tu seras bientôt guérisseuse et tu bénéficieras d'un statut particulier.

Le Rassemblement des Clans se tiendra l'été prochain, il se pourrait fort bien que tu y rencontres un compagnon. Il ne sera peut-être ni jeune ni d'un rang très élevé, mais il sera ton compagnon. Zoug te tient en grande estime ; il a déjà prié Creb de te recommander auprès des autres Clans. N'oublie pas que nous ne sommes pas le seul Clan au monde, et qu'il existe d'autres hommes que ceux que tu connais.

— Zoug a dit ça ? Malgré ma laideur ? s'étonna Ayla dont les yeux brillèrent d'une lueur d'espoir.

— Exactement. Avec sa recommandation et le rang que je vais te transmettre, je suis certaine qu'il se présentera un homme pour t'accepter.

— Mais je ne serai pas obligée de m'en aller au moins ? demanda Ayla dont le sourire fugace avait disparu. Je ne veux pas vous quitter, ni toi ni Creb ni Uba.

— Écoute, Ayla, je suis vieille. Creb n'est plus jeune lui non plus, et d'ici quelques années, Uba sera en âge de vivre dans le foyer d'un homme. Que feras-tu alors ? Brun passera bientôt le pouvoir à Broud et je ne suis pas sûre que ce jour-là tu désireras encore rester parmi nous. Profite du Rassemblement des Clans pour trouver le moyen de t'en aller à temps.

— Je crois que tu as raison. Je ne pourrais pas supporter de vivre ici quand Broud sera le chef. Mais il me reste encore une année entière pour y penser, je ne vais pas m'inquiéter d'ici là !

Un peu plus tard dans l'après-midi, Ayla, à la lisière du bois, observait de loin la caverne devant laquelle travaillaient et bavardaient plusieurs personnes. Elle disposa convenablement les deux lapins jetés sur son épaule, sortit la fronde d'un repli de son vêtement pour se l'attacher à la taille, bien en vue, et, quelque peu nerveuse, se dirigea droit vers la caverne, la tête haute.

« Brun a dit que j'avais le droit de chasser à la fronde, se dit-elle pour se rassurer. Je suis un chasseur, la Femme-qui-Chasse. »

Pendant un long moment, tous les regards se tournèrent vers la jeune fille qui, les joues en feu, passa son chemin et pénétra dans l'ombre accueillante de la caverne. Sa première surprise passée, Iza détourna les yeux sans rien dire. Creb semblait méditer, assis dans un coin, mais il l'avait vue entrer et il s'abstint également de toute réflexion quand elle déposa les deux lapins auprès du feu. Ce fut Uba qui rompit le silence.

— C'est toi qui les as tués, toi toute seule ? demanda-t-elle.

— Oui, c'est moi, acquiesça Ayla.

— Ils ont l'air bien gras. On va les manger ce soir, maman ?

— Euh, oui, j'imagine..., répondit Iza encore sous le choc.

— Je vais les dépecer, s'empressa d'ajouter Ayla en sortant son couteau.

— Non, Ayla. Tu les as tués, c'est à moi de les dépecer, déclara Iza qui, après un instant d'hésitation, lui prit le couteau des mains.

Lorsque la jeune femme rapporta le produit de sa chasse la fois suivante, l'émoi fut déjà moindre et tout le monde s'habitua bientôt à cet état de fait. Creb comptant désormais un chasseur dans son foyer, la part qu'il prélevait sur la chasse des autres s'en trouva réduite, à l'exception toutefois des animaux de grande taille que les hommes tuaient à la lance.

Ayla ne chôma pas ce printemps-là. Outre ses activités de chasseur, il lui fallait toujours accomplir sa part de travail féminin, et ramasser des herbes pour Iza. Mais elle aimait cette vie et se sentait plus dynamique et heureuse que jamais ; heureuse de pouvoir chasser ouvertement, heureuse de vivre de nouveau au sein du Clan, heureuse enfin d'être une femme et de se lier plus étroitement d'amitié avec les autres femmes.

Ébra et Uka l'avaient acceptée. Ika s'était toujours montrée amicale et l'attitude d'Aga et de sa mère avait changé du tout au tout depuis le sauvetage d'Ona. Ovra était devenue sa confidente et quant à Oga, elle était, malgré l'animosité de Broud, mieux disposée à son égard. En revanche, la haine de Broud envers Ayla avait encore grandi après son admission parmi les chasseurs, et il cherchait tous les moyens de la persécuter. Ayla ne s'en émouvait plus et en était arrivée à penser que rien venant de lui ne pourrait jamais plus l'affecter.

Le printemps était à son apogée lorsqu'un jour, elle décida d'aller chasser le lagopède, le gibier favori de Creb. Ayla adorait ces moments de solitude où elle pouvait lézarder au soleil, détendue et heureuse, sans penser à rien de particulier. Elle s'aperçut qu'elle n'était pas seule au moment seulement où une ombre se dessina à ses pieds. Stupéfaite, elle leva les yeux pour découvrir le visage menaçant de Broud.

Aucune expédition de chasse n'avait été organisée ce jour-là, et Broud avait décidé de chasser en solitaire. Il avait aperçu de loin Ayla étendue sur un tertre, et n'avait pu résister à la tentation de profiter de l'occasion pour aller lui reprocher sa paresse.

Ayla bondit sur ses pieds en le voyant, ce qui eut le don de l'exaspérer. Elle était plus grande que lui et il n'aimait pas devoir lever les yeux pour regarder une femme. Il la repoussa, se préparant à la corriger sévèrement, et le regard soumis et inexpressif de la jeune fille le mit hors de lui. Il lui fallait trouver un moyen de l'obliger à réagir.

Ce que Broud lui signifia d'un geste, fit écarquiller les yeux d'Ayla. Elle ne se serait jamais attendue à cela. Iza lui avait dit que les hommes n'exigeaient cela que des femmes qu'ils trouvaient attirantes, et elle savait que Broud la trouvait affreuse. La surprise de la jeune fille n'échappa pas au garçon que cette réaction encouragea. Il lui fit à nouveau impérativement signe d'adopter la position qui lui permettrait d'assouvir ses désirs, la position du rapport sexuel.

Ayla savait ce qu'il attendait d'elle. Outre les explications d'Iza, elle avait souvent vu, comme tous les enfants, les adultes du Clan se livrer à cette activité à laquelle on ne mettait aucune entrave. C'est en regardant faire leurs parents que les enfants apprenaient à se conduire en adultes, et ils imitaient volontiers entre eux leur comportement sexuel.

Mais Ayla n'avait aucun garçon de son âge avec qui jouer, à l'exception de Vorn qu'elle n'aimait pas particulièrement du fait qu'il cherchait à imiter Broud dans son comportement à son égard. Malgré l'incident survenu au cours de l'entraînement à la fronde, le jeune garçon portait encore à Broud une adoration sans bornes, et il n'avait jamais cherché à mimer l'accouplement avec Ayla. Par conséquent, elle se trouvait encore vierge au sein d'un groupe où chacun se livrait aux activités sexuelles aussi naturellement qu'il respirait.

La jeune femme ne savait que faire, consciente qu'elle devait s'exécuter, et en proie à un effarement dont Broud jouissait. Il était ravi de son idée et tout excité de la voir ainsi prise de panique. Il se pressa contre elle quand elle fit mine de se relever et la força à se mettre à genoux. Dans son inexpérience, Ayla fut effrayée par la respiration haletante de l'homme.

Impatient, Broud la jeta à terre et se débarrassa de son vêtement, exhibant un sexe énorme et turgescent. Qu'est-ce qu'elle attend, se demandait-il. Elle est si laide qu'elle devrait se sentir flattée de trouver un homme qui veuille d'elle.

Quand Broud se jeta sur Ayla, quelque chose se brisa en elle. Elle ne pouvait s'exécuter, cela lui était impossible. Elle sentit sa raison chavirer. Bondissant sur ses pieds, elle se mit à courir, mais Broud, plus rapide, la rattrapa, la fit tomber et la frappa au visage, lui ouvrant la lèvre d'un coup de poing. Il commençait à trouver ce jeu amusant. Trop souvent, il avait dû se retenir de la battre, mais cette fois, personne ne pouvait l'en empêcher, et il avait une raison valable de le faire : elle lui désobéissait ouvertement.

Ayla était comme folle. Elle essaya de se relever et il la frappa de nouveau. Il allait enfin dompter cette femme insolente. Il cogna à coups redoublés, prenant un immense plaisir à la voir frémir chaque fois qu'il levait la main.

La tête en feu, le sang ruisselant de son nez et de la commissure de ses lèvres, elle essayait toujours de se relever, mais il la plaquait au sol. Elle se débattait, lui martelant la poitrine à coups de poings sans autre résultat que de l'exciter encore davantage : la violence déchaînait le désir du garçon, l'incitant à frapper de plus belle.

Elle était à moitié évanouie quand il la retourna face contre terre, la dépouilla de son vêtement et lui écarta les jambes, pour la pénétrer profondément d'un seul coup violent. Elle hurla de douleur ; il s'enfonça de nouveau en elle, lui arrachant un autre cri de souffrance, et il recommença encore et encore. Son excitation atteignit bientôt une intensité insupportable et, en un dernier assaut, provoquant un dernier hurlement déchirant, il se libéra de la tension accumulée.

Broud s'écroula sur elle un instant, épuisé. Puis, toujours pantelant, il se retira. Ayla sanglotait nerveusement. Ses larmes salées avivaient les blessures de son visage maculé de sang ; l'un de ses yeux était tuméfié, à moitié fermé et commençait à virer au noir ; ses cuisses étaient couvertes de sang et elle avait horriblement mal au ventre. Broud se leva et regarda la fille toujours à terre. Il se sentait bien ; il n'avait jamais pris autant de plaisir à pénétrer une femme. Ramassant ses armes, il reprit le chemin de la caverne.

Ayla resta face contre terre longtemps après avoir cessé de sangloter. Elle finit par se lever. Son corps n'était que souffrance. Voyant le sang couler entre ses cuisses et les taches dans l'herbe, elle se demanda si son totem n'était pas encore en train de se battre. « Mais non, décida-t-elle, ce n'est pas le moment habituel. Broud a dû me blesser, mais je ne savais pas qu'il pouvait ainsi me faire mal. Pourtant, cela ne fait pas mal aux autres femmes. Est-ce moi qui ne suis pas normale ? »

Elle se dirigea péniblement vers la rivière et s'y lava sans réussir à se débarrasser de la douleur lancinante ni de son trouble. « Pourquoi Broud a-t-il fait cela avec moi ? Iza dit que les hommes désirent assouvir leurs besoins avec les femmes qui leur plaisent, or moi je suis laide. Et pourquoi un homme voudrait-il faire mal à une femme qui lui plaît ? Les femmes aussi semblent y prendre plaisir, sinon pourquoi feraient-elles tant de gestes pour les encourager ? Cela ne gêne pas Oga quand Broud lui fait ça, au moins une fois par jour, si ce n'est davantage. »

Le soleil était déjà bas à l'horizon quand elle remonta chercher le lagopède qu'elle avait laissé sur le tertre. En regardant la rivière, elle se souvint combien elle avait été heureuse de chasser en cet endroit. Il lui semblait qu'il y eût des siècles de cela. Puis elle se traîna jusqu'à la caverne, souffrant le martyre à chaque pas.

Tandis que le soleil disparaissait derrière les arbres, Iza se sentait de plus en plus anxieuse. Elle s'était mise à la recherche d'Ayla dans tous les sentiers avoisinants et avait poussé jusqu'au promontoire rocheux pour scruter le chemin qui descendait vers les steppes. Creb, lui aussi, était préoccupé quoiqu'il s'efforçât de n'en rien laisser paraître ; et quand la nuit tomba Brun lui-même commença à s'inquiéter. Iza fut la première à la voir revenir. Elle s'apprêtait à la réprimander, mais elle se ravisa en la voyant.

— Ayla ! Tu es blessée ! Que s'est-il passé ?

— Broud m'a battue, répondit-elle d'un air accablé.

— Mais pourquoi ?

— Je lui ai désobéi, lui signifia la jeune femme en entrant dans la caverne.

Que pouvait-il s'être passé ? se demanda Iza. Cela faisait des années qu'Iza ne désobéissait plus à Broud. Alors pourquoi s'était-elle révoltée à présent contre lui ? Et lui, pourquoi n'avait-il rien dit ? Il savait que j'étais inquiète. Il est rentré depuis midi. Comment se fait-il qu'Ayla rentre seulement maintenant ? Iza jeta un regard furtif dans la direction du foyer de Broud et le vit, contre tous les usages, dévisager Ayla d'un air narquois.

La scène n'avait pas échappé à Creb. Il savait que la haine de Broud n'avait fait que croître au cours des années et que l'impassible soumission de la jeune fille semblait l'exaspérer plus encore que sa révolte enfantine. Mais cette fois, un élément nouveau était intervenu, donnant à Broud le sentiment d'avoir barre sur elle. En dépit de sa perspicacité, Creb ne pouvait en deviner la nature.

Le lendemain, Ayla, redoutant de quitter le foyer, fit durer son repas matinal aussi longtemps que possible. Mais Broud l'attendait, excité par le souvenir de son plaisir de la veille. Quand il lui fit de nouveau le signe convenu, elle fut tentée de prendre la fuite, mais elle se résigna. Malgré ses efforts pour demeurer silencieuse, la souffrance lui arracha des cris qui suscitèrent la curiosité des membres du Clan. Ils ne comprenaient pas plus ces cris de douleur que le soudain intérêt de Broud pour cette laideronne.

Broud jouissait du nouveau pouvoir qu'il exerçait sur Ayla et il en usa largement, à la grande surprise de tout le Clan qui le voyait délaisser son avenante compagne pour cette fille hideuse qu'il détestait. Au bout de quelque temps, Ayla cessa de souffrir mais elle continuait à détester cela. Et c'est justement ce qui plaisait à Broud : il l'avait remise à sa place, il avait affirmé sa supériorité et enfin trouvé un moyen de la faire réagir. Il aimait la voir trembler à son approche, il se délectait de sa soumission forcée. Il lui suffisait d'y penser pour se sentir envahi d'un désir frénétique. Son activité sexuelle, déjà considérable, s'était encore accrue. Tous les matins où il n'allait pas à la chasse, il la prenait, puis de nouveau le soir et parfois même dans le courant de la journée.

Ayla perdit tout entrain. Elle se sentait abattue, morose, et sans plus de goût à rien. Un seul sentiment l'occupait : sa haine implacable pour Broud et pour ce qu'il lui faisait subir.

Si elle s'était toujours montrée propre et soigneuse, multipliant les ablutions à la rivière, ses cheveux à présent formaient une masse terne et emmêlée, et elle portait continuellement le même vêtement, sans jamais se préoccuper de le nettoyer. Elle renâclait à accomplir les corvées ménagères, obligeant les hommes les moins brutaux à la corriger. Elle perdit tout intérêt pour les plantes médicinales, cessa de parler, si ce n'est pour répondre à des questions directes, ainsi que d'aller à la chasse. Le malaise provoqué par son état gagna tout le monde au foyer de Creb.

Iza, qui ne comprenait pas les motifs de ce changement

soudain, était fort inquiète. Elle savait que cela tenait à l'inexplicable intérêt que Broud portait à Ayla, mais il dépassait son entendement de voir une telle cause produire un tel effet.

En guérisseuse expérimentée, ce fut elle qui remarqua la première qu'Ayla ne respectait pas l'isolement relatif auquel les femmes se voyaient astreintes lorsque leurs totems se battaient, et elle se mit à surveiller plus attentivement sa fille adoptive. L'hypothèse qui lui vint à l'esprit lui parut d'abord extravagante. Mais après l'écoulement d'une autre lune, Iza se sentit sûre de son fait. Un soir, en l'absence de Creb, elle appela Ayla.

— Je voudrais te parler.

— Oui, Iza, répondit Ayla en se traînant auprès d'elle.

— Quand ton totem s'est-il battu pour la dernière fois, Ayla ?

— Je n'en sais rien.

— Je veux que tu fasses un effort pour y réfléchir. Les Esprits se sont-ils battus en toi depuis que les arbres ont perdu leurs fleurs ?

La jeune fille rassembla avec peine ses souvenirs.

— Une fois, peut-être.

— C'est bien ce que je pensais, dit Iza. Tu as des nausées le matin, n'est-ce pas ?

— Oui, acquiesça-t-elle.

Ayla croyait que ses malaises étaient dus aux assauts de Broud, si pénibles à supporter qu'elle en vomissait son repas du matin et même parfois celui du soir.

— Est-ce que tu as mal aux seins ?

— Oui, un peu.

— Et ils ont grossi, n'est-ce pas ?

— Je crois. Mais pourquoi me poses-tu toutes ces questions ?

— Ayla, dit-elle en la regardant avec sérieux, je ne comprends pas ce qui a pu se passer et j'ai même du mal à y croire, mais je suis sûre d'avoir raison.

— Et en quoi as-tu raison ?

— Ton totem a été vaincu, tu vas avoir un enfant.

— Un enfant, moi ? Mais je ne peux pas en avoir, protesta Ayla, mon totem est trop puissant.

— Je sais bien, Ayla, et je n'y comprends rien, mais tu vas quand même donner le jour à un enfant, répéta Iza.

Une lueur d'espoir apparut dans le regard morne de la jeune femme.

— Est-ce vrai ? Moi, avoir un enfant ? Oh, maman, c'est merveilleux !

— Ayla, tu n'as pas de compagnon, et aucun homme du Clan ne voudra de toi, même comme seconde compagne. Or, tu ne peux avoir d'enfant sans compagnon, cela lui porterait malheur, déclara Iza avec fermeté. Il vaudrait mieux que tu essaies de t'en débarrasser. Je pense que le gui fera l'affaire. C'est une plante très efficace, et utilisée avec précaution, à peu près inoffensive. Je vais te faire une infusion de feuilles avec quelques baies seulement, cela aidera ton totem à expulser la vie naissante. Tu seras un peu malade, mais...

— Non, non et non ! coupa Ayla en secouant vigoureusement la tête. Non, Iza, je ne prendrai rien du tout. Je veux un enfant, j'en ai toujours voulu un depuis la naissance d'Uba et je n'aurais jamais cru cela possible.

— Mais Ayla, ça va porter malheur à l'enfant ! Il pourrait naître anormal.

— Mais non, tu verras, je ferai très attention. Ne dis-tu pas qu'un totem puissant contribue, après sa défaite, à favoriser une heureuse naissance ? Iza, il faut absolument que je garde cet enfant ; mon totem ne sera peut-être plus jamais vaincu. Je dois saisir cette chance !

Pour la première fois depuis longtemps, Iza perçut dans le regard implorant de la jeune fille une étincelle de vie. Elle savait qu'elle aurait dû insister pour qu'Ayla absorbe le breuvage ; mais elle craignait que la jeune femme ne sombre dans une dépression encore plus profonde. Peut-être avait-elle raison, après tout, peut-être était-ce là son unique chance de procréer ?

— Parfait, si tel est ton désir. Mais n'en parle à personne pour l'instant, on le saura bien assez tôt.

— Oh, Iza ! s'écria Ayla en se jetant dans ses bras, le visage illuminé de joie. Elle sembla retrouver soudain toute son énergie et ne plus tenir en place.

— Maman, que fais-tu à manger pour ce soir ? Laisse-moi t'aider.

— Un ragoût d'auroch, répondit la guérisseuse, stupéfaite par la transformation soudaine de la jeune fille. Tu peux découper la viande, si tu veux.

Tandis que les deux femmes s'affairaient, Iza s'aperçut qu'elle avait presque oublié combien la présence d'Ayla pouvait lui apporter de joie. La jeune fille recommençait même à s'intéresser aux techniques de la guérisseuse.

— Je ne connaissais pas cet usage du gui, s'étonna-t-elle.

— Tu auras toujours quelque chose à apprendre, Ayla, mais tu en sais déjà bien assez. La tanaisie fait également l'affaire mais elle est d'un usage plus dangereux. Il faut utiliser toute la plante, les fleurs, les feuilles et les racines, et les faire bouillir. Si tu remplis d'eau cette écuelle jusqu'à la hauteur de cette marque et si tu la fais réduire jusqu'à la contenance de ce bol-ci, tu obtiendras une quantité suffisante. Les fleurs de chrysanthèmes se révèlent parfois efficaces et sont beaucoup moins dangereuses que le gui ou la tanaisie, mais le résultat n'est pas garanti. Il est aussi autre chose dont je voudrais t'entretenir, Ayla, poursuivit Iza en s'assurant que Creb ne se trouvait pas dans les parages. Aucun homme ne doit apprendre ce secret, connu des guérisseuses seules. Tu promets de n'en parler à personne, même pas aux autres femmes ?

— Oui, répondit Ayla.

— Je ne pense pas que tu en aies besoin un jour pour toi-même, mais il faut que tu le connaisses, en ta qualité de guérisseuse. Il est parfois souhaitable, après un accouchement difficile, que la femme n'ait plus d'autre enfant. Dans ce cas, la guérisseuse lui donne ce qu'il faut pour cela, sans lui dire de quoi il s'agit. Certaines plantes possèdent la propriété particulière de fortifier le totem d'une femme au point qu'il empêche toute vie de prendre naissance.

— Tu peux donc empêcher une femme de devenir enceinte ? Tu peux donner de la puissance à n'importe quel totem, même à un totem faible ? Et cela même si Mog-ur prépare un charme pour donner de la force au totem de l'homme ?

— Oui, Ayla. C'est pourquoi les hommes ne doivent jamais apprendre ce secret. C'est le sortilège dont je me suis servie moi-même pour inciter mon compagnon, que je n'aimais pas, à me donner à un autre homme. J'espérais qu'il ne voudrait plus de moi si je n'avais pas d'enfant, avoua Iza.

— Mais tu as eu Uba.

— Au bout d'un certain temps, la magie a dû perdre de son pouvoir. Ou bien peut-être mon totem n'avait-il plus envie de lutter, ou encore peut-être voulait-il que j'aie un enfant ? Je n'en sais rien. Il existe des forces plus puissantes que la magie, Ayla. Personne ne pourra jamais connaître vraiment le monde des

Esprits, pas même Mog-ur. Qui aurait cru que ton totem pût s'avouer vaincu ? Iza jeta un coup d'œil furtif autour d'elle avant de poursuivre. Vite que je termine avant le retour de Creb. Tu vois cette petite plante grimpante jaune avec des fleurs et des feuilles toutes petites ?

— Le fil d'or ?

— Exactement. On l'appelle aussi l'herbe qui étrangle, parce qu'elle tue la plante autour de laquelle elle s'enroule. Après l'avoir fait sécher, tu en fais bouillir une poignée, dans assez d'eau pour remplir l'écuelle d'os, jusqu'à ce qu'elle ait pris une couleur de foin mûr. Il faut en boire deux gorgées tous les jours durant lesquels le totem ne se bat pas.

— Ne peut-on également en faire des emplâtres contre les piqûres et les démangeaisons ?

— Mais oui, et cela te fournira un excellent prétexte pour en avoir toujours en réserve.

À ce moment-là, Creb entra dans la caverne et surprit les deux femmes en grande conversation. Il se rendit compte au premier regard de la transformation d'Ayla. La jeune fille était à la fois éveillée, attentive et souriante. Elle a dû se reprendre un peu, pensa-t-il, en gagnant son foyer.

— Iza, cria-t-il pour attirer leur attention. Suis-je condamné à mourir de faim aujourd'hui ?

La guérisseuse se leva précipitamment, l'air contrit, tandis qu'à la grande joie de Creb, Ayla s'activait.

— Ce sera bientôt prêt, annonça-t-elle.

Et tandis qu'il s'installait sur sa natte, Uba fit irruption dans la caverne.

— J'ai faim ! s'exclama-t-elle.

— Toi, tu as toujours faim, Uba, dit Ayla en faisant tournoyer la petite fille. Uba était aux anges ; c'était la première fois de tout l'été qu'Ayla était d'humeur à jouer avec elle.

Plus tard, après le dîner, Uba se pelotonna sur les genoux de Creb. Ayla chantonnait tout doucement en aidant Iza à faire le nettoyage. Le vieux sorcier poussa un soupir d'aise. « Les garçons sont très importants pour le Clan, mais je crois que je préfère les filles, pensa-t-il. Au moins, elles n'ont pas besoin de démontrer leur bravoure à tout bout de champ et ne craignent pas de se blottir dans vos bras pour s'endormir. »

Le lendemain matin, Ayla s'éveilla étourdie de bonheur en se rappelant sa découverte de la veille. Soudain impatiente de se lever, elle pensa aller se laver les cheveux à la rivière. Mais au moment où elle s'apprêtait à quitter la caverne, elle s'entendit appeler.

— Ayla ! lui criait Broud sur un ton méprisant en lui faisant le signe convenu.

La jeune fille s'arrêta, interloquée. Elle avait complètement oublié l'existence de son tourmenteur et ne songeait plus qu'à bercer un bébé dans ses bras, son bébé. Espérons qu'il va se dépêcher, se dit-elle en adoptant la position que Broud attendait pour satisfaire ses désirs.

Mais Broud ne se sentait pas en forme. Il lui manquait quelque chose. La haine, la rage qu'elle n'était jamais parvenue à dissimuler complètement s'étaient évanouies. Ayla était ailleurs, calme, sereine, indifférente à tout ce qu'il pouvait lui faire, résignée à accepter ses caprices.

Or, ce qui procurait du plaisir à Broud, c'était plus de la dominer que l'acte sexuel en lui-même. Il s'aperçut qu'il ne ressentait à présent aucune excitation et, après plusieurs tentatives infructueuses, il abandonna la partie, fort humilié, et regagna son foyer.

Soulagée qu'il ait enfin cessé de ressentir cette attirance incompréhensible pour Ayla, Oga lui fit bon accueil. Elle n'avait jamais été jalouse, car il n'y avait aucun motif à cela. Broud était son compagnon, et ne semblait pas avoir l'intention de la quitter. Il était normal qu'un homme assouvisse ses désirs avec la femme de son choix. Mais ce qu'elle ne comprenait pas, c'était qu'il s'intéressât à une femme qui, de toute évidence et pour une raison mystérieuse, ne prenait aucun plaisir avec lui.

Quant à Broud, la soudaine indifférence d'Ayla à son égard l'exaspéra au plus haut point. Il croyait avoir découvert un moyen infaillible de la dominer, de briser une fois pour toutes sa résistance tout en savourant son plaisir et il n'en fut que plus déterminé à la soumettre de nouveau par quelque autre moyen.

XIX

Tout le monde fut consterné en apprenant qu'Ayla était enceinte. Les spéculations allaient bon train pour savoir à qui revenait le prestige d'avoir vaincu l'Esprit du Lion des Cavernes, et tous les hommes auraient aimé pouvoir s'en attribuer le mérite.

La grossesse d'Ayla ne se déroulait pas dans de bonnes conditions. La jeune femme était malade tous les matins et, au bout du quatrième mois, alors que son ventre commençait à s'arrondir, elle se mit à avoir des hémorragies. Aussi Iza décida-t-elle de demander à Brun de la dispenser de toute activité. Elle était persuadée qu'Ayla ferait mieux de se débarrasser de l'enfant, convaincue que cela se passerait sans difficulté. Elle était très inquiète pour la jeune femme, dont les bras et les jambes maigrissaient de façon alarmante, contrastant étrangement avec la rondeur de son ventre. De grands sillons noirs lui cernaient les yeux et ses cheveux devenaient ternes. Toujours transie, elle passait le plus clair de son temps blottie au coin du feu, emmitouflée dans des fourrures. Néanmoins, lorsqu'Iza lui demanda d'absorber le breuvage qui la débarrasserait définitivement de son enfant, elle s'y opposa avec une énergie farouche.

— Iza, je t'en supplie, aide-moi au contraire. Je veux cet enfant, implora-t-elle. Je sais que tu peux m'aider.

Iza sentit qu'elle ne pouvait lui refuser son assistance. Depuis un certain temps, elle comptait presque exclusivement sur Ayla pour se procurer les plantes dont elle avait besoin. Elle sortait elle-même rarement depuis que de violentes quintes de toux lui interdisaient tout effort. Néanmoins, elle quitta la caverne un beau matin pour se mettre en quête de certaine racine particulièrement indiquée pour prévenir les fausses couches. Elle s'enfonça dans la forêt et s'engagea sur l'un des sentiers abrupts qui serpentaient au flanc de la colline. Elle se sentait beaucoup plus faible qu'elle ne l'aurait cru, et à bout de souffle, elle dut faire de nombreuses haltes en chemin.

Au milieu de la matinée, le temps changea subitement. Poussés par un vent glacial, de gros nuages s'amoncelèrent et une violente averse se mit à tomber. En quelques minutes, Iza fut trempée jusqu'aux os. Elle n'en poursuivit pas moins ses recherches et finit par découvrir la plante en question, dans un bosquet de pins. Parcourue de frissons, elle arracha fébrilement quelques racines et se remit péniblement en marche, brisée par la toux et crachant le sang. Elle se trompa plusieurs fois sur le chemin du retour et c'est à la nuit tombée seulement qu'elle parvint en vue de la caverne.

— Maman, où étais-tu ? s'exclama Ayla. Tu es trempée. Viens vite près du feu.

— Tiens, Ayla, j'ai trouvé ces racines pour toi. Laves-en une et mâche-la... Une quinte de toux l'interrompit. Mâche-la crue, ça t'aidera à garder le bébé, poursuivit-elle les yeux brillants et les joues en feu.

Ayla savait Iza malade depuis longtemps, mais elle n'avait jamais pris conscience jusqu'alors de la gravité de son état. À dater de ce jour, oubliant sa grossesse et ses hémorragies, dédaignant même de manger, elle ne s'occupa plus que de sa mère adoptive avec l'assistance d'Uba qui ne perdait pas un seul de ses gestes. La petite fille n'était pas la seule à observer Ayla. Le Clan tout entier était préoccupé par la santé de la guérisseuse et sceptique quant aux capacités de la jeune femme. Indifférente à leurs appréhensions, Ayla se consacrait exclusivement à celle qu'elle appelait sa mère.

Elle employa tous les remèdes que lui avait appris la guérisseuse, et n'hésita pas à recourir à de nouvelles méthodes. L'action conjuguée de ses traitements et de ses soins attentifs ainsi que la propre volonté de vivre d'Iza, eut pour résultat qu'à l'entrée de l'hiver, la guérisseuse était suffisamment remise pour s'occuper à nouveau de la grossesse d'Ayla. Il était plus que temps.

La santé de la jeune femme était préoccupante. Elle ne cessait de perdre son sang et souffrait de maux de reins constants. Iza s'étonnait que l'enfant continuât à se développer, malgré la faiblesse de la future mère. Et le fait est qu'il se développait considérablement, faisant prendre au ventre d'Ayla d'étonnantes proportions. Il s'agitait si vigoureusement qu'elle en perdit pratiquement le sommeil. Iza n'avait jamais vu de femme souffrir autant lors d'une grossesse difficile.

Mais Ayla ne se plaignait jamais, de peur que la guérisseuse ne l'incite à se débarrasser du bébé. Sa grossesse était d'ailleurs beaucoup trop avancée pour qu'Iza y songeât. Quant à Ayla, les souffrances qu'elle endurait la confortèrent dans l'idée que si elle venait à perdre cet enfant, elle n'en aurait plus jamais d'autre. Elle vit de sa couche les pluies printanières balayer la neige. Uba lui apporta le premier crocus de la saison, et les bourgeons allaient éclore le jour où elle entra en couches.

Les premières contractions, annonciatrices d'une délivrance proche, furent comme un soulagement. Iza prépara une infusion d'écorce de saule et, si elle nourrissait des doutes quant à l'issue, elle n'en laissa rien paraître.

À la fin de l'après-midi, les contractions devinrent plus fréquentes et Iza administra à la patiente une décoction analgésique pour la soulager. Étendue sur sa couche, le front en sueur, Ayla gémissait de douleur à chaque spasme, tandis qu'Iza, assistée d'Ébra, s'activait auprès d'elle. Assis autour du feu dans le foyer de Brun, les hommes avaient interrompu leur conversation et fixaient le sol d'un air morne.

— Son bassin est trop étroit, Ébra, déclara Iza. L'enfant ne passera jamais.

— Ne crois-tu pas qu'il faudrait crever la poche des eaux ? Ça pourrait l'aider, proposa Ébra.

— J'y ai pensé, mais j'attendais le moment propice. Je vais le faire à la fin de cette contraction. Tu veux me passer le bâtonnet ?

Ayla se cambra violemment en saisissant la main des deux femmes et poussa un long cri déchirant.

— Ayla, je vais essayer de t'aider, dit Iza. Tu m'entends ?

Ayla acquiesça sans un mot.

— Je vais crever la poche des eaux. Il faut que tu t'accroupisses, ça aidera le bébé à sortir. Tu vas y arriver ?

— Je vais essayer, murmura Ayla.

Provoquant une nouvelle contraction, les eaux surgirent.

— Lève-toi maintenant, ordonna la guérisseuse.

Iza et Ébra soulevèrent la jeune femme et la soutinrent chacune par un bras tandis qu'elle essayait de s'accroupir sur la peau de bête.

— Vas-y, pousse maintenant, Ayla.

— Elle n'y arrive pas, dit Ébra. Elle n'a plus assez de force.

— Ayla, il faut que tu pousses plus fort, insista Iza.

— Je ne peux pas, répondit faiblement Ayla.

— Mais il le faut, Ayla ! Essaye, sans quoi ton bébé va mourir ! dit Iza, sans ajouter qu'Ayla mourrait aussi.

Faisant appel à des ressources d'énergie insoupçonnées, Ayla rassembla ses dernières forces, prit une grande inspiration et s'accrocha à la main d'Iza. Proche de l'évanouissement, le front emperlé de sueur sous l'effort, elle avait l'impression que tous ses os se brisaient.

— Vas-y, Ayla. Encore, encore, l'encourageait Iza. La tête commence à sortir, continue !

Prenant une autre inspiration, Ayla poussa de nouveau. Elle sentit sa peau et ses muscles se déchirer, mais elle continua à pousser de plus belle, jusqu'au moment où la tête du bébé émergea de l'étroit passage. Iza entreprit alors de la tirer délicatement. Le plus dur était fait.

— Encore un effort, Ayla, un dernier petit effort pour le délivrer.

La jeune femme se tendit une fois encore avant de perdre connaissance.

Iza attacha un morceau de nerf teint à l'ocre rouge au cordon ombilical du nouveau-né avant de le couper avec les dents. Puis elle lui donna de petites tapes sur les pieds jusqu'à ce que sa faible plainte se transforme en un puissant vagissement. Il est vivant, pensa-t-elle. Mais au moment où elle s'apprêtait à le nettoyer, le cœur lui manqua. Elle emmaillota l'enfant dans la peau de lapin déjà préparée pour lui, puis elle confectionna pour Ayla un cataplasme de racines mâchées. La jeune mère gémit en ouvrant les yeux.

— Mon bébé, Iza… C'est un garçon ou une fille ? demanda-t-elle.

— C'est un garçon, Ayla, répondit la guérisseuse, qui

s'empressa d'ajouter, pour ne pas lui laisser de vains espoirs : mais il est anormal.

Le faible sourire d'Ayla se mua en une grimace horrifiée.

— Non ! Ce n'est pas possible ! Montre-le-moi !

— Je redoutais cela, dit Iza en lui apportant l'enfant. C'est souvent ce qui arrive lorsqu'une femme a une grossesse difficile. Je suis navrée, Ayla.

La jeune femme défit la peau de lapin et regarda son fils. Il avait les bras et les jambes plus grêles que ceux d'Uba à sa naissance, plus longs également, mais pourvus du nombre exact de doigts aux pieds et aux mains. Son minuscule pénis ne laissait aucun doute sur son sexe. Son crâne était quelque peu déformé par les épreuves de son entrée dans le monde ; mais cela n'était pas le plus grave : Iza savait qu'il reprendrait une forme acceptable d'ici peu. C'étaient plutôt la conformation générale de sa tête, sa grosseur anormale, sa structure difforme pour toujours, sans parler du petit cou maigre trop fragile pour soutenir ce poids énorme, qui paraissaient bizarres.

À l'image des membres du Clan, le nouveau-né avait des arcades sourcilières proéminentes, mais au lieu de s'interrompre brusquement, son front décrivait un renflement ressemblant à une bosse au-dessus des sourcils. Son crâne, de forme arrondie, n'avait pas la longueur voulue, et au lieu de se prolonger en une ligne douce vers le dos, il s'arrêtait net au niveau de la nuque bien arquée. Ses traits étaient des plus surprenants : de grands yeux ronds, un nez beaucoup plus petit que la normale, une grande bouche mais des mâchoires étroites comparées à celles des autres membres du Clan, et sous la bouche, une espèce de protubérance osseuse qui le défigurait irrémédiablement. Quand Iza avait pris le bébé dans ses bras, en voyant sa tête ballotter, elle avait sérieusement douté qu'il pût un jour parvenir à la tenir droite.

Blotti contre sa mère, le bébé cherchait déjà à téter, et Ayla l'aida à trouver son sein.

— Tu ne devrais pas, Ayla, lui dit Iza avec douceur. Ne lui donne pas de forces, car on va bientôt te l'enlever, et tu auras encore plus de peine à te séparer de lui.

— Me séparer de lui ? s'écria Ayla interloquée. Mais c'est mon bébé ! Mon fils !

— Tu n'as pas le choix, Ayla. C'est la règle ici. Une mère doit se débarrasser de son enfant s'il est anormal. Alors, autant se dépêcher de le faire avant que Brun ne l'ordonne.

— Mais Creb était bien difforme et on l'a laissé vivre, protesta Ayla.

— Le compagnon de sa mère était le chef du Clan, et il lui a permis de garder l'enfant. Mais toi tu n'as pas de compagnon, tu n'as personne pour défendre ton fils. Ayla, pourquoi laisser vivre un enfant destiné à être malheureux toute sa vie ? Finissons-en au plus vite, lui conseilla Iza.

À contrecœur, Ayla arracha son enfant de son sein et fondit en larmes.

— Oh, Iza, gémit-elle. Je désirais tellement ce bébé ! Je voulais tant en avoir un pour moi toute seule, comme les autres femmes. Ne me force pas à m'en débarrasser.

— Je sais que c'est pénible, Ayla, mais c'est ainsi, insista Iza le cœur gros. Le bébé cherchait désespérément la chaleur du sein dont il venait d'être brutalement privé. Il se mit à pleurnicher et bientôt poussa un hurlement sonore et insistant, le cri du nouveau-né affamé.

— Non, c'est tout simplement impossible ! déclara Ayla en lui redonnant le sein. Mon fils est vivant, il respire. Il est peut-être difforme, mais il est fort. Tu l'as entendu crier ? As-tu jamais entendu un nouveau-né pousser de pareils cris ? Tu l'as vu se débattre ? Regarde donc comme il tète ! Je veux le garder, Iza, et je le garderai. Je partirai plutôt que de le tuer. Je sais chasser. Je pourrai le nourrir et m'en occuper toute seule !

— Ayla, tu plaisantes ! dit Iza qui avait pâli. Où irais-tu ? Tu es beaucoup trop faible, tu as perdu tellement de sang.

— Je n'en sais rien, maman. Quelque part, n'importe où. Mais je ne l'abandonnerai pas.

Ayla se sentait résolument déterminée et Iza comprit alors qu'elle mettrait son projet à exécution. Mais elle était trop faible pour s'en aller vivre ailleurs ; elle mourrait assurément en essayant de sauver son enfant.

— Ayla, ne dis pas ça, supplia Iza. Donne-le-moi. Si tu n'as pas la force de le faire, c'est moi qui vais m'en charger. Je dirai à Brun que tu es trop fatiguée. Laisse-moi le prendre, dit-elle en tendant les bras. Une fois qu'il ne sera plus là, il te sera plus facile de l'oublier.

— Non, non ! Iza, protesta Ayla en s'agrippant au petit fardeau qu'elle protégeait de tout son corps, je vais le garder.

Peu importe comment. Et même si je dois m'en aller, je le garderai.

Uba n'avait rien perdu de la scène entre les deux femmes, pas plus d'ailleurs que de l'accouchement difficile d'Ayla. Elle adorait la jeune femme aux cheveux blonds, à la fois sa camarade de jeu, son amie, sa mère et sa sœur, et si sa délivrance douloureuse l'avait effrayée, elle l'était plus encore en entendant Ayla parler de s'en aller. Cela lui rappelait la première fois où elle était partie et où tout le monde disait qu'elle ne reviendrait jamais.

— Ne t'en va pas, Ayla, s'écria la petite fille. Maman, tu ne vas pas la laisser partir !

— Je n'en ai pas envie, Uba, mais je ne peux pas laisser mourir mon bébé.

— Et pourquoi ne le déposes-tu pas tout au sommet d'un arbre, comme dans l'histoire d'Aba ? S'il survit pendant sept jours, Brun sera obligé de l'accepter, proposa Uba.

— L'histoire d'Aba est une légende, Uba, expliqua Iza. Aucun bébé ne pourrait résister au froid sans rien manger.

Mais Ayla n'écoutait plus ; une idée venait de germer dans son esprit.

— Maman, une partie de la légende est vraie, dit-elle enfin.

— Que veux-tu dire ?

— Si mon enfant est encore vivant au bout de sept jours, Brun sera obligé de l'accepter, n'est-ce pas ?

— Que vas-tu imaginer, Ayla ? Tu n'espères tout de même pas le retrouver vivant au bout de sept jours si tu le laisses dehors sans nourriture ? Tu sais bien que c'est impossible.

— Je ne vais pas le laisser dehors, je vais l'emmener. Je connais un endroit où l'abriter. Je peux très bien y aller avec mon fils et ne revenir que le jour de la cérémonie. Brun devra alors lui donner un nom et me le laisser.

— Non ! Ayla, ne fais pas ça ! Ce serait aller à l'encontre des traditions du Clan, et Brun sera furieux. Il te cherchera et finira bien par te trouver et par te reconduire à la caverne. Non, ce n'est pas bien, lui reprocha Iza fort agitée.

Jamais Iza ne s'était permis d'aller à l'encontre des traditions ou des prérogatives de Brun, et la seule idée de s'y risquer la faisait pâlir. Le projet d'Ayla constituait à lui seul une manifestation de révolte à laquelle elle n'aurait jamais songé et qu'elle pouvait encore moins approuver. Mais elle savait combien Ayla tenait à cet enfant et son cœur se serrait en pensant à tout ce qu'elle avait enduré pour le mener à terme et lui donner le jour. Elle a raison, pensait-elle en regardant le nouveau-né. Il est difforme, mais cela ne l'empêche pas d'être fort et en bonne santé. Creb est né infirme, et pourtant cela ne l'a pas empêché de devenir Mog-ur. La pauvre, c'est son premier enfant. Si elle avait un compagnon, il se pourrait qu'il le laisse vivre.

Iza songea un instant à s'ouvrir de cela à Creb ou à Brun, comme elle aurait normalement dû le faire, mais elle ne put s'y résoudre. Elle déposa quelques pierres chaudes dans un bol d'eau pour faire une infusion d'ergot. Ayla dormait, le bébé dans ses bras, quand Iza lui présenta le breuvage.

— Bois ça, Ayla, dit-elle. J'ai enveloppé le placenta et l'ai mis là-bas, dans le coin. Tu peux te reposer cette nuit, mais il faudra t'en débarrasser demain avec l'enfant. Brun est déjà au courant. Ébra lui a tout dit. Il préférerait ne pas avoir à examiner le bébé et t'ordonner officiellement de t'en débarrasser. Il s'attend plutôt à ce que tu le fasses disparaître en même temps que la preuve de sa naissance.

Par ces propos, Iza venait de lui apprendre le temps qui lui restait pour mettre à exécution son projet. Ayla resta éveillée un long moment après son départ en réfléchissant à tout ce qu'il lui faudrait emporter dans sa fuite : une couverture pour dormir, des peaux de lapin pour le bébé, quelques bandes de cuir, sa fronde et des couteaux, et aussi de quoi manger et l'outre d'eau.

Le lendemain matin, Iza prépara de la nourriture en abondance. Creb, qui était rentré tard la veille, évita toute conversation avec Ayla, faute de savoir que lui dire.

— Mais Iza, il y a là de quoi nourrir tout le Clan ! remarqua-t-il. Nous ne pourrons jamais manger tout ça.

— C'est pour Ayla, répondit Iza en baissant la tête précipitamment.

« Iza a le cœur maternel, pensa le vieil homme. Mais Ayla a effectivement grand besoin de reprendre des forces ; elle mettra du temps avant de se remettre complètement. Je me demande si elle pourra jamais avoir un enfant normal. »

Quand Ayla se leva, elle sentit la tête lui tourner et un flot de sang chaud couler. Lorsqu'elle quitta la caverne il pleuvait un peu. Elle avait rangé une partie de ses affaires au fond de son panier, en les cachant sous le paquet à l'odeur forte de placenta, et elle dissimula le reste sous la grande fourrure dans laquelle elle s'était enveloppée, après avoir installé son bébé sur sa poitrine, dans une peau de bête suspendue à son cou. Si elle se sentit légèrement mieux en pénétrant dans les bois, la nausée persistait. Arrivée au plus profond de la forêt, elle se mit à creuser un trou, avec la plus grande difficulté tant elle était faible, où elle enterra le paquet contenant le délivre ainsi qu'Iza lui avait appris à le faire, sans oublier les signes symboliques. Puis elle regarda son fils, profondément endormi, et décida que personne ne le mettrait jamais dans un trou comme celui qu'elle venait de creuser. Elle entreprit alors la pénible ascension vers les hauts pâturages, sans s'apercevoir que quelqu'un la guettait.

A peine avait-elle quitté la caverne, qu'Uba s'était glissée dans son sillage. Connaissant l'état de faiblesse d'Ayla, elle craignait qu'elle s'évanouisse et, qu'attirée par l'odeur du sang, quelque bête féroce ne trouve en elle une proie facile. La petite fille avait perdu sa trace dans la forêt, mais elle la retrouva en la voyant gravir le sentier escarpé.

Ayla s'appuyait sur sa bêche pour marcher et s'arrêtait souvent, luttant contre la nausée. Elle sentait le sang couler le long de ses jambes, et se prit à regretter le temps où elle pouvait gravir la colline sans le moindre essoufflement. Aujourd'hui, sa prairie lui paraissait infiniment loin. Au bord de l'évanouissement, elle se forçait à poursuivre son chemin, bien décidée à avancer tant qu'il lui resterait un soupçon de force et animée par une seule idée : atteindre la prairie, gagner la grotte.

Uba suivait à distance, de peur qu'Ayla s'aperçoive de sa présence, mais si elle n'était pas arrivée dans la prairie au moment même où Ayla se faufilait dans la petite grotte, elle n'aurait jamais pu deviner où la fugitive s'était réfugiée, tant les branchages de noisetiers étaient inextricablement enchevêtrés pour en dissimuler l'entrée. Uba se dépêcha de regagner la caverne où elle avait laissé Iza dans l'ignorance de son dessein. Sa course l'avait entraînée beaucoup plus loin qu'elle ne l'imaginait et l'enfant craignait de se faire gronder en arrivant. Mais Iza ne s'inquiétait aucunement. Elle avait vu sa fille s'élancer sur les traces d'Ayla, et deviné ses intentions, sans pour autant chercher à en avoir le cœur net.

XX

— Ne devrait-elle pas être rentrée, Iza ? s'inquiéta Creb qui avait passé tout l'après-midi à guetter le retour d'Ayla.

Iza hocha la tête nerveusement, sans lever les yeux du quartier de viande qu'elle était en train de débiter en morceaux.

— Aïe ! s'écria-t-elle soudain en se coupant avec l'instrument tranchant.

Creb leva les yeux, non seulement surpris par sa maladresse mais aussi par cette interjection. Iza était si habile à manier les outils acérés qu'il ne se rappelait pas l'avoir jamais vue se blesser.

— Je viens de parler à Brun, Iza, déclara-t-il. Il ne croit pas nécessaire de commencer les recherches dès à présent. Personne ne doit savoir où une femme a décidé de... enfin, où elle est allée. Mais par ailleurs elle est si faible qu'il se peut qu'elle soit évanouie quelque part sous la pluie. Tu devrais aller la chercher toi-même, Iza, c'est toi la guérisseuse. Elle n'a pas dû aller bien loin. Et ne t'inquiète pas pour le dîner, je peux attendre encore un peu. Vas-y avant qu'il fasse nuit noire.

— Je ne peux pas, répondit Iza en suçant son doigt blessé.

— Comment, tu ne peux pas ? s'étonna Creb.

— Non, je ne pourrai pas la trouver.

— Comment peux-tu le savoir, tu n'as même pas commencé à la chercher ?

— Ça ne servirait à rien, je ne pourrais pas la trouver.

— Et pourquoi donc ? insista Creb.

— Parce qu'elle se cache, avoua la femme dont le regard reflétait l'angoisse et la peur.

— Elle se cache ! Mais de quoi se cache-t-elle ?

— De tout le monde. De Brun, de toi, de moi, de tout le Clan, répondit Iza.

Devant les réponses énigmatiques de sa sœur, Creb ne savait que penser.

— Iza, tu ferais mieux de m'expliquer pourquoi elle se cache de nous tous et plus particulièrement de toi.

— Elle désire garder le bébé, Creb, déclara Iza précipitamment. Je lui ai bien dit que c'est le devoir d'une mère de se débarrasser d'un enfant anormal, mais elle n'a rien voulu entendre. Tu sais combien elle le désirait, ce petit. Elle m'a dit qu'elle allait se cacher avec lui jusqu'au jour de la cérémonie du Nom. Alors, Brun sera obligé de l'accepter.

Creb ne fut pas long à comprendre toutes les implications de la fuite d'Ayla.

— Oui, Brun sera obligé d'accepter son fils dans le Clan, Iza, mais il la condamnera pour sa désobéissance, et cette fois pour toujours. Tu sais bien que les hommes ne tolèrent pas de se voir contraints par une femme ? Brun ne transigera pas, de peur que ses hommes cessent de le respecter. De toutes façons, il va perdre la face. Et dire que le Rassemblement des Clans aura lieu l'été prochain ! Il ne pourra jamais faire front aux accusations des autres Clans, et le nôtre sera ridiculisé à cause d'Ayla, répliqua le sorcier avec colère. Comment une telle idée a-t-elle pu lui traverser la tête ?

— C'est dans l'une des histoires d'Aba, celle où une mère dépose son enfant anormal au faîte d'un arbre, répondit Iza, désespérée de ne pas s'être montrée plus ferme envers Ayla.

— Des contes de bonnes femmes, oui ! s'exclama Creb sur un ton méprisant. Aba aurait dû s'abstenir de mettre de telles sottises dans la tête d'une jeune fille.

— Aba n'est pas la seule responsable, Creb, tu l'es également.

— Moi ! Quand donc lui ai-je raconté de pareilles sornettes ?

— Tu n'as pas eu besoin de lui en raconter. Tu es né infirme et on t'a néanmoins laissé vivre. Aujourd'hui tu es Mog-ur.

La révélation d'Iza ébranla profondément le vieux sorcier manchot et boiteux.

— Et toi, Iza, tu n'as rien tenté pour la dissuader ?

— J'ai fait tout ce que j'ai pu. Je lui ai proposé de la débarrasser moi-même de l'enfant, mais elle ne m'a pas laissée m'en approcher. Oh, Creb, elle a tellement souffert pour le mettre au monde !

— Alors, ainsi, tu l'as laissée partir en espérant que son projet réussirait ! Et pourquoi ne pas en avoir parlé à Brun ou à moi ?

Iza se contenta de secouer la tête d'un air accablé.

— Où est-elle allée ? demanda Creb durement.

— Je n'en sais rien. Elle m'a parlé d'une petite grotte.

Le sorcier lui tourna brutalement le dos et se dirigea vers le foyer du chef.

Les cris du nouveau-né finirent par tirer Ayla de sa torpeur. La nuit était tombée et la petite grotte sans feu était froide et humide. La jeune femme fouilla à tâtons dans son panier pour trouver de quoi changer son enfant ainsi qu'une bande de peau absorbante pour elle-même. Après s'être désaltérée, elle s'enveloppa dans la fourrure et donna le sein à son petit. Quand elle s'éveilla pour la seconde fois, les rayons du soleil filtraient à travers le réseau de branchages, illuminant la caverne. Elle se restaura un peu et nourrit le nouveau-né.

Revigorée par le sommeil et le repas, Ayla songea aux plaisirs du printemps, aux cueillettes et aux chasses qu'elle allait pouvoir entreprendre d'ici peu, mais en se levant, elle se sentit toute désemparée à la vue du sang qui lui souillait les jambes et elle décida d'aller se laver et, par la même occasion, de ramasser du bois. Elle se demandait que faire du bébé. En règle générale, les femmes du Clan ne laissaient jamais leurs enfants sans surveillance, mais Ayla pensait qu'elle ramasserait davantage de bois sans son petit. Et puis, elle désirait se laver tranquillement et rapporter aussi de l'eau.

Elle quitta la caverne après en avoir convenablement obstrué l'entrée avec le rideau de branchages des noisetiers. Le sol était détrempé ; les abords du ruisseau, une mare de boue glissante. Frissonnant de froid dans le vent d'est, Ayla se déshabilla et entra dans l'eau glacée pour se rincer et nettoyer ses vêtements. Puis elle se dirigea vers les bois environnants et se mit en devoir d'arracher les branches basses d'un sapin, lorsque soudain la tête lui tourna et ses genoux flageolèrent. Il lui fallut abandonner toute idée de chasser ou même de ramasser du bois. Sa grossesse difficile, son accouchement éprouvant, sa récente escalade avaient eu raison de ses dernières forces.

Le bébé pleurait quand elle regagna la caverne. Le froid, l'humidité et la disparition du contact rassurant de sa mère l'avaient réveillé. Elle se laissa tomber par terre et eut à peine la force de tirer la lourde couverture sur leurs deux corps blottis l'un contre l'autre avant de sombrer dans un sommeil lourd.

— Ne vous ai-je pas toujours dit qu'elle était insolente, obstinée ? s'exclama Broud sur un ton triomphant. S'est-il trouvé quelqu'un pour me croire ? Non, personne ! Vous avez tous pris son parti, vous lui avez trouvé des excuses, vous l'avez laissée agir à sa guise et même autorisée à chasser, sous prétexte qu'elle possède un totem puissant. Qu'importe, les femmes n'ont pas le droit de chasser ! Le Lion des Cavernes ne l'y a jamais incitée, ce n'était qu'une provocation ! Voyez ce qui arrive quand on est trop faible avec les femmes ! Quand on leur laisse trop de liberté ! Maintenant, elle s'imagine qu'elle pourra obliger le Clan à accepter son fils anormal. Mais personne ne pourra lui trouver de bonnes excuses cette fois. Elle a délibérément bafoué les coutumes du Clan et c'est impardonnable !

Broud jubilait de pouvoir lancer à la face de chacun son « je vous l'avais bien dit ! » Il retournait le couteau dans la plaie avec une satisfaction qui impatientait le chef du Clan. Non seulement Brun se trouvait en mauvaise posture, mais le fils de sa compagne ne lui facilitait pas la tâche.

— Tu viens de marquer un point, Broud, admit-il. Il est inutile d'insister davantage. Je m'occuperai d'elle à son retour. Personne ne m'a jamais impunément obligé à rien faire contre ma propre volonté. Quand nous poursuivrons les recherches demain matin, enchaîna-t-il, je propose que nous les dirigions vers les endroits où nous n'avons pas l'habitude d'aller. Iza a mentionné l'existence d'une petite grotte. L'un de nous en a-t-il vu dans les environs ? Ce doit être assez près d'ici car elle était trop faible pour aller bien loin. Malgré la pluie, on découvrira peut-être l'une de ses empreintes. Peu importe le temps qu'il nous faudra, mais je veux qu'on la retrouve.

Iza attendait anxieusement la fin de la discussion entre Brun et les hommes. Prenant son courage à deux mains, elle s'était décidée à lui demander un entretien, et quand elle vit la réunion terminée elle se présenta au foyer du chef et s'assit à ses pieds, les yeux baissés.

— Que veux-tu, Iza ? lui demanda Brun après lui avoir tapé sur l'épaule.

— La femme indigne qui se tient devant toi désire te parler, commença Iza.

— Tu as mon autorisation.

— La femme qui se tient devant toi a eu tort de ne pas prévenir le chef quand elle a su ce que la jeune femme avait l'intention de faire. Mais, Brun, elle désirait tellement cet enfant ! poursuivit Iza sans plus respecter la langage des convenances, tant elle était bouleversée. Personne ne croyait possible qu'elle pût jamais donner le jour à un enfant. Elle était si heureuse de l'avoir mené à terme et elle a tellement souffert ! Cet enfant, même difforme, elle ne voulait pas l'abandonner. Elle n'avait plus tout à fait sa tête à elle, Brun. Elle ne savait plus très bien ce qu'elle faisait. Je sais que je n'ai pas le droit de t'en faire la demande, mais je te supplie de lui laisser la vie sauve.

— Pourquoi n'es-tu pas venue plus tôt, Iza ? Me suis-je montré si dur envers elle ? Les souffrances de son accouchement ne m'ont pas échappé. Un homme doit éviter de regarder ce qui se passe chez son voisin, mais il ne peut se boucher les oreilles. Personne ici n'ignore ce qu'Ayla a enduré pour donner naissance à son fils. Crois-tu donc que je n'aie pas de cœur ? Si tu étais venue me dire ce qu'elle avait l'intention de faire, ne penses-tu pas que j'aurais envisagé de lui laisser son enfant, si sa difformité n'avait pas été trop monstrueuse ? Mais tu ne m'en as pas donné la possibilité et cela ne te ressemble pas.

Je ne t'ai jamais vue faillir à tes devoirs, Iza. Tu as toujours été un exemple pour les autres femmes, et je préfère mettre ta conduite sur le compte de ta maladie. Je sais aussi qu'Ayla pensait tenir sa seule et unique chance d'avoir un enfant, et je crois qu'elle n'avait pas tort. Et pourtant, sans considération aucune pour son état, quand elle t'a vue malade, elle a tout mis en œuvre pour te guérir.

Je m'apprêtais justement à autoriser Ayla à devenir guérisseuse car j'en étais venu à la respecter autant que je te respecte, Iza. Elle a été un modèle d'obéissance malgré le comportement du fils de ma compagne. Il était indigne de lui de s'acharner ainsi sur une femme. Mais peut-être voit-il dans sa conduite des choses qui m'échappent ? Peut-être ai-je fait preuve d'aveuglement en ce qui la concerne ? Iza, si tu étais venue me parler plus tôt, j'aurais pu considérer ta requête, mais il est trop tard à présent. Quand elle reviendra avec son enfant, elle mourra et son fils avec elle.

Le lendemain, Ayla essaya d'allumer un feu avec le bois qui restait de son précédent séjour, mais elle n'eut pas la force de fournir un effort suffisamment soutenu pour provoquer une étincelle, et c'est précisément ce qui la sauva. Droog et Crug découvrirent le chemin qui menait à la prairie tandis que la mère et son fils dormaient, et s'ils avaient senti un feu ou même des cendres chaudes, ils les auraient découverts. Ils s'approchèrent si près de leur refuge qu'ils auraient entendu le nouveau-né s'il s'était mis à pleurer. Mais l'ouverture de la grotte était si bien dissimulée par le vieux buisson de noisetiers que ni l'un ni l'autre ne remarqua rien.

De plus, la chance continua à lui sourire. Les pluies printanières qui tombaient sans discontinuer avaient transformé les abords du ruisseau en un véritable marécage et effacé toute trace du passage d'un être humain. Les deux hommes possédaient une telle expérience de la chasse que non seulement ils étaient capables d'identifier les empreintes de tous les membres du Clan, mais qu'ils auraient tout de suite repéré les pousses coupées ou les trous laissés par l'arrachage de racines si Ayla avait pu cueillir de quoi manger. Une fois encore, ce fut sa faiblesse qui la sauva.

Lorsqu'un peu plus tard, elle s'aventura dehors, elle eut un coup au cœur en voyant les empreintes des deux hommes qui s'étaient arrêtés pour boire au ruisseau. Après cette découverte, elle n'osa plus sortir de la grotte, et elle tressaillait chaque fois qu'un coup de vent faisait bouger le buisson de noisetiers.

Les provisions qu'elle avait apportées tiraient à leur fin. En fouillant dans le panier qu'elle avait laissé dans la grotte lors de son précédent séjour, elle découvrit seulement quelques noisettes sèches ou moisies, ainsi que les crottes de petits rongeurs qui ne s'étaient pas privés de puiser largement dans ses réserves. Elle se souvint alors qu'elle avait caché de la viande de daim au fond de la caverne. Soulevant les pierres, elle s'aperçut avec joie que rien n'avait été touché, mais sa joie fut bientôt interrompue.

Le cœur battant, Ayla vit les branchages bouger doucement.

— Uba ! s'écria-t-elle en voyant la petite fille se glisser à l'intérieur. Comment as-tu fait pour me trouver ?

— Je t'ai suivie quand tu es partie. Je craignais qu'il t'arrive quelque chose. Tiens, je t'ai apporté de quoi manger et une infusion pour faire monter ton lait. C'est maman qui l'a préparée.

— Est-ce qu'Iza sait où je suis ?

— Non, mais elle sait que je le sais. Je crois qu'elle ne tient pas à le savoir directement, autrement elle serait obligée de le dire à Brun. Oh, Ayla, Brun est vraiment furieux contre toi. Les hommes te cherchent toute la journée.

— Je sais, j'ai vu leurs empreintes, mais ils n'ont pas trouvé ma caverne.

— Broud ne cesse de se vanter d'avoir toujours su que tu étais insupportable. Je n'ai presque pas vu Creb depuis ton départ ; il passe son temps là où il y a les Esprits, et maman est très malheureuse. Elle te fait dire de ne pas revenir.

— Si elle ne t'a pas parlé de moi, comment a-t-elle pu te transmettre un message ? demanda Ayla.

— Elle a préparé plus de nourriture que nécessaire hier soir et ce matin aussi ; mais pas trop parce qu'elle avait peur que Creb se doute que c'était pour toi. Après, elle a préparé l'infusion en se lamentant et en se parlant à elle-même. Elle me regardait droit dans les yeux, en répétant :

« Ah, si quelqu'un pouvait dire à Ayla de ne pas revenir ! Ma pauvre enfant, ma pauvre fille, elle n'a rien à manger, elle est si faible. Elle a besoin de lait pour nourrir son bébé... » et ainsi de suite. Ensuite, elle est partie en laissant cette outre pleine et toute la nourriture enveloppée.

Ayla ne répondit pas et garda le silence un long moment. Uba regardait tendrement la jeune mère qui, perdue dans ses pensées, semblait avoir complètement oublié sa présence.

— Ayla, dit-elle timidement. Tu veux me le montrer ? Je ne l'ai pas encore vu.

— Mais bien sûr, Uba, s'exclama la jeune femme, confuse de ne pas mieux s'occuper de la petite fille qui venait de faire un si long chemin pour lui transmettre le message d'Iza, et qui pourrait encourir un grave châtiment si l'on venait à s'apercevoir qu'elle connaissait la cachette. Tu veux le prendre dans tes bras ?

— Tu veux bien ?

Ayla lui déposa le bébé sur les genoux, et Uba commença à le démailloter.

— Ce n'est pas trop terrible, Ayla. Il n'est pas estropié comme Creb. Il est un peu maigrichon, mais c'est surtout sa tête qui est différente, presque comme la tienne. Tu ne ressembles à personne du Clan.

— C'est parce que je ne suis pas née dans le Clan ; Iza m'a trouvée quand j'étais petite. Elle dit que je suis née chez les Autres, mais je fais partie du Clan maintenant, déclara Ayla fièrement avant de baisser la tête d'un air accablé. Mais plus pour longtemps, ajouta-t-elle.

— Tu ne regrettes jamais ta mère, pas Iza, ta vraie mère ? demanda Uba curieuse.

— Iza est la seule mère dont je me souvienne. Je ne me rappelle rien avant mon arrivée dans le Clan, répondit Ayla qui pâlit soudain. Uba, où vais-je aller si je ne peux pas rentrer à la caverne ?

— Je ne sais pas, Ayla. Maman a dit que Brun perdrait la face si tu l'obligeais à accepter ton fils et c'est pour ça qu'il est si en colère. Je ne veux pas que tu partes, Ayla, mais si tu reviens, tu mourras.

La jeune femme contempla le petit visage bouleversé de la fillette, sans s'apercevoir qu'elle-même était en larmes. Elles tombèrent dans les bras l'une de l'autre.

— Il vaut mieux que tu t'en ailles Uba, sinon tu vas avoir des ennuis, lui conseilla Ayla en reprenant son enfant. Uba, je suis heureuse de t'avoir revue une dernière fois. Dis à Iza... dis à maman que je l'aime. Dis-le aussi à Creb, ajouta-t-elle en redoublant de sanglots.

— Je le ferai, Ayla.

Après le départ d'Uba, Ayla ouvrit le paquet de provisions. Il ne contenait pas grand-chose, mais avec la venaison séchée, elle aurait de quoi manger pendant quelques jours. Et ensuite, que se passerait-il ? L'esprit en proie à la plus totale confusion, elle préféra ne pas penser à l'avenir. Elle mangea sans appétit, but un peu d'infusion et s'allongea de nouveau, son petit serré contre elle, pour trouver refuge dans le sommeil.

Ayla ne quittait la grotte que pour aller chercher de l'eau. Emmitouflée dans ses fourrures, elle avait assez chaud pour se passer de feu. Les provisions qu'Uba lui avait apportées ainsi que la viande de daim sèche et dure comme du cuir mais extrêmement nourrissante la dispensaient de chasser, lui laissant tout loisir de se reposer. Endurci par des années de travaux éreintants, son jeune corps se remettait rapidement et elle n'eut bientôt plus besoin de dormir autant. Mais à l'état de veille, des pensées funestes l'assaillaient.

Ayla était assise près de l'entrée de la caverne, son fils endormi dans les bras. Un soleil printanier, que cachaient par moment quelques nuages, réchauffait le seuil de son refuge. La jeune femme contemplait son enfant dont la paisible respiration était rassurante.

« Uba a dit que tu n'es pas si vilain, pensa-t-elle ; c'est aussi ce qu'il me semble. Tu es un peu différent, c'est tout. Mais pas aussi différent que moi ! songea-t-elle avec angoisse en se rappelant son reflet dans la mare. Mon front est aussi bombé que le sien et ce petit os sous la bouche, j'en ai un moi aussi. Mais moi je n'ai pas les arcades sourcilières aussi avancées. En fait il ressemble un petit peu aux bébés du Clan. C'est un mélange d'eux et de moi.

Je ne crois pas que tu sois anormal, mon fils. Si mon Esprit s'est mêlé à celui d'un homme du Clan, tu es le fruit de ce mélange. Mais je me demande quel est le totem qui t'a engendré. »

Le visage baigné de larmes, Ayla serrait son enfant contre son cœur :

— Que vais-je faire, mon bébé ? Si je reviens pour la cérémonie, Brun me maudira. Où puis-je aller ? Où trouver une autre grotte ? Je ne peux pas rester ici, il y a trop de neige en hiver, et c'est trop près de la caverne. Tôt ou tard, les chasseurs finiront bien par me découvrir.

Je veux rentrer à la caverne, sanglotait Ayla, le visage enfoui dans la couverture de son enfant. Je veux revoir Uba et Creb. Si je rentre maintenant, Brun ne perdra pas la face, il reste encore deux jours avant la cérémonie. Il sera peut-être moins en colère contre moi.

Mais s'il refuse de t'accepter ? Si tu dois mourir, je mourrai avec toi. Je te le promets, mon fils. On va s'en aller tout de suite, et je vais demander à Brun l'autorisation de te garder. Que puis-je faire d'autre ?

Ayla fourra précipitamment toutes ses affaires dans son panier, enveloppa son enfant dans une couverture qu'elle se noua sur l'épaule et s'emmitoufla dans sa grande fourrure avant de se glisser hors de la petite grotte. En sortant, son regard fut attiré par un objet brillant : une pierre grise qui étincelait de tous ses feux dans le soleil. Elle la ramassa. Depuis le temps qu'elle hantait la grotte et ses parages, elle n'avait jamais remarqué cette pierre insolite.

La serrant dans ses poings, Ayla ferma les yeux. Cela pouvait-il être un signe de son totem ?

— Grand Lion des Cavernes, dit-elle avec solennité, veux-tu me faire savoir que je dois rentrer à présent ? Ô Grand Lion des Cavernes, fais que ce signe soit la preuve que tu m'as trouvée digne de toi et que mon enfant vivra.

Les mains tremblantes, elle défit les nœuds de la petite bourse de cuir qu'elle portait toujours pendue à son cou et ajouta la brillante pyrite de fer au morceau d'ivoire, au fossile de gastéropode et au fragment d'ocre rouge. Le cœur battant de peur malgré cette faible lueur d'espoir, Ayla se mit en route vers la caverne du Clan.

XXI

Uba se précipita dans la caverne en faisant de grands gestes.

— Maman, maman ! Ayla est de retour !

— Non ! Ce n'est pas possible ! s'écria Iza. Le bébé est-il avec elle, Uba ? Est-ce que tu es allée la voir ? Est-ce que tu lui as dit ?

— Oui, maman, je l'ai vue. Je lui ai tout raconté.

Iza se rua à l'entrée de la caverne pour voir Ayla s'avancer lentement vers Brun et se jeter à ses pieds en protégeant son enfant de tout son corps.

— Elle est en avance ; elle a dû se tromper, dit Brun à l'adresse du sorcier qui s'était empressé de sortir à son tour.

— Elle ne s'est pas trompée, Brun. Elle sait très bien qu'elle est en avance. Elle est revenue trop tôt exprès, déclara Mog-ur.

Le chef dévisagea le vieil homme, l'air étonné et il ajouta avec une visible appréhension :

— Es-tu bien sûr que les charmes destinés à nous protéger se montreront efficaces ? Elle devrait encore observer la réclusion imposée aux femmes après leur accouchement.

— Les charmes sont puissants, Brun. Je les ai préparés à partir des os d'Ursus. Tu es bien protégé. Tu peux la voir en toute sécurité, répondit le sorcier.

Brun se retourna pour considérer la jeune femme tremblante. Piqué de curiosité, il lui donna une tape sur l'épaule.

— Cette femme indigne a désobéi, commença Ayla en s'exprimant par gestes, sans le regarder dans les yeux. La femme qui se tient devant toi aimerait parler au chef.

— Tu ne mérites pas la parole, femme, mais Mog-ur a invoqué exprès pour toi la protection des Esprits. Si tu désires parler, ils t'y autorisent. En effet, tu as désobéi ; qu'as-tu à dire ?

— Cette femme t'en es reconnaissante. Elle connaît les coutumes du Clan, et au lieu de se débarrasser de son enfant, comme le lui commandait la guérisseuse, elle s'est enfuie. Elle voulait revenir le jour de la cérémonie du Nom pour que le chef fût obligé d'accepter l'enfant dans le Clan.

— Tu es revenue trop tôt, s'exclama Brun d'un air triomphant. Je peux encore demander à la guérisseuse de t'enlever ton fils.

— Cette femme sait bien que le jour de la cérémonie n'est pas encore arrivé, répondit Ayla. Mais elle a compris qu'elle avait tort de vouloir forcer le chef à accepter son fils. Ce n'est pas à elle de décider si son enfant doit vivre ou bien mourir. Seul le chef en a le droit, et c'est pour cela que cette femme est revenue.

Brun dévisagea Ayla dont l'expression reflétait la parfaite détermination. Elle a repris ses sens à temps, pensa-t-il.

— Connaissant les traditions du Clan, pourquoi es-tu revenue avec ton enfant difforme ? Es-tu prête à t'en séparer à présent ? Préfères-tu que la guérisseuse s'en charge à ta place ?

Ayla hésita quelques instants tout en cachant son enfant contre son sein.

— Cette femme s'en séparera si le chef le lui ordonne, déclara-t-elle avec peine, très lentement ; mais cette femme a promis à son fils de ne pas le laisser partir seul dans le monde des Esprits. Si le chef décide que l'enfant n'est pas digne de vivre, elle lui demande de la maudire. Brun, je te supplie de laisser la vie sauve à mon fils, ajouta Ayla, oubliant de respecter les formes. S'il doit mourir, je ne désire pas vivre.

La fervente prière d'Ayla surprit le chef. Il savait que certaines femmes désiraient garder leur enfant en dépit de leurs malformations. Néanmoins, la plupart étaient soulagées de s'en débarrasser au plus vite. Un enfant anormal jetait l'opprobre sur sa mère et la rendait moins désirable. Dans le cas où la difformité ne provoquait pas un désavantage majeur, il fallait néanmoins songer aux problèmes de hiérarchie dans le Clan et aux futures unions. La vieillesse de la mère pouvait se révéler pénible si ses enfants ou les compagnons de ses enfants n'étaient pas capables de subvenir à ses besoins. Le requête d'Ayla était un exemple sans précédent.

— Tu désires donc mourir avec ton enfant anormal et pourquoi donc ? demanda Brun.

— Mon fils n'est pas anormal, répondit Ayla, sans la moindre provocation. Il est différent, c'est tout. Moi aussi, je suis différente. Si mon totem se laisse encore vaincre, tous les enfants que j'aurai lui ressembleront. Aucun ne sera donc autorisé à vivre, c'est pourquoi je désire mourir.

— Quand une femme avale l'Esprit du totem d'un homme, l'enfant ne doit-il pas ressembler à ce dernier ? demanda Brun à Mog-ur.

— En principe oui. Mais n'oublie pas qu'elle possède un totem masculin. C'est pour ça que le combat fut si rude. Le Lion des Cavernes voulait peut-être manifester son emprise sur cette vie nouvellement créée. Il faut que je médite un peu là-dessus.

— Mais l'enfant est tout de même difforme.

— Cela arrive fréquemment quand le totem d'une femme ne veut pas se soumettre complètement. La grossesse est alors difficile et l'enfant mal conformé, répondit Mog-ur. Je suis encore plus étonné que ce soit un garçon. En général, quand le totem de la femme est puissant, c'est une fille qui naît. Mais nous n'avons toujours pas vu ce petit, Brun. Nous devrions peut-être l'examiner.

Cela en vaut-il la peine ? se demanda Brun. Pourquoi ne pas la maudire tout de suite et faire disparaître le bébé ? Si le retour d'Ayla et son repentir avaient jeté un baume sur l'orgueil blessé de Brun, il était loin de se laisser attendrir. Combien de problèmes déjà lui avait-elle causés ? Combien allait-elle lui en causer à présent qu'elle était de retour ? De plus, le Rassemblement des Clans approchait, comme Broud ne cessait de le lui rappeler.

Mais Brun n'aimait pas prendre de décisions précipitées. Il fit signe à Ayla de regagner le foyer de Creb et s'éloigna. Ayla alla se jeter dans les bras d'Iza. Au moins avait-elle la consolation de voir une dernière fois la seule mère qu'elle ait jamais connue.

— En temps normal, je ne vous aurais jamais demandé de prendre la peine d'examiner cet enfant, déclara Brun. J'aurais pris ma décision moi-même. Mais dans ce cas particulier, je voudrais connaître vos sentiments, car la malédiction suprême ne se prononce pas à la légère et il me déplairait d'exposer le

Clan aux puissances maléfiques. Si vous considérez le garçon digne d'être accepté, je pourrais difficilement condamner la mère, car il faudrait dans ce cas remettre le bébé à une autre femme ayant un enfant à la mamelle. Si vous le laissez vivre, le châtiment d'Ayla sera donc moins rigoureux. La cérémonie du Nom devrait avoir lieu demain ; je dois prendre une décision au plus vite car Mog-ur a besoin d'un délai pour organiser les rites de la malédiction, si tel doit être le châtiment.

— Il y a sa tête, commença Crug, dont la compagne, Ika, nourrissait encore son petit et qui n'avait aucun désir d'ajouter un nouveau venu à son foyer. Non seulement elle est difforme, mais il ne peut même pas la soutenir. Quel homme fera-t-il ? Comment chassera-t-il ? Il sera toute sa vie durant une charge pour le Clan.

— Ne pensez-vous pas que son cou finira par se muscler ? demanda Droog. Si Ayla meurt, elle emportera avec elle une partie de l'Esprit d'Ona. Oga serait prête à prendre son fils, et moi aussi, mais à condition qu'il ne présente pas une charge pour le Clan.

— Avec un cou aussi maigre et une tête aussi grosse, il serait étonnant qu'il parvienne à la tenir droite, remarqua Crug.

— Je n'en voudrais chez moi pour rien au monde ! s'exclama Broud. Il n'est pas question qu'il devienne le frère de Brac et de Grev. Si Ayla emporte avec elle une petite partie de l'Esprit de Brac, il n'en mourra pas. Je ne comprends pas pourquoi tu hésites, Brun. Tu étais prêt à la maudire et, sous prétexte qu'elle est revenue avant la cérémonie, tu es prêt à lui pardonner et tu envisages même d'accepter son fils anormal. Si j'étais le chef...

— Mais tu n'es pas encore chef, Broud, répliqua froidement Brun, et tu n'es pas prêt à le devenir si tu te révèles incapable de te maîtriser. Ce n'est qu'une femme, Broud, en quoi te sens-tu menacé ? Que risques-tu ? « Si j'étais le chef... Si j'étais le chef... » C'est tout ce que tu sais dire ! Quel chef sacrifierait la sécurité de son Clan à son désir de tuer une femme ?

Les hommes se sentaient troublés et mal à l'aise. S'ils étaient habitués aux éclats de Broud, ils n'avaient jamais vu leur chef à ce point hors de lui.

Pendant un long moment, les regards de Broud et de Brun s'affrontèrent en un violent combat. Ce fut Broud qui baissa les yeux le premier. Brun tenait à nouveau la situation en main et le jeune homme comprit que sa position n'était pas aussi assurée qu'il se l'imaginait. Ravalant son amertume, Broud s'efforça de retrouver son calme.

— Je comprends parfaitement, reprit Brun, qu'en grandissant l'enfant risque de devenir un réel fardeau pour le chef qui me succèdera, mais c'est à moi de prendre la décision. Je ne dis pas que l'enfant sera accepté, Broud, et que sa mère ne sera pas maudite. Je vous ai demandé votre avis à tous, car je ne peux pas prendre cette décision à la légère, de peur que les Esprits maléfiques se liguent contre nous.

Le dépit de Broud s'atténua. Après tout, peut-être Brun ne la protégeait-il pas autant qu'il le croyait.

— Tu as raison, Brun, dit-il d'un air contrit. Un chef doit préserver son clan des dangers. Le jeune homme qui se tient devant toi est reconnaissant de recevoir d'aussi sages leçons.

— Je suis heureux que tu comprennes cela, Broud.

La réponse de Brun indiqua non seulement à Broud qu'il était toujours l'héritier en titre, mais soulagea le reste des chasseurs, rassurés de voir la tradition respectée et leurs rangs au sein du Clan inchangés. Rien ne les troublait tant que l'incertitude face à l'avenir.

— Je pensais précisément au bien-être du Clan en refusant la présence d'un enfant qui pourrait se révéler incapable de chasser, déclara Broud. Ayla a bafoué les traditions du Clan : elle mérite la mort. Son fils est anormal : il mérite la mort.

Un murmure approbateur parcourut l'assistance. C'est effectivement ce qu'il y a de mieux à faire, pensa Brun.

— Ma décision est prise, déclara-t-il. Demain, au petit jour...

— Brun ! coupa Mog-ur, qui n'était pas encore intervenu dans la discussion. Le sorcier avait passé la majeure partie de son temps enfermé dans la petite grotte sacrée à la recherche d'une explication sur la conduite d'Ayla depuis la naissance de son enfant. Avant que tu ne t'engages, Mog-ur demande la parole.

Brun regarda le sorcier dont l'expression était aussi énigmatique qu'à l'accoutumée.

— Mog-ur a mon autorisation.

— Ayla n'a pas de compagnon, et c'est moi qui me suis toujours chargé d'elle, et si tu m'y autorises, je continuerai à remplir cet office.

— Parle si tu le désires, Mog-ur, mais que pourrais-tu ajouter ? J'ai déjà pris en compte l'amour qu'elle porte à son enfant et tout ce qu'elle a enduré pour le mettre au monde. J'ai envisagé toutes les excuses possibles pour justifier ses actes, mais les faits sont là. Elle a transgressé les coutumes du Clan. Les hommes ne peuvent accepter son enfant et Broud a clairement exposé les raisons pour lesquelles ni l'un ni l'autre ne méritent de vivre.

Mog-ur se leva avec peine et laissa tomber son bâton. Drapé dans sa fourrure d'ours, il avait une allure des plus imposantes. Il était le Mog-ur, le seul habilité à communiquer avec le monde des Esprits, le puissant sorcier du Clan. Il émanait de toute sa personne une aura subtile qui ne le quittait jamais. Quand le regard terrifiant du sorcier se posa sur chacun, l'un après l'autre, aucun homme, pas même Broud, ne put s'empêcher de frémir en prenant soudain conscience que la femme qu'ils venaient de condamner à mort partageait le foyer de Mog-ur.

— Le compagnon d'une femme a le droit de défendre la vie d'un enfant anormal, dit-il en se tournant vers Brun. Je te demande de laisser la vie sauve au fils d'Ayla, et pour le bien de l'enfant, je te demande de laisser aussi la vie sauve à sa mère.

Quand Mog-ur vit l'indécision dans le regard de Brun, il poursuivit :

— Brun, depuis l'arrivée d'Ayla dans le Clan, elle vit dans mon foyer. Tout le monde sait parfaitement que les femmes et les enfants considèrent l'homme de leur foyer comme le modèle de ce que doit être un homme du Clan. Telle est la façon dont Ayla me considérait. Or, je suis difforme, Brun. Qu'y a-t-il d'étrange à ce qu'une femme élevée par un homme difforme ne voie pas la difformité de son enfant ? Il me manque un œil et un bras, et la moitié de mon corps est atrophiée. Je ne suis que la moitié d'un homme, et pourtant Ayla m'a toujours considéré comme un homme normal. Son fils a deux yeux, deux bras, deux jambes, comment peut-elle le trouver anormal ?

Je n'ai jamais pris de compagne. Et sais-tu pourquoi ? Sais-tu comment les femmes s'enfuient à mon approche ? Quand j'étais jeune, j'éprouvais moi aussi le besoin d'assouvir mes désirs, mais j'ai appris à me contrôler en voyant les femmes se détourner pour ne pas voir mon geste. Du moins Ayla n'a-t-elle jamais manifesté de répugnance à mon égard.

Je n'ai jamais pu apprendre à chasser. J'étais une charge pour tout le monde, on se moquait de moi, on me traitait de femme.

Aujourd'hui je suis Mog-ur et plus personne ne se moque de moi, mais aucune cérémonie rituelle de passage à l'âge adulte ne fut célébrée en mon honneur. Brun, je ne suis pas la moitié d'un homme, je ne suis pas un homme du tout. Or, ce n'est pas le sorcier qu'Ayla aimait et respectait en moi, c'était l'homme, un homme à part entière. Et je l'aime comme l'enfant de la compagne que je n'ai jamais eue.

Creb se débarrassa de la fourrure qui dissimulait aux regards son corps difforme et atrophié et tendit le moignon qu'il avait toujours caché.

— Brun, voici celui qu'Ayla a toujours considéré comme un homme normal. Voici celui qui lui a servi de modèle. Voici celui qu'elle aime et auquel elle compare son fils. Regarde-moi, mon frère ! Ai-je mérité de vivre ? Le fils d'Ayla est-il moins digne de vivre ?

Tandis que le ciel se teintait légèrement de rose à l'horizon, Ayla, allongée sur sa fourrure, regardait Iza et Uba s'affairer en silence auprès du feu. Le nourrisson, blotti à ses côtés, faisait de petits bruits de succion dans son sommeil. Elle n'avait pas dormi de la nuit.

Creb n'était pas rentré à son foyer, mais Ayla croisa son regard quand il quitta son sanctuaire pour rejoindre les autres hommes que Brun avait conviés à se réunir. C'était un regard empreint d'amour et de pitié.

— Ils sont tous dehors. Il faut y aller, dit Iza.

Ayla se leva, enveloppa son fils dans la peau qui lui servait à le porter, puis jeta sur ses épaules la fourrure qui recouvrait sa couche. Au bord des larmes, elle lança un regard éploré à Iza, puis à Uba, avant de les serrer contre son cœur.

En se laissant tomber aux pieds de Brun, Ayla fixa d'un air absent ses chausses maculées de boue. Le ciel pâlissait ; le soleil n'allait pas tarder à se lever. Elle sentit une tape sur son épaule et, lentement, releva la tête vers le visage du chef à demi dissimulé par une barbe épaisse.

— Femme, tu as délibérément transgressé les lois du Clan et tu mérites un châtiment, commença-t-il sans plus de préliminaires, tandis qu'Ayla acquiesçait de la tête à son accusation. Ayla, femme du Clan, tu es maudite. Personne ne te verra, personne ne t'entendra. Tu es condamnée à subir l'isolement réservé aux femmes. Et, tant que la Lune ne sera pas revenue à sa position actuelle, tu n'auras pas le droit de franchir les limites du foyer de celui qui te nourrit.

Stupéfaite, Ayla jeta un regard incrédule au chef. L'isolement réservé aux femmes ! Elle n'était donc pas condamnée à mort ! Que lui importait d'être ignorée des autres membres du Clan pendant une lune entière, du moment qu'elle ne se séparait pas d'Iza, d'Uba et de Creb. Une fois ce délai écoulé, elle pourrait réintégrer le Clan comme le faisaient toutes les femmes après leurs menstrues.

Mais Brun n'avait pas terminé.

— En outre, tu n'auras plus le droit de chasser ni même de parler de chasse jusqu'à notre retour du Rassemblement des Clans. Jusqu'à la chute des feuilles, tu n'auras pas le droit de t'éloigner sans motif valable. Quand tu auras besoin d'aller ramasser des herbes magiques, tu devras me dire où tu vas et revenir le plus vite possible. Chaque fois que tu voudras quitter les alentours immédiats de la caverne, tu devras me demander la permission. Et tu me montreras à quel endroit se trouve la grotte où tu as trouvé refuge.

Ayla ne cessait d'acquiescer à tout ce que disait Brun tant elle était soulagée. Ce qu'il ajouta mit brutalement fin à son euphorie.

— Reste le problème que pose ton fils anormal.

Ayla étreignit aussitôt son enfant. Non, ils ne lui prendraient pas son fils ! Elle vit Mog-ur sortir de la caverne ; mais quand le sorcier rejeta en arrière sa peau d'ours, faisant apparaître un bol d'osier teinté de rouge, bloqué entre sa taille et son moignon, la jeune femme ne se tint plus de joie.

— Ton fils doit recevoir un nom pour être admis au sein du Clan, dit Brun.

Ayla se releva et courut vers le sorcier auquel elle tendit l'enfant nu en se jetant à ses pieds. Son vagissement sonore fut salué par les premiers rayons du soleil perçant la brume matinale. Un nom ! Elle n'avait jamais songé au nom que Creb pourrait choisir pour son fils. Mog-ur invoqua la protection des Esprits totémiques avant de plonger ses doigts dans le bol d'onguent rouge.

— Durc ! s'exclama-t-il bien haut pour couvrir les cris du nourrisson. Ce garçon s'appelle Durc, répéta-t-il en lui traçant une ligne rouge le long de l'arête du nez.

— Durc, répéta à son tour Ayla. Durc, pensa-t-elle, comme celui de la légende.

— Durc, dit Brun à sa suite.

— Durc, entendit-elle Iza prononcer, tandis qu'un bonheur infini se lisait sur son visage.

— Durc, dit Uba. Je suis tellement contente !

— Durc.

Le ton méprisant de celui qui venait de parler incita Ayla à tourner la tête. Elle n'eut que le temps de voir Broud s'éloigner, les poings serrés.

Comment a-t-il pu faire une chose pareille ? se demandait Broud en s'enfonçant dans les bois pour fuir cette scène qui l'avait mis en fureur. Il donna un grand coup de pied dans une branche morte. Comment a-t-il pu ? Le jeune homme ne cessait de répéter cette phrase en passant à coups de poing sa colère sur tout ce qu'il rencontrait sur son passage. Comment a-t-il pu les laisser vivre tous les deux ?

XXII

— Iza ! Iza ! Viens vite voir Durc ! s'écria Ayla en entraînant la guérisseuse vers la caverne.

— Que se passe-t-il ? s'inquiéta la femme. Il s'est encore étouffé ?

— Mais non, il n'a rien. Regarde ! Il tient sa tête droite !

Couché sur le ventre, le nourrisson levait vers les deux femmes de grands yeux noirs. Sa tête oscilla quelques instants avant de retomber sur la fourrure. Inconscient de l'émoi que venaient de provoquer ses beaux efforts, il fourra son poing dans sa bouche et se mit à le sucer bruyamment.

— S'il arrive à faire ça maintenant, il la tiendra parfaitement droite quand il sera plus grand, dit Ayla.

— Ne te berce pas trop d'illusions, recommanda Iza. Mais c'est bon signe néanmoins.

Mog-ur entra dans la caverne, perdu dans ses pensées.

— Creb ! s'écria Ayla en courant à sa rencontre. Durc tient sa tête tout seul, n'est-ce pas vrai, Iza ?

— Hhmmf, grommela le sorcier. Alors je crois qu'il est temps.

— Temps de quoi faire ?

— Eh bien j'ai pensé qu'il était temps de célébrer les rites totémiques. Il est encore un peu jeune, mais son totem s'est fait connaître à moi. Inutile d'attendre davantage. D'ici peu, nous serons occupés à organiser le départ et il vaut mieux que son totem possède une demeure avant qu'il entreprenne le voyage. Sinon, cela pourrait porter malheur à l'enfant. Euh... Iza, ajouta-t-il à l'adresse de la guérisseuse, à présent que je pense au Rassemblement, te reste-t-il suffisamment de racines pour la cérémonie ? Je ne sais pas encore combien de Clans seront présents, mais assure-toi d'en avoir en quantité.

— Je n'irai pas au Rassemblement des Clans, Creb, annonça Iza dont le regret pouvait se lire sur le visage. Je ne peux plus me permettre d'entreprendre un voyage aussi long.

« Que n'y ai-je pensé tout seul, se reprocha Creb en regardant la guérisseuse dont les cheveux avaient blanchi. C'est vrai, elle est beaucoup trop faible pour nous accompagner. Mais comment faire pour la cérémonie ? Seules les femmes de sa lignée connaissent la préparation du breuvage secret. Uba est trop jeune... Et Ayla, pourquoi pas Ayla ! Iza pourra l'initier avant notre départ. Il est grand temps d'ailleurs qu'elle devienne guérisseuse. »

Creb observa d'un œil critique la jeune femme qui se penchait pour prendre son enfant dans ses bras. « Les autres Clans vont-ils l'accepter ? Elle ne ressemble pas aux femmes de notre peuple, pensa-t-il. Je crains fort qu'elle ne les intrigue trop. Les autres mog-urs pourraient refuser de boire le breuvage, si c'est elle qui le prépare. Enfin, nous verrons bien. Mais si je dois invoquer les Esprits pour la cérémonie totémique, je ferais bien de célébrer en même temps l'accession d'Ayla au rang de guérisseuse. »

— Il faut que j'aille voir Brun, annonça-t-il en se dirigeant vers le foyer du chef. Je pense que tu devrais apprendre à Ayla et à Uba comment préparer le breuvage, ajouta-t-il à l'intention d'Iza.

— Iza, je ne trouve plus le bol que tu m'as donné pour la guérisseuse du Clan qui nous invite, se lamenta Ayla en fouillant frénétiquement dans la pile de fourrures, de provisions et d'affaires de toutes sortes entassées par terre. J'ai cherché partout.

— Mais tu l'as déjà rangé, Ayla. Calme-toi. Brun n'est pas encore prêt, il n'a pas fini de manger. Allez, viens t'asseoir, ton repas va refroidir. Toi aussi, Uba.

Creb, assis sur une natte, Durc sur ses genoux, regardait la scène d'un air amusé.

— Et qu'attends-tu pour venir manger, toi aussi, Iza ? demanda-t-il.

— J'aurai tout le temps quand vous ne serez plus là, répondit-elle. Regarde comme Durc tient sa tête bien droite à présent. Donne-le-moi, je ne vais pas pouvoir le tenir dans mes bras de tout l'été.

— C'est peut-être pour l'aider à se muscler que le Loup gris voulait que la cérémonie ait lieu plus tôt que de coutume, dit Creb.

Le sorcier regarda avec tendresse le petit garçon, heureux comme jamais de se sentir le patriarche de la famille. Le Loup gris est un excellent totem pour ce petit, songeait-il. Mais certains restent avec la meute et d'autres se comportent en loups solitaires. Quel peut bien être celui de son totem ?

Tout le monde sortit de la caverne. Iza embrassa une dernière fois le bébé et tendit quelque chose à Ayla.

— Tiens, cela te revient à présent. Tu es la guérisseuse du Clan, dit Iza en lui remettant une bourse teinte en rouge contenant les précieuses racines. Te souviens-tu de tout ce que tu dois faire ? Il ne faut surtout rien oublier. Je regrette de ne pas avoir pu te faire une démonstration, mais cela est interdit. Et rappelle-toi bien que les racines seules ne suffisent pas à la magie : vous devez vous préparer vous-mêmes aussi soigneusement que vous préparerez le breuvage.

Uba et Ayla acquiescèrent toutes deux tandis que la jeune femme serrait la précieuse bourse dans la sacoche en peau de loutre qu'Iza lui avait donnée le jour où elle avait été reconnue guérisseuse du Clan. Outre les quatre amulettes qu'elle portait à son cou, la pyrite de fer, l'ivoire de mammouth, le fossile de gastéropode et la particule d'ocre rouge, Ayla possédait désormais un fragment de manganésie noire, privilège exclusif des guérisseuses.

— Prends bien soin de toi, Iza, et repose-toi un peu, lui conseilla-t-elle. Zoug et Dorv s'occuperont du feu pour éloigner les bêtes et les Esprits maléfiques, tandis qu'Aba fera la cuisine.

— Oui, oui. Dépêche-toi, Brun est prêt à partir.

Ayla prit place comme d'habitude au bout de la file, sans se rendre compte que tous les regards restaient rivés sur elle. Personne ne bougea.

— Ayla, chuchota Iza. Tout le monde attend que tu prennes la place qui te revient.

Ayla se glissa à la tête des femmes, confuse d'avoir oublié la position privilégiée que lui conférait son nouveau rang de guérisseuse. Et c'est en rougissant qu'elle se plaça devant Ébra.

Iza, Zoug, Dorv et Aba, trop âgés pour faire le voyage,

accompagnèrent les autres jusqu'au promontoire rocheux, d'où ils les regardèrent s'éloigner. Quand ils ne virent plus que de minuscules têtes d'épingles perdues dans la plaine, ils regagnèrent la caverne déserte. Aba et Dorv qui, déjà, n'avaient pu se rendre au précédent Rassemblement se sentaient tout étonnés de se trouver encore en vie, mais c'était la première fois que Zoug et Iza devaient y renoncer.

Malgré la douceur de la journée, ils se pressèrent tous les quatre autour du feu qui flambait devant la caverne, sans éprouver le moindre désir de converser. Ils savaient que leur été allait être désespérément long et solitaire.

Brun conduisit le Clan à un pas que tous pouvaient suivre, mais néanmoins alerte. Ils avaient un long trajet à parcourir avant d'arriver à la caverne de leurs hôtes, dans les montagnes orientales. La perspective des cérémonies dont il aurait la charge et la joie de participer au grand Rassemblement permettaient à Creb de suivre l'allure générale sans trop de mal.

Bien avant qu'ils aient atteint l'isthme qui reliait la péninsule au continent et alimentait en eau salée la mer intérieure, ils aperçurent l'imposante chaîne de montagne qui brillait devant eux. Une calotte de glace étincelante recouvrait le sommet des pics les plus bas, immuable malgré la chaleur torride des plaines alentour.

Il leur fallut deux jours pour traverser des marécages putrides, infestés de moustiques, et parvenir enfin sur le continent. Ils pénétrèrent alors dans une épaisse forêt humide, aux arbres croulant sous les lianes, le lierre grimpant et les clématites, où ils surprirent des daims, des cerfs et des élans ; ils virent également des sangliers, des renards, des loups, des lynx et des léopards, des chats sauvages et une multitude de petits animaux, mais pas un seul écureuil. Ayla se demandait précisément ce qui manquait à cette faune des montagnes, quand le spectacle qui s'offrit à elle détourna son attention.

Un énorme ours brun était en train de se frotter le dos contre un arbre. Tout occupé à se gratter le long de l'écorce rugueuse, il ne prêta aucune attention au Clan médusé. Sa taille immense paraissait à tous particulièrement imposante tant sa fourrure était épaisse et sa tête massive. Mais, outre sa stature impressionnante, c'était son caractère sacré qui figea tous les membres du Clan en une attitude de muette révérence. C'était Ursus, la personnification même du Clan, qui se dressait devant eux. Ses ossements avaient le pouvoir d'éloigner toutes les forces du mal, et son Esprit unissait tous les Clans en un seul : le Clan de l'Ours des Cavernes.

Lassé de son activité, l'ours se redressa de toute sa hauteur pour faire quelques pas, campé sur ses pattes de derrière, avant de se laisser retomber. Flairant le sol, il s'éloigna en trottant pesamment. L'ours des cavernes était un animal fondamentalement pacifique qui n'attaquait personne tant qu'on ne l'importunait pas.

— Était-ce Ursus ? demanda Uba émerveillée.

— Oui, c'était lui, affirma Creb. Et quand nous serons arrivés, tu verras un autre ours des cavernes.

— Le Clan qui nous reçoit vit donc vraiment avec un ours des cavernes ? demanda Ayla. Un ours de cette taille !

La coutume voulait que le Clan qui recevait les autres lors du Rassemblement capture un ourson et l'élève dans sa caverne.

— A présent, il doit être enfermé dans une cage devant la caverne, mais lorsqu'il est petit, il vit à l'intérieur et chaque foyer le nourrit. Quand il commence à grandir, on le met en cage pour plus de sûreté, mais tout le monde continue à lui donner à manger et à le caresser pour qu'il sache qu'on l'aime toujours. Nous lui rendrons hommage pendant la Fête de l'Ours et il transmettra nos messages au monde des Esprits, expliqua Creb.

Au signal de Brun, tout le monde se remit en route. Les grands conifères avaient cédé la place à une végétation plus rase et plus robuste à mesure qu'ils approchaient des sommets scintillants. Des bouleaux firent leur apparition, ainsi que des genévriers et des azalées dont les fleurs roses venaient à peine d'éclore, parsemant le vert tendre des herbages de pimpantes taches de couleur. Une multitude de fleurs sauvages ajoutaient leurs teintes à cette palette chatoyante : l'orange tacheté des lis tigrés, le mauve et le rose des ancolies, le violet des vesces, le bleu lavande des iris, l'azur des gentianes.

Tous ceux qui avaient couru au-devant des nouveaux venus, à peine avaient-ils aperçu Brun et Grod au détour du chemin, s'arrêtèrent net en voyant Ayla. Tandis que tout le Clan avançait en file indienne en direction de la caverne, Ayla en tête des femmes, les commentaires allaient bon train. Creb avait eu beau la prévenir, la jeune femme ne s'était pas attendue à provoquer un tel émoi, ni à se trouver en présence d'une telle multitude : plus de deux cents personnes s'étaient attroupées pour voir l'étrangère et Ayla n'avait jamais vu autant de monde réuni.

Le Clan s'arrêta près d'une immense cage aux montants de bois profondément enfoncés en terre, derrière laquelle un ours gigantesque, encore plus grand que celui rencontré en chemin, se balançait paresseusement d'un pied sur l'autre. Le petit Clan avait dû déployer des trésors de dévotion pour nourrir aussi longtemps l'énorme animal, et les dons apportés par les autres Clans ne pourraient jamais compenser le sacrifice qu'il avait consenti. Cependant, il n'était pas de Clan qui n'attendît impatiemment son tour d'offrir aux autres l'hospitalité afin de recueillir la protection des Esprits.

Le chef et le sorcier du Clan qui recevait s'avancèrent vers Brun et, après l'avoir salué, le pressèrent de questions.

— Pourquoi as-tu emmené cette femme à notre Rassemblement, Brun ? demanda le chef sur un ton courroucé.

— Elle fait partie de notre Clan, Norg, et c'est une guérisseuse de la lignée d'Iza, répliqua Brun en s'efforçant de conserver son calme, tandis que s'élevait un murmure de stupéfaction dans l'assistance.

— C'est impossible ! rétorqua le mog-ur. Comment peut-elle faire partie de ton Clan ? Elle est née chez les Autres !

— Elle fait partie du Clan, répéta Mog-ur sur un ton aussi assuré que celui de Brun, en fixant d'un regard glacé le chef du Clan hôte. Douterais-tu de ma parole, Norg ?

Norg regarda son mog-ur d'un air gêné, mais le magicien, aussi désarçonné que lui, ne lui fut d'aucun secours.

— Norg, nous avons fait un long voyage et nous sommes fatigués, dit Brun. Ce n'est vraiment pas le moment d'aborder ce sujet. Nous refuserais-tu l'hospitalité de ta caverne ?

L'atmosphère était tendue. Norg réfléchissait. S'il refusait son hospitalité, ses visiteurs n'auraient plus qu'à entreprendre le long voyage du retour. Ce serait un manquement grave aux lois ancestrales. Mais s'il laissait Ayla pénétrer dans la caverne cela reviendrait à la reconnaître en tant que femme du Clan. La mise en demeure de Brun obligeait Norg à se prononcer sur-le-champ. Les regards de Norg passèrent de son mog-ur à celui qui était le plus puissant d'entre les mog-urs, le Mog-ur, puis au chef du premier des Clans. Que lui restait-il à faire du moment que le Mog-ur avait parlé ?

Norg fit signe à sa compagne de montrer au Clan de Brun l'emplacement qui lui avait été réservé dans la caverne, puis entra à la suite du chef et de Mog-ur, bien décidé à éclaircir le mystère de l'étrangère une fois tout le monde installé.

Au premier abord, la caverne de Norg leur parut beaucoup plus petite que la leur, mais en pénétrant plus avant, ils découvrirent qu'elle se composait d'une série d'alvéoles et de tunnels qui s'enfonçaient sous la montagne. Brun et ses compagnons furent conduits dans une seconde grotte, non loin de l'entrée de la caverne, qui bénéficiait ainsi de la lumière du jour. Leur rang élevé leur avait valu cet emplacement de faveur.

L'ensemble des Clans n'avait pas de chef à proprement parler, mais il existait entre eux néanmoins une hiérarchie, et le chef du Clan principal devenait de fait celui de tous. La position de chaque Clan dans la hiérarchie était décidée tous les sept ans lors du grand Rassemblement.

Des compétitions permettaient aux Clans de se départager et de déterminer leurs rangs. Les hommes s'affrontaient alors en des tournois de lutte, de fronde, de bolas, de course à pied, de course à la lance, de fabrication d'outils, de danses, de déclamation de contes et de subtiles pantomimes retraçant des chasses particulièrement remarquables.

Quant aux femmes, si leurs joutes avaient moins de poids aux yeux des hommes, elles participaient néanmoins à la fête. Le Rassemblement était pour elles l'occasion de rivaliser en matière de cuisine et de travaux manuels. Elles allaient même jusqu'à comparer leurs enfants.

La position relative au sein de chaque Clan de la guérisseuse et du mog-ur entrait pour une large part dans l'établissement du statut final. Ainsi, Iza et Creb avaient contribué d'une manière décisive à faire du Clan de Brun le premier de tous. Mais le facteur capital résidait dans la capacité du chef à diriger son Clan, les critères de détermination de cette capacité étant des plus subtils.

Ils reposaient d'une part sur les résultats des joutes, qui témoignaient de la façon dont le chef s'était révélé capable d'entraîner ses hommes et de les stimuler ; et, d'autre part, sur la manière dont les femmes travaillaient et se conduisaient, preuve de sa fermeté. Le respect de la tradition entrait également en ligne de compte ainsi que la force de caractère du chef. Brun savait que cette fois-ci la lutte serait serrée. La présence d'Ayla constituait déjà un sérieux désavantage.

Le Rassemblement des Clans était aussi l'occasion de renouer de vieilles connaissances, et d'engranger suffisamment d'histoires et de commérages pour plusieurs hivers. Les jeunes gens incapables de trouver des compagnes dans leur propre Clan en profitaient pour faire de nouvelles rencontres.

Ayla, quant à elle, était loin de connaître ces préoccupations. Elle éprouvait déjà le plus grand mal à rassembler son courage pour affronter la foule de curieux qui se pressait devant la caverne. Avec Uba, elle avait pris possession du foyer qui lui était alloué pour la durée de leur visite et avait immédiatement entrepris de disposer avec le plus grand soin les cadeaux destinés au Clan hôte, ainsi qu'Iza le lui avait recommandé. Chacun avait déjà remarqué la qualité de son travail. Elle s'était rafraîchie et changée avant d'allaiter son fils, pressée par Uba, impatiente d'explorer les environs de la caverne, mais qui n'osait pas s'y aventurer seule.

— Dépêche-toi, Ayla. Tous les autres sont déjà dehors ! Ne peux-tu nourrir Durc un peu plus tard ?

— Je n'ai pas envie qu'il se mette à pleurer. Tu sais comme il peut crier fort. Je ne voudrais pas passer pour une mauvaise mère, répondit Ayla. Inutile de leur donner des préventions contre moi. Creb m'avait bien dit qu'ils seraient surpris en me voyant, mais je n'aurais jamais cru que cela irait aussi loin.

— Ne t'inquiète pas, ils nous ont laissés entrer, et Creb et Brun sauront leur prouver que tu es des nôtres. Allez, viens, Ayla. Il faudra bien que tu sortes. Ils feront comme nous, ils s'habitueront à toi.

— Bon, allons-y. N'oublie pas de prendre quelque chose pour donner à manger à l'ours.

Ayla se leva, Durc contre son épaule. En passant devant son foyer, Uba et elle firent un signe respectueux à la compagne de Norg. La femme leur répondit et se dépêcha de retourner à ses occupations, pour ne pas faire preuve d'indiscrétion en les regardant avec trop d'insistance. Ayla prit alors une grande inspiration et redressa la tête au moment de sortir. Elle était bien décidée à ne pas se laisser impressionner par la curiosité qu'elle suscitait ; après tout, elle était une femme du Clan au même titre que les autres.

Sa détermination fut mise à rude épreuve quand elle s'avança en plein soleil. Tout le monde sans exception avait trouvé une raison de s'attarder aux abords de la caverne dans l'espoir de la voir sortir. Si la plupart essayaient de se montrer discrets, beaucoup, oublieux de la plus élémentaire correction, la contemplaient bouche bée. Ayla se sentit rougir et s'affaira auprès de Durc pour ne pas avoir à affronter les regards.

Mais ce faisant, elle détourna l'attention sur son fils que personne n'avait remarqué jusqu'à présent. Les expressions et les gestes des membres de l'assistance ne laissaient aucun doute quant à leurs sentiments à son égard. S'il avait ressemblé à sa mère, ils auraient eu moins de mal à l'accepter, mais Durc, à leurs yeux, n'était qu'un bébé difforme et indigne de vivre. Les traits qui l'assimilaient aux membres du Clan étaient suffisamment évidents pour que ceux qui lui venaient de sa mère apparaissent comme de grossières malformations. Si l'image d'Ayla en souffrait, le prestige de Brun n'en pâtissait pas moins.

Ayla et Uba allèrent s'asseoir à l'ombre d'un gros rocher, non loin de la caverne, d'où elles pourraient observer les activités de ces inconnus sans paraître indiscrètes. Allongé sur le ventre entre elles deux, Durc agitait bras et jambes tout en regardant ce qui se passait autour de lui. Les deux sœurs conversaient gaiement, quand une jeune femme s'approcha et leur demanda timidement la permission de se joindre à elles. Elles acceptèrent avec plaisir ; c'était le premier geste amical qu'on leur adressait depuis leur arrivée. La femme portait un bébé endormi au creux d'une peau de bête.

— Cette femme s'appelle Oda, dit-elle une fois assise, puis elle fit le signe usuel pour leur demander leurs noms.

— Cette fille s'appelle Uba, et la femme Ayla, répondit Uba.

— Ce n'est pas un nom du Clan, précisa Ayla devant la difficulté que semblait avoir la visiteuse à le prononcer. Elle paraissait mal à l'aise, mais elle finit par montrer Durc du doigt.

— Cette femme a vu que tu avais un enfant, dit-elle avec hésitation. C'est un garçon ou une fille ?

— C'est un garçon. Il s'appelle Durc.

— Cette femme a aussi un enfant, poursuivit-elle après avoir encore hésité un long moment. C'est une fille, elle s'appelle Ura.

Un silence pesant suivit ces propos.

— Cette femme aimerait voir Ura si la mère ne s'y oppose pas, demanda Ayla qui ne savait plus que dire tant la femme semblait gênée.

Après maintes hésitations, Oda sortit son enfant de la couverture et le mit dans les bras d'Ayla, qui n'en crut pas ses yeux. Ura, qui ne devait pas avoir plus d'un mois, ressemblait à Durc ! Elle lui ressemblait comme une sœur !

Ayla était bouleversée. Si une femme d'un autre Clan pouvait donner naissance à un enfant ressemblant à ce point au sien, c'est que Durc était tout simplement difforme ; contrairement à ce qu'elle avait toujours cru, il n'était pas différent, mais anormal, tout comme la fille d'Oda. Ce fut Uba qui brisa le long silence.

— Ton enfant ressemble à Durc, dit-elle.

— Oui, c'est pour ça que je... que cette femme voulait te parler. J'espérais que l'enfant était un garçon.

— Pourquoi ? demanda Ayla.

— Parce que ma fille ne pourra jamais trouver de compagnon. Qui voudrait d'elle ? Alors quand j'ai vu ton enfant, j'ai souhaité que ce soit un garçon parce que... lui aussi aura du mal à trouver une compagne.

— Est-ce que ta fille est en bonne santé ? demanda Ayla, qui ne s'était jamais inquiétée de savoir comment ferait Durc pour trouver une compagne.

— Elle n'est pas bien grosse, répondit la femme, mais elle se porte bien. Seulement, son cou est un peu fragile...

— Ne t'inquiète pas Oda, il va se muscler. Regarde Durc !

— Tu es sûre ? insista Oda avec angoisse. Cette femme aimerait demander à la guérisseuse du premier des Clans de considérer cette petite fille comme la compagne de son garçon, déclara Oda en recourant aux formules convenables en de telles circonstances.

— Je crois qu'Ura fera une excellente compagne pour Durc, Oda.

— Il faudra que tu demandes son consentement à ton compagnon.

— Je n'ai pas de compagnon, répliqua Ayla.

— Oh ! Mais alors ton fils est malheureux, répondit Oda déçue. Qui se chargera de son éducation, si tu n'as pas de compagnon ?

— Durc n'est pas malheureux ! rétorqua Ayla. Je vis au foyer de Mog-ur, et Brun a promis de le former. Il en fera un excellent chasseur. Mog-ur lui a déjà révélé son totem : c'est le Loup gris.

— Il vaut mieux que ma fille ait un compagnon malheureux que pas de compagnon du tout, dit Oda d'un air résigné. Nous ne connaissons pas encore le totem d'Ura, mais le Loup gris est un totem assez puissant pour vaincre n'importe quel totem féminin.

— Sauf celui d'Ayla, coupa Uba. Le sien, c'est le Lion des Cavernes !

— Alors comment as-tu fait pour avoir un enfant ? demanda Oda étonnée. Mon totem est le Hamster, et pourtant il a beaucoup lutté cette fois-ci. J'ai eu moins de mal avec ma première fille.

— Tu as une autre fille ? Est-ce qu'elle est normale ?

— Oui, elle l'était. Mais elle a rejoint le monde des Esprits, répondit tristement Oda.

— C'est donc pour cela qu'Ura a été autorisée à vivre ? Je me demandais comment tu avais pu la garder, remarqua Ayla.

— Je n'y tenais pas, mais mon compagnon m'y a obligée, pour me punir.

— Pour te punir ?

— Oui, parce que je voulais une autre fille et que mon compagnon voulait un garçon. Il m'a forcée à la garder pour que tout le monde sache que j'avais eu de mauvaises pensées. Mais il ne m'a pas abandonnée parce que personne n'aurait voulu de moi.

— Tu n'as rien fait de mal, Oda. Iza aussi désirait une fille ; elle m'a dit qu'elle le demandait tous les jours à son totem quand elle attendait Uba. Comment ta fille est-elle morte ?

— Elle a été tuée par un homme, dit Oda d'un air embarrassé. Un homme qui te ressemblait. Un homme de chez les Autres.

— Un homme qui me ressemblait ? s'étonna Ayla qu'un frisson parcourut des pieds à la tête. Tu sais, Oda, ajouta-t-elle cherchant à rassurer la femme, je ne me souviens de rien. Je fais partie du Clan à présent. Comment la chose est-elle arrivée ?

— Nous étions à la chasse avec deux autres femmes et nos compagnons. Les hommes étaient partis de bonne heure ce jour-là et nous étions en train de ramasser du bois quand tout à coup les Autres sont arrivés au campement. Ils voulaient assouvir leurs désirs avec nous, mais ils ne nous ont même pas fait le signe convenu. Ils se sont jetés sur nous et nous ont bousculées sans me laisser le temps de déposer mon bébé. Il est tombé, mais celui qui était sur moi ne s'en est pas aperçu. Quand il a eu fini, poursuivit Oda, un autre est venu prendre sa suite et c'est à ce moment-là qu'ils ont vu mon enfant, mais elle était morte. Elle s'était cogné la tête contre une pierre. Alors ils sont tous partis. Quand les chasseurs sont revenus, nous leur avons raconté ce qui s'était passé, et ils nous ont reconduites à la caverne. Mon compagnon s'est montré gentil envers moi, il était triste lui aussi. J'ai été très contente quand j'ai vu que mon totem avait été vaincu tout de suite après la mort de ma petite fille. J'ai cru qu'il voulait que j'aie une autre fille pour remplacer la première.

— Ma pauvre, dit Ayla. Je vais parler d'Ura à Mog-ur et je suis sûre qu'il en parlera à Brun. Le chef approuvera certainement ton projet. Cela lui évitera d'avoir à trouver dans notre Clan une compagne à donner à un homme difforme.

Après le départ d'Oda, Ayla se sentit pensive et préoccupée. Elle pensait aux Autres, aux hommes qui lui ressemblaient et dont elle ne se souvenait pas. Soudain une pensée lui traversa l'esprit. Oda a donné naissance à Ura après que l'un des Autres eût assouvi ses désirs avec elle. Comme Broud avec moi ! C'est bien lui qui m'a fait cet enfant, et non pas l'Esprit de son totem !

Mais pourquoi fallait-il que ce fût Broud ? Il me déteste tant ! Mon totem savait-il que celui de Broud pourrait le vaincre ? Oui, ce doit être ça. Oga a déjà deux fils, Brac et Grev ; c'est Broud qui les a faits tous les deux, comme Durc. Alors, cela veut dire qu'ils sont frères, comme Brun et Creb. Alors ?...

— Ayla, dit Uba en arrachant brusquement la jeune femme à ses pensées, je viens de voir Creb et Brun rentrer dans la caverne. Il se fait tard, il faut préparer à manger. Creb va avoir faim.

Durc, qui s'était endormi, s'éveilla quand sa mère le prit dans ses bras. « Je pense que Brun ne s'opposera pas à ce qu'Ura devienne la compagne de mon fils, pensa Ayla sur le chemin du retour. Ils sont fait l'un pour l'autre. Et moi ? Trouverai-je un jour un compagnon ? »

XXIII

L'organisation du Rassemblement des Clans, auquel près de deux cent cinquante personnes allaient participer, exigeait un grand sens pratique et beaucoup de doigté. Les dix chefs de Clan se virent confrontés à des problèmes de coordination sans commune mesure avec ceux qu'ils avaient l'habitude d'affronter.

Il fallait organiser des expéditions de chasse pour nourrir la horde, et si la position hiérarchique clairement déterminée de chacun au sein d'un même Clan facilitait grandement la disposition des chasseurs, la tâche se compliquait considérablement quand deux ou trois Clans décidaient de chasser ensemble.

Les femmes aussi rencontraient des problèmes quand elles partaient à la cueillette de plantes et de légumes. En dépit de leur nombre, elles devaient s'efforcer de ne pas appauvrir excessivement les ressources locales. Or, si chaque Clan avait apporté d'amples provisions, les légumes frais constituaient néanmoins un additif des plus prisés, et les réserves prévues par les membres du Clan hôte se révélaient toujours insuffisantes pour subvenir aux besoins de tous. Avant la fin de la fête, toutes les ressources naturelles des alentours seraient épuisées.

L'approvisionnement en eau était garantie par une rivière alimentée par la fonte du glacier, et le bois pour le feu était ce qui manquait le moins. Les femmes faisaient la cuisine devant la caverne, quand le temps le permettait, et tous les repas étaient préparés en commun. Malgré cela, tout le bois mort et un grand nombre d'arbres sur pied seraient brûlés, bouleversant fondamentalement les environs. Rien ne serait plus comme avant à la fin du Rassemblement.

Si Creb était heureux de rencontrer enfin ses pairs après sept années de séparation, Brun n'était pas mécontent de se mesurer à des hommes d'une autorité comparable à la sienne. Son rang prééminent était justifié : il savait se montrer à la fois énergique, conciliant et capable de faire l'unanimité autour de sa personne. Chaque fois que les Clans se réunissaient, un homme fort se détachait de la masse. Brun était cet homme depuis qu'il était devenu le chef de son propre Clan.

— Si Zoug avait été là, nous aurions gagné le concours de tir à la fronde, dit Crug. Personne n'aurait pu le battre.

— Si, Ayla, répondit Goov discrètement. Dommage qu'elle n'ait pu entrer en lice.

— Nous n'avons pas besoin de l'assistance d'une femme pour gagner, répliqua Broud. L'épreuve de fronde ne compte pas tant que ça. Brun remportera certainement l'épreuve des bolas, comme d'habitude, et il nous reste encore la course au lancer.

— Voord a déjà remporté la course à pied ; il a de fortes chances pour remporter aussi la course au lancer, dit Droog. Et Gorn s'est bien débrouillé à la massue.

— Attends un peu qu'on leur mime notre chasse au mammouth. Notre Clan gagnera à coup sûr ! répondit Broud.

— Nous gagnerons si c'est toi qui mène la danse, Broud, dit Vorn qui, à dix ans, continuait à idolâtrer le futur chef. Broud, en contrepartie, l'invitait à participer aux discussions entre hommes chaque fois qu'il le pouvait.

— Nous sommes bien placés pour le moment, remarqua Droog, mais nous ne sommes pas assurés de gagner pour autant. Gorn est fort. Il s'est bien défendu à la lutte. Je n'étais pas sûr que tu parviendrais à le battre, Broud. Le second de Norg peut être fier du fils de sa compagne. J'ai l'impression que c'est l'homme le plus grand du Rassemblement.

— C'est vrai qu'il est fort, dit Goov. On l'a vu quand il a gagné le tournoi à la massue, mais Broud est plus rapide et presque aussi solide.

— Et Nouz, vous avez vu comme il est habile à la fronde ? J'ai l'impression qu'il a observé Zoug la dernière fois, et qu'il a décidé d'imiter sa technique. Il n'a pas supporté l'idée de se faire battre de nouveau par un vieillard, ajouta Crug. S'il est aussi bien entraîné aux bolas, la lutte avec Brun risque d'être serrée. Quant à Voord, il court vraiment très vite ; j'ai bien cru pourtant que tu arriverais à le rattraper, Broud.

— Droog fait les meilleurs outils, se contenta d'affirmer Grod avec laconisme.

— Choisir ses plus beaux outils et les présenter ici est une chose, Grod, mais les fabriquer devant tout le monde en est une autre qui demande de la chance. Le jeune homme du Clan de Norg m'a l'air assez adroit, répliqua Droog.

— C'est justement une épreuve où ton âge te donnera l'avantage, Droog. Il se sentira sans doute fort nerveux, alors que toi, tu as déjà l'expérience de ces joutes. Il te sera plus facile de te concentrer, déclara Goov pour encourager le vieil homme.

— Oui, mais j'aurai quand même besoin d'un peu de chance.

— Nous en avons tous besoin, dit Crug. Je continue à penser que le vieux Dorv est le meilleur conteur.

— C'est parce que tu as l'habitude de l'entendre, Crug, suggéra Goov. Il est très difficile de départager les conteurs.

Ona s'approcha timidement des hommes pour leur annoncer que le repas était prêt. Elle souhaita qu'ils ne fussent pas trop longs à se décider à venir manger. Plus les hommes tarderaient, plus leurs compagnes mettraient de temps à retrouver les autres femmes qui se réunissaient pour écouter des histoires. En règle générale, c'étaient les vieilles qui racontaient les légendes du Clan, et elles étaient toutes divertissantes : il y avait des histoires tristes à vous fendre le cœur, des histoires gaies à vous transporter de joie et des histoires drôles.

— Ils n'ont pas l'air d'avoir faim, dit Ona, de retour auprès du feu, devant la caverne. J'espère qu'ils ne vont pas trop traîner.

— Regarde, elles commencent déjà ! Nous allons manquer les premières histoires, s'exclama Ona d'un air désappointé.

— Tant pis, répondit Aga. Nous ne pouvons pas y aller avant que les hommes aient fini de manger.

— Ne t'en fais pas, Ona, il va y en avoir pour toute la nuit. Et demain, nous aurons le droit de regarder les hommes mimer leurs chasses les plus extraordinaires.

— Ébra, appela Brun, vous pouvez aller écouter vos histoires, nous avons à discuter.

Ramassant leurs bébés au passage et poussant devant elles leurs jeunes enfants, les femmes rejoignirent leurs compagnes assises autour d'une vieille qui venait tout juste de commencer une nouvelle histoire.

— ... alors la mère de la Montagne de Glace...

— Dépêchez-vous, s'impatienta Ayla, c'est ma légende préférée ! L'histoire de Durc !

Une brise passagère agita quelques mèches de cheveux, rafraîchissant pour un instant son front emperlé de sueur, tandis que Brun jaugeait la distance qui le séparait d'une souche d'arbre plantée à l'extrémité de l'espace dégagé pour les tournois, devant la caverne.

Brun était aussi tendu que la foule qui le regardait en retenant son souffle. Le chef avait les yeux braqués sur la cible, les pieds légèrement écartés, le bras droit le long du corps tenant fermement la poignée des bolas. Les trois boules de pierre, entourées de cuir et attachées à des lanières de cuir tressé d'inégale longueur, reposaient par terre. Brun tenait à remporter cette épreuve, non seulement pour le plaisir de gagner, mais surtout pour montrer aux autres chefs qu'il n'avait rien perdu de sa vigueur ni de son efficacité au jeu.

Brun avait vu son prestige diminuer beaucoup en raison de la présence d'Ayla au Rassemblement. Mog-ur lui-même était obligé de se battre pour conserver sa place prééminente sans toutefois être parvenu à convaincre les autres mog-urs que la jeune femme était une guérisseuse de la lignée d'Iza. Pour l'instant, ils préféraient renoncer au breuvage magique plutôt que d'autoriser Ayla à le préparer. L'absence d'Iza ajoutait à la mise en cause de la suprématie de Brun.

Si son Clan ne terminait pas premier aux joutes, il perdrait son statut ; or, si ses hommes avaient réalisé de bonnes performances, l'issue demeurait incertaine. Le Clan de Norg présentait une réelle menace. Il se trouvait en excellente position et risquait fort d'enlever au Clan de Brun la première place. De ce fait, Brun allait rencontrer en Norg un rival acharné, conscient que sa victoire ne tenait qu'à un fil.

Brun cligna des yeux pour viser la souche d'arbre. Une seconde plus tard, il faisait tournoyer au-dessus de sa tête les trois boules et les projetait sur la cible. A l'instant même, il sut qu'il avait raté son coup. Après avoir frappé la souche, les pierres avaient rebondi plus loin sans s'enrouler autour d'elle. Brun alla ramasser ses bolas tandis que Nouz prenait sa place. Si ce dernier manquait totalement la cible, Brun gagnerait ; s'il la touchait, ils seraient à égalité et devraient recommencer ; mais si Nouz enroulait ses bolas autour du poteau, il remporterait la manche.

Brun s'écarta, le visage impassible, résistant au désir de toucher son amulette. Nouz, que n'animait pas ce genre de scrupules, saisit la petite bourse de cuir, ferma les yeux quelques instants, puis visa le poteau. En un mouvement de poignet aussi rapide que soudain, il lança les bolas. Il fallut à Brun un contrôle de lui-même exceptionnel, acquis au cours de longues années, pour ne rien laisser paraître de sa déception quand les bolas s'enroulèrent autour de la cible. Nouz avait gagné.

Ensuite, on apporta trois peaux de bêtes sur le terrain. On enroula l'une d'elles autour d'une vieille souche d'arbre, légèrement plus haute qu'un homme ; une autre fut jetée sur un gros rondin de bois couvert de mousse, et calée avec des pierres ; quant à la troisième, on l'étendit par terre où elle fut aussi maintenue avec des pierres.

Chaque Clan choisit un homme pour participer à cette épreuve, et tous se mirent en file près de la peau étendue sur le sol, tandis que leurs coéquipiers, brandissant des lances pointues, se plaçaient derrière les autres cibles.

Deux jeunes gens appartenant à des Clans de rangs inférieurs s'avancèrent les premiers, leur lance à la main, et attendirent, les yeux rivés sur Norg. A son signal, ils se ruèrent sur l'arbre mort et projetèrent leurs lances dans la peau de bête, à l'endroit où aurait dû se situer le cœur de l'animal. Puis, se saisissant promptement d'une seconde lance que leur tendaient leurs coéquipiers postés près de la cible, ils s'élancèrent vers la souche couchée et y plantèrent leurs lances. L'un des deux concurrents avait nettement distancé son camarade quand il put se saisir de la troisième lance. Il se précipita vers la peau étendue à terre dans laquelle il enfonça son arme avant de lever les bras bien haut en signe de victoire.

Après maintes éliminatoires, il ne resta plus que trois hommes en lice : Broud, Voord et Gorn qui appartenait au Clan de Norg. Des trois finalistes, Gorn était le seul à avoir dû participer à trois courses pour se classer, tandis que les deux autres n'en avaient couru que deux. Gorn avait remporté la première, mais perdu la seconde contre un adversaire appartenant à un Clan de rang élevé. Seules sa détermination et sa grande résistance lui avaient permis de se rattraper et de se classer premier dans la dernière manche, provoquant ainsi l'admiration de toute l'assistance.

Tandis que les trois jeunes gens prenaient place pour la dernière course, Brun s'avança sur le terrain.

— Norg, dit-il. Je pense qu'il serait plus équitable de laisser Gorn se reposer quelques instants. Il me semble que le fils de la compagne de ton second le mérite amplement.

Un murmure d'approbation parcourut l'assistance, au grand dam de Broud. Norg, quant à lui, pouvait difficilement refuser une offre aussi généreuse. Brun avait eu vite fait d'effectuer son calcul : si Broud perdait, le Clan perdrait son rang prédominant ; mais s'il gagnait, l'attitude courtoise de Brun augmenterait sensiblement son prestige. En outre, il souhaitait une victoire indiscutable, où l'on ne pourrait insinuer par la suite que Gorn aurait gagné si on l'avait laissé récupérer.

A la fin de l'après-midi, tout le monde reprit place autour du terrain. Goov alla se placer près de l'arbre mort avec deux de ses compagnons et Crug à côté de la souche avec deux autres hommes. Broud, Gorn et Voord se mirent en rang et attendirent que Norg donnât le signal du départ. Le chef leva le bras, puis le baissa vivement, tandis que les trois concurrents s'élançaient.

Voord prit la tête, Broud sur ses talons, tandis que Gorn peinait derrière. Voord était déjà en train de saisir sa seconde lance que Broud plantait encore la sienne dans la souche. Dans un grand sursaut d'énergie, Gorn talonnait Broud qui courait vers l'arbre couché. Voord, toujours devant, jeta sa lance sur le bois au moment où Broud arrivait. Mais son arme, heurtant un nœud caché sous la peau de la bête, tomba à terre et le temps de la ramasser et de tirer à nouveau, Broud et Gorn l'avaient dépassé. Pour lui, la course était perdue.

Haletants, Broud et Gorn se ruaient vers la troisième cible. Gorn commença à dépasser légèrement Broud, puis à le distancer. Broud crut que ses poumons allaient éclater, mais dans un suprême effort, il banda ses muscles et fonça éperdument. Gorn arriva près de la peau tendue par terre un instant seulement avant Broud, mais au moment où il levait le bras, Broud surgit et planta sa lance au cœur de la peau de bête. L'arme de Gorn la transperça une fraction de seconde plus tard. Trop tard.

Tous les chasseurs du Clan de Brun s'élancèrent au-devant de Broud. Les yeux brillants de plaisir, leur chef les regardait, le cœur battant aussi vite que celui du vainqueur. Il avait partagé avec le fils de sa compagne tous les efforts et toutes les craintes de cette course décisive entre toutes. « Je me fais vieux, pensa Brun. J'ai perdu l'épreuve des bolas ; mais Broud a été vainqueur. Il est peut-être temps de songer à lui confier la direction du Clan. Je pourrais lui transmettre le pouvoir ici même. Je vais d'abord combattre pour que notre Clan conserve la première place, puis il nous reconduira à la caverne, comblé d'honneurs. Il le mérite bien, après une telle course. Je vais le prévenir tout de suite ! »

Brun attendit que les hommes aient fini de féliciter Broud pour s'approcher du jeune homme, impatient de connaître sa joie lorsqu'il apprendrait l'honneur qu'il lui réservait. « C'est le plus beau cadeau que je puisse faire au fils de ma compagne », se dit-il avec émotion.

— Brun ! s'exclama Broud en voyant le chef. Pourquoi as-tu retardé le départ de la course ? J'ai bien failli la perdre à cause de toi ! J'aurais battu Gorn sans problème si tu ne l'avais pas laissé se reposer. Ne veux-tu pas que ton Clan soit le premier de tous ? s'écria-t-il avec impétuosité. Ou bien alors est-ce parce que tu te sais trop vieux pour participer au prochain Rassemblement ? De toutes façons, la moindre des choses c'est de me laisser un Clan qui tienne toujours le premier rang.

Brun recula de quelques pas, stupéfait par la brutalité de l'attaque. Il ne comprendra donc jamais, se dit-il. Toute la fierté qui avait fait briller son regard un instant auparavant s'évanouit, faisant place à une profonde tristesse.

— Broud, si Gorn s'était présenté trop fatigué, ta victoire aurait-elle été aussi éclatante ? Que serait-il advenu si les autres Clans avaient mis en doute tes capacités réelles à le battre s'il eût été en bonne forme ? C'était le seul moyen de rendre ta victoire indiscutable. Or tu as gagné, et je t'en félicite, fils de ma compagne, ajouta Brun avec tendresse.

Malgré sa rancœur, Broud respectait le chef et, à ce moment précis, il sut que rien ne pouvait égaler le compliment qu'il recevait.

— Je n'avais pas pensé à cela, Brun. Tu as raison ; à présent, tout le monde sait que je suis plus fort que Gorn.

— Avec la course d'aujourd'hui et le succès qu'a remporté Droog en exécutant ses outils, nous sommes sûrs de rester les premiers si notre reconstitution de la chasse au mammouth l'emporte ce soir ! s'exclama Crug avec enthousiasme. Et c'est toi, Broud, qui seras choisi pour la Fête de l'Ours.

Une foule importante escorta Broud jusqu'à la caverne. Brun le suivit des yeux et aperçut Gorn qui, lui aussi, rentrait, entouré par les hommes de son Clan : le second de Norg avait raison d'être fier du fils de sa compagne, songea Brun.

— Les hommes de Norg sont de vaillants chasseurs, reconnut Droog. Quelle fameuse idée que de creuser un trou et de le camoufler avec des branches pour prendre le rhinocéros au piège. Quel courage ! Ces animaux sont beaucoup plus féroces et imprévisibles que les mammouths. Leur reconstitution de la chasse fut parfaitement menée.

— Oui, mais rien ne valait notre chasse au mammouth. Nous avons fait l'unanimité, répondit Crug. Pourtant, la lutte a été serrée entre Gorn et Broud. Il s'en est fallu de peu que nous ne perdions la première place. Le Clan de Norg a remporté la seconde et il le mérite bien. Enfin, il ne nous reste plus qu'à attendre la Fête de l'Ours. Nous n'aurons pas tellement l'occasion de voir Goov d'ici là ; les acolytes ne vont plus quitter leurs mog-urs. Mais j'espère que les femmes soigneront leur cuisine en dépit du fait que Broud et Goov ne mangeront pas avec nous ce soir ! C'est notre dernier repas avant la Fête de demain.

— Je ne crois pas que j'aurais grand-faim si j'étais à la place de Broud, dit Droog. C'est un grand honneur que d'avoir été choisi pour la cérémonie de l'Ours, mais s'il est une occasion où Broud devra faire preuve de courage, c'est bien demain matin.

Les premières lueurs de l'aube trouvèrent la caverne déserte. Les femmes étaient déjà au travail à la lumière des feux de bois, empêchant les hommes de dormir. Les préparatifs de la Fête duraient déjà depuis plusieurs jours, et ce qui restait à accomplir demeurait encore considérable.

L'atmosphère était à la fois tendue et électrisée. Les hommes, qui n'avaient plus rien à faire depuis la fin des tournois, étaient en proie à une agitation extrême qui commençait à gagner les jeunes gens et les enfants.

L'effervescence tomba momentanément lorsque les femmes servirent des galettes de millet que tous dégustèrent gravement. Ces biscuits, préparés seulement à l'occasion de cette cérémonie une fois tous les sept ans, étaient la seule nourriture autorisée jusqu'au festin. Mais ces friandises peu consistantes ne firent qu'aiguillonner l'appétit et, au milieu de la matinée, la faim devint une réelle torture qui transforma l'impatience de chacun en une excitation fébrile à mesure que l'heure approchait.

Ni Ayla ni Uba n'avaient reçu de Creb l'ordre de préparer le breuvage pour la Cérémonie. Les deux sœurs en conclurent que les mog-urs ne les en avaient pas jugées dignes. Creb avait pourtant déployé tous ses talents de persuasion pour tenter de convaincre les autres sorciers, mais en dépit de leur attachement à ce rite, ils avaient refusé, trouvant Uba trop jeune et déniant à Ayla son appartenance au Clan et son statut de guérisseuse. La célébration d'Ursus, qui concernait chaque Clan sans exception, entraînait des conséquences, bonnes ou mauvaises, qui retombaient sur tous, et les mog-urs ne voulaient pas prendre le risque d'attirer le mauvais sort.

La suppression de ce rite traditionnel contribua encore à ternir le prestige de Brun et de son Clan. Malgré les prouesses de ses hommes lors des compétitions, la présence d'Ayla menaçait la prédominance de sa position. Seule la fermeté de Brun devant l'opposition croissante des autres laissait l'issue incertaine.

Quelque temps après la dégustation des galettes de millet, les chefs se réunirent devant la caverne et attendirent que le silence s'instaurât dans l'assemblée. Les hommes s'empressèrent de se placer selon leurs rangs et leurs Clans, tandis que les femmes faisaient taire les enfants et gagnaient leurs places en silence. La Cérémonie de l'Ours allait commencer.

Le premier roulement de baguette frappé sur un tambour de bois fit l'effet d'un coup de tonnerre dans le silence attentif. Le rythme lent et régulier fut repris par le martèlement sourd des lances qui heurtaient le sol. Et la combinaison des divers tempos eut pour effet de faire monter la tension jusqu'aux limites du supportable.

Soudain, les battements s'interrompirent en même temps, et, comme par enchantement, les neuf mog-urs, vêtus de peaux d'ours, firent leur apparition devant la cage de l'ours des cavernes. Le Mog-ur leur faisait face à quelques pas de distance. Il tenait une baguette de bois ovale et plate, attachée à une ficelle, qu'il fit tournoyer au-dessus de sa tête jusqu'à ce qu'un sifflement se produisît qui se transforma bientôt en un mugissement sonore. C'était l'Esprit de l'Ours des Cavernes qui demandait à tous les autres Esprits de se tenir à l'écart de cette cérémonie exclusivement consacrée à Ursus.

Une mélodie aigrelette s'éleva soudain, dont le son aigu, surnaturel et terrifiant glaça l'assistance. Il provenait d'un instrument dans lequel soufflait l'un des mog-urs. Sa flûte, fabriquée dans l'os creux de la patte d'un oiseau de grande taille, ne comportait pas de trous. Sa sonorité se modifiait selon qu'on en bouchait ou non l'extrémité. Le magicien qui en jouait l'avait fabriquée de ses propres mains, selon un procédé secret qui constituait l'apanage des sorciers de son Clan, secret qui leur valait en général le premier rang. Il avait fallu les pouvoirs exceptionnels de Creb pour que le mog-ur qui jouait de la flûte fût relégué au rang de second, et il n'en demeurait pas moins un second très puissant. C'était lui qui s'était le plus farouchement opposé à l'admission d'Ayla au rang de guérisseuse.

L'énorme ours des cavernes tournait en rond dans sa cage. Il n'avait pas été nourri et, pour la première fois depuis sa capture, il connaissait la faim. On l'avait également privé d'eau, et il avait soif. La foule, dont il sentait la tension et l'excitation, le son des tambours et des instruments sacrés auxquels il n'était pas habitué, tout contribuait à susciter sa nervosité.

En voyant le Mog-ur s'approcher de sa cage, il se dressa sur ses pattes de derrière en poussant un grognement. Creb sursauta, mais il reprit bien vite contenance, s'efforçant de faire passer son émoi pour un mouvement maladroit dû à son infirmité. Son visage noirci, comme celui des autres sorciers, ne laissait rien voir de son trouble quand il déposa aux pieds du malheureux animal une coupe remplie d'eau faite avec les ossements d'un crâne humain.

Pendant que la bête se désaltérait, vingt et un jeunes chasseurs encerclèrent sa cage, brandissant une lance toute neuve. Broud, Gorn et Voord sortirent alors de la caverne et se postèrent devant la porte de la cage solidement maintenue fermée par des lanières de cuir. Ils étaient nus, à l'exception d'un pagne en peau qui leur ceignait les reins, et leur corps était recouvert de signes rouges et noirs.

La coupe d'eau ne suffit pas à désaltérer le gros ours, mais la présence des hommes lui fit espérer en obtenir davantage sous peu. Il s'assit par terre et tendit la patte, geste qui était rarement demeuré sans réponse. Devant le peu de succès que remportaient ses efforts, il se leva lourdement et passa son museau entre les barreaux.

La flûte s'arrêta abruptement sur une note aiguë, créant un sentiment d'inquiétude au sein de la foule muette. Creb retira le crâne vide avant de reprendre place devant les sorciers, qui, tous ensemble, se mirent à exécuter les gestes du langage cérémoniel.

— Accepte cette eau en gage de notre reconnaissance, ô Gardien puissant. Ton Clan n'a pas oublié tes enseignements. Cette caverne qui te protège de la neige et du froid est notre demeure. Tu as partagé notre vie et tu sais que nos mœurs sont les tiennes.

Nous te vénérons, toi le premier d'entre les Esprits. Nous te demandons d'intercéder en notre faveur dans le monde des Esprits, en témoignant de la bravoure de nos chasseurs et de l'obéissance de nos femmes. Nous implorons ta protection contre les Esprits maléfiques. Nous sommes ton peuple, Grand Ursus, nous sommes le Clan de l'Ours des Cavernes. Honneur à toi, le Plus Grand des Esprits.

Au moment où les mog-urs terminaient leur invocation, les vingt et un jeunes gens lancèrent leurs javelines à travers les barreaux de la cage, en s'efforçant de transpercer l'énorme animal. Tous les traits ne l'atteignirent pas, car la cage était vaste, mais la douleur rendit l'ours des cavernes fou de rage. Un terrible grognement rompit le silence et tout le monde recula avec effroi.

À cet instant, Broud, Gorn et Voord escaladèrent les barreaux de la cage jusqu'au sommet. Broud arriva le premier en haut de la clôture, mais ce fut Gorn qui réussit à se saisir du rondin de bois qui y avait été placé au préalable. Éperdu de douleur, l'ours des cavernes se dressa de nouveau sur ses pattes de derrière et se dandina lourdement vers la porte qu'il brisa d'un coup de patte en mille morceaux. La cage était ouverte et l'ours furieux en liberté !

Armés de leurs lances, les chasseurs accoururent pour faire un rempart de leurs corps entre la brute affolée et l'assistance terrifiée. Réprimant leur envie de s'enfuir les femmes serraient leurs bébés contre leur sein, tandis que leurs enfants plus âgés s'accrochaient à elles, les yeux exorbités. Les hommes pointèrent leurs lances, prêts à défendre les leurs, mais tout le monde resta à sa place.

Quand l'ours blessé eut franchi la porte de la cage, Broud,

Gorn et Voord se jetèrent sur lui par surprise. Broud lui sauta sur les épaules et s'agrippa à la fourrure de sa gueule qu'il tira de toutes ses forces vers le haut. Pendant ce temps, Voord, qui lui était tombé sur le dos, essayait de le faire basculer en le tirant par son pelage hirsute, tout en se retenant à la peau flasque de son cou. En combinant leurs efforts, ils parvinrent à obliger l'animal à ouvrir la gueule et Gorn, à cheval sur une de ses épaules, se dépêcha de lui fourrer le rondin de bois verticalement entre les mâchoires.

Mais cette ruse, tout en privant la bête d'une arme redoutable, ne suffit pas à le réduire à l'impuissance. L'ours enragé donnait de furieux coups de patte aux hommes qui s'accrochaient à lui. Ses énormes griffes s'enfoncèrent sauvagement dans la cuisse de Gorn, toujours perché sur son épaule, dont le hurlement de douleur fut brutalement interrompu par le coup que lui asséna l'animal en lui brisant la colonne vertébrale. Une immense plainte s'éleva alors dans l'assemblée.

Puis l'ours marcha droit sur le groupe d'hommes en armes qui le cernaient. D'un coup de patte, il ouvrit une brèche dans la muraille humaine, assommant trois hommes et déchirant jusqu'à l'os la jambe d'un quatrième. L'homme se plia de douleur, trop ébranlé par le choc pour crier, tandis que les autres chasseurs se ruaient vers la bête en furie, qui cherchait à piétiner le blessé.

Ayla, serrant Durc contre elle, observait la scène, pétrifiée de terreur. Mais quand l'homme tomba à terre, perdant abondamment son sang, elle agit sans réfléchir. Elle tendit son bébé à Uba et plongea dans la mêlée. Se frayant un chemin entre les hommes agglutinés en masse compacte, elle réussit à dégager le blessé, le tirant et le portant tant bien que mal, en appuyant d'une main de tout son poids sur l'emplacement de l'artère, à la hauteur de l'aine. Puis elle trancha avec les dents le lacet de cuir qu'elle portait à la taille pour garrotter la cuisse et transporta l'homme dans la caverne avec l'aide de deux autres guérisseuses accourues à son aide.

Quand l'ours succomba enfin sous les traits des chasseurs, la compagne de Gorn échappa à ceux qui cherchaient à la réconforter pour se précipiter sur son corps disloqué, collant son visage sur sa poitrine velue, et le suppliant de se relever avec des gestes de démente. Lorsque les mog-urs s'approchèrent du cadavre, sa mère et la compagne de Norg tentèrent de l'entraîner à l'écart. Le plus puissant des magiciens se pencha vers la jeune femme et lui dit en lui relevant la tête avec douceur :

— Ne te lamente pas sur lui. Gorn a reçu le plus grand honneur. Il a été choisi par Ursus pour l'accompagner dans le monde des Esprits. Il intercédera en notre faveur auprès du Grand Esprit. L'Esprit du Grand Ours des Cavernes choisit toujours le meilleur et le plus valeureux pour voyager avec lui. La Fête d'Ursus sera également celle de Gorn. Son courage et sa volonté de vaincre entreront dans la légende et on se les remémorera au cours de chaque Rassemblement des Clans. Quand Ursus reviendra parmi nous, l'Esprit de Gorn fera de même. Il t'attendra pour que vous puissiez vous retrouver et vous unir à nouveau, mais tu dois te montrer aussi courageuse que lui. Oublie ton chagrin et partage la joie qui est celle de ton compagnon dans son voyage vers l'autre monde. Ce soir, les mog-urs lui rendront un hommage particulier afin que son courage soit transmis à l'ensemble du Clan et y demeure.

La jeune femme, qui s'efforçait visiblement de dominer son désarroi, jeta au sorcier un regard de gratitude, puis elle se releva et regagna dignement sa place. Alors, les femmes des chefs et de leurs seconds se mirent à dépecer avec adresse l'ours des cavernes. Le sang fut recueilli dans des écuelles et après que les mog-urs eurent accompli les gestes symboliques, les acolytes passèrent dans la foule en présentant les coupes à chaque membre du Clan. Hommes, femmes, enfants, tous trempèrent leurs lèvres dans le sang chaud, le fluide vital d'Ursus. Les mères introduisirent dans la bouche de leurs nourrissons un doigt trempé dans le sang frais. On appela Ayla et les deux guérisseuses pour qu'elles aient leur part, et l'on fit boire une gorgée au blessé qui avait perdu lui-même tant de sang. Tous communiaient ainsi avec le Grand Ours qui les unissait en un seul peuple.

Les femmes travaillaient rapidement. Elles grattèrent soigneusement l'épaisse couche de graisse qui se trouvait sous la peau de l'animal, expressément suralimenté dans ce but. Une fois fondue, cette graisse avait des propriétés magiques et elle serait distribuée à tous les mog-urs. Elles laissèrent la tête attachée au reste de la peau, et tandis que la viande était déposée au fond de fosses remplies de pierres brûlantes où elle cuirait pendant une journée entière, les acolytes suspendirent l'énorme peau d'ours sur des piquets à l'entrée de la caverne, d'où ses yeux aveugles pourraient contempler les festivités. L'Ours des Cavernes serait l'invité d'honneur de son propre festin. Une fois la peau d'ours dressée, les mog-urs portèrent avec solennité le cadavre de Ģorn dans les tréfonds de la caverne. Après leur départ, au signal de Brun, la foule se dispersa. L'Esprit d'Ursus était parti pour l'au-delà après avoir reçu tous les honneurs qui lui étaient dus.

XXIV

— On aurait dit qu'elle savait qu'Ursus ne lui ferait aucun mal, dit le mog-ur du Clan auquel appartenait le blessé. Je crois que Mog-ur a raison, Ursus l'a acceptée. C'est une femme du Clan. Notre guérisseuse affirme qu'elle a sauvé la vie de notre compagnon ; outre la formation qu'elle a reçue, elle semble posséder des dons naturels. Il faut croire qu'elle appartient effectivement à la lignée d'Iza.

Les mog-urs s'étaient réunis dans une petite caverne sacrée, profondément enfouie sous la montagne. La faible lueur des lampes alimentées à la graisse d'ours projetait un éclat vacillant sur les stalactites luisantes d'humidité.

— Il est vrai qu'elle n'a manifesté aucune crainte à l'égard d'Ursus, ce qui est assez surprenant, ajouta un autre sorcier. Mais si nous nous mettons d'accord, aura-t-elle encore le temps de préparer le breuvage ?

— Oui, si nous nous dépêchons, répliqua Mog-ur.

— Comment se peut-il qu'elle soit une femme du Clan si elle est née chez les Autres ? demanda le mog-ur qui avait joué de la flûte. Tu prétends que les marques de son totem existaient déjà le jour où vous l'avez découverte, mais comment pouvez-vous être sûrs que ce soient les marques du Clan ? Nos femmes n'ont jamais eu pour totem le Lion des Cavernes.

— Je n'ai jamais dit qu'elle était née avec, rétorqua Mog-ur. En outre, oserais-tu insinuer que le Lion des Cavernes ne peut choisir une femme ? Il est libre de choisir qui il veut ! Elle était au bord de la mort quand nous l'avons trouvée ; c'est Iza qui l'a sauvée. Crois-tu qu'un enfant puisse survivre sans la protection de son Esprit ? Il l'a marquée pour nous faire connaître sa présence à ses côtés. Tu ne nieras pas que ce sont bien là les marques distinctives du Lion des Cavernes, les marques du Clan. J'en ignore la raison, mais elle était destinée à devenir une femme du Clan. Tout ce que je peux faire, comme chacun de vous, c'est interpréter les interventions des Esprits. Je me contenterai de vous redire qu'elle connaît le rite ; Iza lui a transmis le secret des racines sacrées, et elle ne l'aurait jamais fait si Ayla n'avait pas été de sa lignée. Je vous ai déjà fait part de tous mes arguments en sa faveur ; c'est à vous de décider maintenant et sans tarder.

— Ton Clan estime donc qu'elle a de la chance, dit le mog-ur de Norg.

— Ce n'est pas tant qu'elle ait de la chance, mais il semble bien qu'elle porte chance. Droog la considère comme un être unique et surprenant.

— Elle nous a porté chance aujourd'hui, en sauvant l'un de nos chasseurs, fit remarquer le mog-ur du Clan du blessé. Moi, je l'accepte. Nous n'avons pas le droit de nous passer du breuvage d'Iza si nous pouvons faire autrement.

Plusieurs acquiescements saluèrent sa proposition.

— Et toi, qu'en penses-tu ? demanda Mog-ur au sorcier du second Clan. Persistes-tu à penser qu'Ursus sera contrarié de voir Ayla préparer notre breuvage cérémoniel ?

Tous les visages se tournèrent vers lui. L'accord devait être unanime, les sorciers ne pouvant tolérer la moindre scission dans leurs rangs. Il baissa la tête et réfléchit quelques instants, avant de regarder tous les mog-urs, l'un après l'autre.

— Je ne sais quelle sera la réaction d'Ursus, mais il est clair que personne ne désire supprimer ce rite, et il semble bien qu'elle seule puisse en assurer la célébration. Si tout le monde est d'accord, je retire mon opposition. Cela ne me plaît pas énormément, mais je n'empêcherai pas cette cérémonie d'avoir lieu.

Tous les autres mog-urs acquiescèrent, chacun leur tour. Mog-ur se leva en poussant un profond soupir de soulagement et s'empressa de quitter la grotte. Il traversa plusieurs passages étroits pour déboucher enfin dans les salles qu'occupaient les divers Clans.

Ayla était assise auprès du blessé, Durc dans ses bras et Uba à ses côtés. La compagne du jeune homme, elle aussi présente, le regardait dormir et de temps à autre levait sur Ayla des yeux empreints de gratitude.

— Vite, Ayla, il faut te préparer. Il reste très peu de temps, déclara Mog-ur. Dépêche-toi, mais ne laisse rien au hasard. Viens me voir dès que tu seras prête.

Surprise par un tel retournement de la situation, Ayla mit quelques instants à comprendre de quoi il s'agissait. Puis elle courut vers son foyer pour prendre un vêtement propre.

Ayla courut cueillir des saponaires et des prêles, l'estomac noué par la nervosité. Puis elle attendit impatiemment que l'eau bouille pour y faire macérer les plantes avec la décoction desquelles elle se laverait les cheveux. Les nouvelles circulaient vite dans le Clan et tout le monde savait déjà qu'elle était autorisée à accomplir le rite traditionnel. La décision des mog-urs modifia considérablement l'opinion que chacun avait d'elle et son prestige s'accrut en proportion. Les sorciers avaient confirmé sa filiation avec Iza en l'élevant au rang suprême des guérisseuses. Le chef du Clan parmi lequel Zoug comptait des parents se sentit obligé de reconsidérer le refus clair et net qu'il avait opposé à la demande qui lui était faite. Après tout, il se pourrait fort bien qu'un de ses hommes accepte de la prendre, ne serait-ce que pour seconde compagne. Sa présence au sein du Clan pourrait se révéler utile.

Mais Ayla était trop préoccupée pour prêter attention aux commentaires qu'elle suscitait. En réalité, elle était terrifiée. « Je n'y arriverai jamais, se lamentait-elle en courant vers la petite rivière qui cascadait non loin de la caverne. Je n'aurai jamais le temps de me préparer. Que se passera-t-il si j'oublie quelque chose ? Et si je fais une erreur ? Je déshonorerai Creb, et Brun également. Je déshonorerai tout le Rassemblement. »

Les femmes s'activaient sans relâche, tout en houspillant leurs enfants que la mise à mort de l'ours avait mis dans un état d'excitation extrême. En outre, n'ayant jamais connu la faim, ils avaient du mal à supporter les appétissants fumets qui s'élevaient des plats que l'on préparait autour d'eux.

Des monceaux d'ignames sauvages, des fruits de l'arbre à pain et des arachides mijotaient doucement dans des récipients en peau suspendus au-dessus des feux. Des asperges, des oignons sauvages et des racines d'iris, des légumes, des petites courges et des champignons étaient accommodés de diverses manières appétissantes. Une montagne de laitue sauvage, de bardane et de pissenlits n'attendait que d'être servie avec un assaisonnement de graisse d'ours chaude et de sel, ajouté au dernier moment.

Tout en surveillant Durc du coin de l'œil pendant qu'elle aidait les femmes, Uba admirait l'impressionnante quantité de nourriture, tout aussi variée qu'abondante, en se demandant s'ils seraient capables d'en venir à bout.

La fumée des brasiers s'élevait dans la nuit noire parsemée d'étoiles. La nourriture avait été éloignée du cœur de la fournaise à une distance suffisante pour la maintenir au chaud, et les femmes étaient rentrées dans leurs foyers pour prendre quelque repos.

Mais, en dépit de leur fatigue, l'approche des festivités les attira bientôt au-dehors, impatientes de voir commencer la cérémonie et d'entamer le festin. Un silence accompagna l'apparition des dix sorciers et de leurs acolytes, bientôt suivi d'une mêlée indescriptible lorsque les membres de chaque Clan s'efforcèrent de prendre leurs places, en fonction de leurs rangs.

On alluma un gigantesque feu devant la caverne avant d'ôter les pierres qui recouvraient les fosses où cuisait la viande. Les compagnes des chefs de rangs élevés eurent le suprême privilège d'extraire du foyer les premiers quartiers de viande tendre et Brun vit avec fierté Ébra s'avancer à leur tête. L'acceptation d'Ayla par les mog-urs avait décidé de l'issue de la compétition. Brun et son Clan se trouvaient de nouveau, plus forts que jamais, à la première place.

Puis, les femmes de rangs inférieurs commencèrent à sortir la viande à l'aide de bâtons fourchus et à remplir les récipients en bois ou en os. Portant de grands plateaux, Broud et Voord s'approchèrent de Mog-ur, qui déclara solennellement :

— Cette Fête d'Ursus est également célébrée en l'honneur de Gorn, que le Grand Ours des Cavernes a choisi pour l'accompagner. Pendant son séjour au sein du Clan de Norg, Ursus a vu que son Peuple n'avait pas oublié ses leçons. Il a appris à connaître Gorn et l'a trouvé digne de l'escorter. Broud, et toi Voord, votre courage, votre force et votre endurance vous ont désignés pour lui démontrer le degré de bravoure des hommes de son Clan. Il vous a éprouvés de toute sa puissance, et il est content de vous. C'est pourquoi vous avez le privilège de lui apporter le dernier repas qu'il partagera avec son Clan jusqu'à son prochain retour du monde des Esprits. Puisse l'Esprit d'Ursus nous accompagner toujours.

Les deux jeunes gens présentèrent leurs plateaux à toutes les femmes qui y déposèrent les meilleurs morceaux de tous les plats, à l'exception de la viande, l'ours n'en ayant jamais été régalé durant sa captivité. Les deux jeunes gens placèrent ensuite leurs plateaux devant la peau montée sur les piquets.

Puis le Mog-ur poursuivit son discours :

— Vous avez bu de son sang, à présent mangez de sa chair et ne faites plus qu'un avec l'Esprit d'Ursus.

Ces mots marquaient le début des festivités. Broud et Voord reçurent les premiers morceaux de viande, suivis par le reste du Clan. Des soupirs d'aise et des grognements de plaisir s'élevèrent tandis que chacun prenait place pour faire honneur au festin. La chair de l'animal végétarien était succulente, les légumes, les fruits et les céréales des plus savoureux et l'aiguillon de la faim rendait tout cela plus délectable encore.

Après le festin, sur un signe de Mog-ur, Ayla pénétra dans la caverne où elle trouva l'écuelle d'Iza, patinée par des usages répétés depuis des générations, posée sur sa couche où elle l'avait mise. Elle sortit la petite bourse teintée de rouge de son sac de guérisseuse et en vida le contenu. À la lumière de la torche, elle se mit à examiner les racines. Bien qu'Iza lui ait indiqué maintes fois comment évaluer la quantité appropriée, Ayla avait encore des doutes sur le dosage convenable pour les dix mog-urs. La force du breuvage ne dépendait pas seulement du nombre, mais aussi de la taille des racines et de leur âge.

La jeune femme n'avait jamais vu Iza procéder, en raison du caractère sacré du breuvage interdisant de le préparer en dehors du rite. Les filles de guérisseuses apprenaient à le doser en observant leurs mères lors des cérémonies et plus encore grâce à leur mémoire ancestrale. Mais Ayla n'était pas née dans le Clan. Elle choisit plusieurs racines, puis en ajouta encore une pour faire bonne mesure. Elle se rendit ensuite à l'entrée de la caverne où Creb lui avait dit d'attendre. La cérémonie commençait.

Il y eut d'abord le son des tambours de bois, puis le martèlement des lances sur le sol, et enfin le staccato des battements sur le long tube creux. Les acolytes passèrent parmi les hommes avec des coupes d'infusion de datura, et bientôt tous se laissèrent porter par le rythme lancinant. Les femmes restèrent à l'écart, leur tour viendrait plus tard. Tandis que la danse des hommes se transformait en véritable transe, Ayla attendait anxieusement.

Une tape sur l'épaule la fit sursauter : elle n'avait pas entendu les mog-urs venir du fond de la caverne. Les sorciers sortirent silencieusement et se placèrent en cercle autour de la peau d'ours. Le Mog-ur se tenait face à la bête qui se dressait de toute sa hauteur au-dessus de lui, figée dans un mouvement pour toujours interrompu, simple simulacre de force et de férocité, mais qui semblait néanmoins menaçante.

Ayla vit le grand sorcier faire un signe aux acolytes qui jouaient sur les instruments en bois, leur intimant de s'arrêter. Les hommes levèrent les yeux, surpris de découvrir les mog-urs là où il n'y avait personne un instant auparavant.

Le Mog-ur attendit jusqu'au moment où il vit que l'attention de tous était concentrée sur la gigantesque silhouette de l'Ours des Cavernes, éclairée par le feu cérémoniel et entourée par les sorciers. Il fit à Ayla le signe discret qu'elle attendait. Elle se débarrassa en un clin d'œil de la fourrure qui l'enveloppait, remplit l'écuelle à la réserve d'eau fraîche et, les racines à la main, elle se dirigea vers le plus grand des sorciers.

Quand Ayla pénétra dans le cercle de lumière, l'ébahissement fut général. Tant qu'elle était enveloppée dans sa peau de bête nouée à la taille par une longue lanière de cuir, elle parvenait à faire oublier combien elle était différente. Mais une fois débarrassée de ce vêtement informe, son corps fin et délié apparut dans toute son étrangeté, que rien ne pouvait dissimuler, pas même les lignes et les cercles rouges et noirs dessinés sur sa peau.

Le Mog-ur accomplit une série de gestes rituels, invoquant la protection de l'Esprit qui planait encore au-dessus d'eux. Alors Ayla mit dans sa bouche les racines séchées. Elle avait du mal à les mâcher, car elle ne possédait pas les maxillaires vigoureux et la solide denture des membres du Clan. Iza l'avait bien avertie de ne pas avaler la moindre goutte du jus qui se formait dans sa bouche, mais elle ne put s'empêcher de le faire. Il semblait à la jeune femme qu'il lui fallait mâcher sans fin pour ramollir les racines, et au moment où elle cracha la dernière bouchée de pulpe, la tête lui tournait. Elle remua ensuite le mélange jusqu'à ce qu'il devienne d'un blanc laiteux dans l'écuelle sacrée, et le tendit à Goov.

Les acolytes avaient attendu qu'elle ait fini de mastiquer les racines, une écuelle de datura longuement infusée à la main. Goov donna à Mog-ur le breuvage préparé par Ayla et en retour tendit à la guérisseuse une écuelle d'infusion, tandis que les autres acolytes faisaient de même avec les guérisseuses de leurs Clans respectifs. Le Mog-ur but une gorgée du breuvage.

— Il est fort, fit-il remarquer à l'adresse de Goov. Donnes-en moins.

Goov acquiesça d'un signe de tête et tendit l'écuelle au second des mog-urs.

Ayla et les autres guérisseuses apportèrent leurs bols aux femmes et leur firent boire, ainsi qu'aux filles les plus âgées, une quantité déterminée d'infusion. Ayla but ce qui restait au fond de son bol, mais elle ressentait déjà une étrange impression de distance, comme si une partie d'elle-même s'était détachée et la regardait de loin. Certaines guérisseuses parmi les plus âgées s'emparèrent des tambours et commencèrent à battre les rythmes de la danse des femmes. Ayla contemplait, fascinée, le mouvement des baguettes dont chaque coup était clair et net. La guérisseuse du Clan de Norg lui présenta un instrument et la jeune femme se mit à taper, légèrement d'abord, attentive au tempo, avant de s'abandonner au rythme.

Le temps perdit toute signification. Quand elle releva les yeux, les hommes étaient partis et les femmes tournaient sur elles-mêmes, saisies d'une frénésie sauvage et sensuelle. Elle éprouva soudain le besoin de se joindre à elles et, posant son instrument par terre, elle pensa à l'écuelle d'Iza, à la précieuse relique qui lui avait été confiée. Elle se revit en train de remuer le liquide blanchâtre. Où est le bol d'Iza ? se demanda-t-elle, soudain préoccupée par sa disparition. Elle se mit à la recherche du précieux récipient, trébuchant sur les plats et les écuelles contenant les reliefs du festin. L'entrée de la caverne l'attirait, faiblement éclairée par les torches, et elle s'en approcha en chancelant. Comme elle en franchissait le seuil, son regard fut attiré par quelque chose de blanc, non loin de l'endroit où elle avait attendu le signal de Mog-ur. Elle s'agenouilla et saisit avec précaution l'écuelle d'Iza qu'elle serra contre son cœur. Il restait au fond un peu du liquide laiteux.

« Ils n'ont pas tout bu, pensa-t-elle. J'en ai trop préparé. Que vais-je en faire ? Je ne peux pas jeter le breuvage. Iza m'a dit que c'était interdit. Que se passera-t-il si quelqu'un s'en aperçoit ? Je vais le boire ! Voilà ce que je vais faire. Ainsi, personne ne s'apercevra de rien. » Ayla porta l'écuelle à ses lèvres et la vida. Le mystérieux breuvage était déjà fort, et les racines qui y avaient macéré l'avaient rendu plus puissant encore. Elle se dirigea vers la seconde grotte avec la vague intention de mettre l'écuelle en lieu sûr, mais avant d'avoir atteint son foyer, elle commença à ressentir l'effet de la drogue.

Ayla était si hagarde qu'elle ne s'aperçut même pas qu'elle laissait tomber le bol à l'intérieur des limites du foyer. Elle avait dans la bouche le goût de la forêt ancestrale. Les parois de la grotte s'écartaient, reculant de plus en plus loin. Elle eut l'impression d'être un insecte rampant sur le sol. Des détails infimes lui apparaissaient démesurément grossis : elle distinguait le contour d'une empreinte avec une incroyable netteté, voyait chaque petit caillou, chaque grain de poussière. Elle perçut un mouvement à la limite de son champ de vision et vit une araignée en train de grimper le long d'un fil qui brillait dans la lumière d'une torche.

La flamme l'hypnotisa. Elle s'en approcha, puis en vit une autre qui l'attira. Mais quand elle l'atteignit, une autre torche l'appela, puis une autre, et Ayla s'enfonça de plus en plus profondément à l'intérieur de la montagne. Bientôt, sans qu'elle s'en rendît compte, les torches firent place aux flammes des petites lampes qui éclairaient le tunnel menant vers le fond de la grotte. Personne ne la remarqua quand elle traversa une vaste salle où se trouvaient des hommes en transes, ni quand elle pénétra dans la salle plus petite où se déroulait sous la conduite des acolytes les plus âgés une cérémonie d'initiation réservée aux adolescents.

Elle allait d'une flamme à l'autre, comme attirée par une force invisible. La succession des lumignons lui fit suivre un étroit passage qui s'élargissait parfois en salles plus vastes. Elle s'engagea dans un tunnel au bout duquel rougeoyait une lueur. Il était incroyablement long et par moments elle avait l'impression de se voir elle-même de très loin, avançant à tâtons le long du goulet obscur.

Elle finit par atteindre la lumière au bout du tunnel et distingua plusieurs silhouettes assises en cercle. Un réflexe de prudence enfoui au plus profond de son esprit hébété par le breuvage magique l'incita à se cacher derrière un pilier de pierre. Les dix mog-urs étaient absorbés dans la célébration d'une cérémonie secrète. Chacun d'eux, enveloppé dans sa peau d'ours, était assis devant le crâne d'un ours des cavernes. D'autres crânes occupaient des niches dans la paroi. Au centre du cercle, se trouvait un objet recouvert de poils qui intrigua Ayla. Mais quand finalement elle comprit de quoi il s'agissait, seule son hébétude la retint de pousser un cri. C'était la tête tranchée de Gorn.

Elle contempla avec une horreur fascinée le mog-ur du Clan de Norg saisir la tête, la retourner et, à l'aide d'un instrument, élargir l'orifice situé à la base du cou. La masse grise et rose du cerveau apparut. Le sorcier traça des signes symboliques au-dessus du crâne, puis, plongeant la main dans l'orifice, arracha un morceau de la cervelle. Il garda dans sa main la masse tremblotante tandis qu'un autre mog-ur s'emparait à son tour de la tête.

Malgré l'effet de la drogue, Ayla ressentit une violente répulsion, mais elle resta comme envoûtée tandis que les magiciens fouillaient l'un après l'autre dans l'horrible crâne. Elle s'efforçait désespérément de résister au vertige qui s'emparait d'elle, mais quand elle vit les sorciers du Clan porter leurs mains à la bouche et manger le cerveau de Gorn, elle sombra dans un abîme sans fond, où rien n'existait plus que la peur.

Soudain, elle sentit comme une décharge dans son cerveau, un influx mental qui lui donnait le sentiment de sortir lentement du gouffre où elle était tombée. Elle éprouva des émotions qui n'étaient pas les siennes : de l'amour, mais aussi une violente colère et une peur immense, ainsi qu'un soupçon de curiosité. Stupéfaite, elle s'aperçut que Mog-ur avait pris possession de son esprit : c'étaient ses pensées qui étaient en elle, ses sentiments qu'elle éprouvait.

Le breuvage magique poussait à son paroxysme une tendance naturelle du Clan : la capacité de ses membres à communiquer par la médiation avec leur mémoire commune, leur mémoire ancestrale. Les mog-urs, quant à eux, possédaient à un degré particulièrement développé cette faculté naturelle grâce à un entraînement délibéré, mais chez le Mog-ur ce don était exceptionnel. C'est pourquoi la communauté des membres de son Clan était plus riche et plus complète que celle de tout autre Clan. Avec les autres mog-urs, il parvenait d'emblée à instaurer une communication télépathique. Le breuvage d'Iza, qui aiguisait les sens et ouvrait les esprits, lui permettait également d'entrer en symbiose avec l'esprit d'Ayla.

Ayla eut soudain l'impression qu'un sang étranger coulait dans ses veines, se mêlant au sien. L'esprit puissant du grand sorcier explorait les tréfonds de son cerveau, cherchant à s'en rendre maître. Ayla comprit soudain que c'était lui qui l'avait sauvée de l'abîme où elle s'enfonçait peu avant et qu'en outre, il empêchait les autres mog-urs, eux-mêmes en relation télépathique avec lui, de prendre conscience de sa présence.

Et en même temps qu'elle se rendait compte que Mog-ur l'avait sauvée et la protégeait, elle comprit la profonde dévotion avec laquelle les sorciers s'étaient livrés à l'acte qui l'avait tant révoltée. Les mog-urs étaient convaincus, en absorbant le courage du jeune homme qui s'en était allé avec l'Esprit d'Ursus, d'accomplir un geste bénéfique pour tout le Clan. Et, en leur qualité de sorciers, doués de capacités mentales particulières, ils communiquaient ensuite à tous le courage ainsi acquis.

Telle était la raison de la peur et de la colère de Mog-ur. La tradition ancestrale voulait que seuls les hommes participent aux cérémonies du Clan. Le fait qu'une femme assiste à une cérémonie ordinaire au sein d'un seul Clan entraînait pour celui-ci la malédiction. Or, en la circonstance, il ne s'agissait pas d'une cérémonie ordinaire, mais d'un rite d'une importance extrême pour tout le Rassemblement. Ayla était une femme et sa présence allait provoquer un grand malheur et un désastre pour tous.

Mog-ur comprit alors qu'en fait elle ne faisait pas partie du Clan. Il le sut dès qu'il prit conscience de sa présence alors que le mal était déjà fait. Il lui fallait accepter l'inévitable, mais devant la gravité de son crime, il ne savait à quel parti se résoudre. Même le châtiment suprême serait insuffisant. Avant de prendre une décision, il désira en savoir davantage à son sujet et, à travers elle, au sujet des Autres.

Les Autres étaient certes différents, mais il devait nécessairement y avoir des points communs. Mog-ur ressentait le besoin impérieux de connaître la vérité, d'abord pour le salut du Clan, mais aussi poussé par une profonde curiosité. Ayla l'avait toujours intrigué ; il voulait savoir en quoi résidait la différence et il décida de tenter une expérience.

Assurant plus fermement son emprise sur les esprits, le

puissant sorcier, qui contrôlait à la fois les neuf cerveaux semblables au sien et celui d'Ayla, identique et différent, les transporta dans les lointains du temps, à l'aube de l'humanité.

Ayla sentit lui venir à nouveau le goût de la forêt primordiale, puis une impression de chaleur salée. Elle éprouvait la sensation de revivre la naissance de la vie. Mog-ur constata que le tréfonds de son être, les couches les plus profondes, correspondaient aux siens. Nos commencements furent identiques, pensa-t-il. Ayla percevait dans leur unicité ses propres cellules, et revivait la manière dont elles s'étaient divisées et différenciées dans les eaux tièdes et nourrissantes, et cette évolution avait un sens. Une nouvelle mutation et les timides pulsations de la vie se transformèrent en un organisme plus complexe.

Une autre mutation, et Ayla ressentit la souffrance de la première bouffée d'air respirée dans ce nouvel élément. Un autre bond, et ce fut la terre riche, l'apparition des premières pousses et la fuite devant les bêtes sauvages. Un bond, et ce fut la chaleur et la sécheresse qui la firent retourner vers la mer. Puis sa silhouette changea, elle grandit et perdit sa fourrure originelle.

Désormais, elle se tenait debout, marchant sur deux jambes, les bras libres de leurs mouvements, les yeux découvrant un horizon plus vaste. Elle prenait une direction différente de celle de Mog-ur ; mais pas si éloignée cependant qu'il ne puisse continuer à avancer parallèlement à sa voie. Il interrompit la relation télépathique avec les autres qui se trouvaient à présent assez proches pour continuer sans lui. De toutes façons, leur chemin se terminait bientôt.

Ils restèrent donc seuls tous les deux, le vieil homme du Clan et la jeune femme qui venait de chez les Autres. Ce n'était plus lui qui guidait, mais chacun avançait sur son propre chemin tout en observant celui de l'autre. Elle vit la terre se recouvrir de glace, mais dans une région beaucoup plus éloignée dans l'espace comme dans le temps, une région située au bord d'une mer infiniment plus vaste que celle qui bordait leur péninsule.

Un chagrin bouleversant l'envahit soudain. Elle était seule. Mog-ur ne pouvait la suivre plus avant. Elle trouva son chemin jusqu'à son propre présent et même un peu au-delà. La caverne lui apparut, puis elle eut la vision kaléidoscopique d'une succession de paysages qui n'étaient pas soumis aux caprices de la nature, mais organisés selon des schémas réguliers. Des structures cubiques sortaient de terre et de longs rubans de pierre se déroulaient, sur lesquels se déplaçaient à grande vitesse d'étranges animaux ; d'énormes oiseaux volaient sans agiter leurs ailes. Puis d'autres scènes surgirent, si étranges qu'elle ne put même pas les comprendre. Tout cela ne dura que l'espace d'un instant. Dans sa course éperdue pour gagner le présent, elle avait été emportée au-delà de son but, au-delà de son temps. Puis la vision se dissipa et elle se retrouva, cachée derrière le pilier, en train de regarder les dix hommes assis en cercle.

Elle vit le regard de Mog-ur posé sur elle et y reconnut le même chagrin qu'elle avait ressenti quand elle s'était retrouvée seule. Il avait tracé de nouvelles voies dans le cerveau d'Ayla, des voies qui lui permettaient d'entrevoir l'avenir, mais il ne pouvait en faire autant pour lui-même. Il n'en avait perçu que l'impression fugitive d'une possibilité qui n'était pas pour lui, mais pour elle seule.

Mog-ur ne pouvait pratiquement pas concevoir d'idées abstraites et il lui fallait fournir un immense effort pour compter un peu au-delà de vingt. Son esprit, il le savait, était beaucoup plus puissant que celui d'Ayla, mais leurs génies étaient de nature différente. Il pouvait se remémorer leurs origines à tous les deux, mieux que quiconque dans le Clan. Il pouvait même la faire se souvenir. Mais il sentait en elle la jeunesse et la vitalité d'une organisation nouvelle : une mutation s'était à nouveau produite, dont il était exclu.

— Dehors !

Ayla sursauta à son ordre brutal, surprise qu'il ait crié si fort. Puis elle se rendit compte qu'il n'avait proféré aucun son. L'ordre lui avait été transmis de l'intérieur.

— Sors de la grotte ! Vite ! Sors de là !

Elle quitta sa cachette et s'enfuit en courant dans le tunnel. Certaines lampes s'étaient éteintes, mais il en restait suffisamment pour qu'elle retrouvât son chemin. Un silence profond régnait dans les grottes où les hommes et les garçons dormaient d'un sommeil sans rêves. Elle se précipita hors de la caverne.

Il faisait encore nuit, mais l'aube commençait à poindre. Ayla ne ressentait plus l'effet du puissant breuvage, mais elle était complètement épuisée. Elle vit les femmes étendues sur le sol, exténuées, et s'allongea à côté d'Uba.

Quand Mog-ur sortit de la caverne, quelques instants plus tard, elle était profondément endormie. Il contempla sa longue chevelure blonde, si différente de celle des autres femmes, comme l'était aussi toute sa personne, et une immense tristesse l'envahit. Il n'aurait pas dû la laisser partir. Il aurait dû au contraire la conduire devant les hommes et la faire mourir sur-le-champ. Mais à quoi cela aurait-il servi ? Cela n'aurait pas évité la catastrophe que sa présence à la cérémonie allait déclencher, cela n'aurait pas empêché la malédiction de s'abattre sur le Clan. A quoi bon la tuer ? Ayla était comme elle était, et de plus, il l'aimait.

XXV

Goov sortit de la caverne, se frotta les yeux, ébloui par le soleil, et s'étira. Il vit Mog-ur, assis sur un tronc d'arbre, fixant le sol d'un air absent et songea à lui demander la permission de regarnir les lumignons de peur que quelqu'un ne se perde dans le dédale des tunnels. Mais à la vue de sa mine défaite et accablée, il préféra ne pas l'importuner.

« Mog-ur se fait vieux, pensa l'acolyte en regagnant la caverne, une vessie de graisse d'ours ainsi que de nouvelles mèches à la main. J'ai tendance à oublier son âge. Le voyage a été une rude épreuve pour lui, et la cérémonie l'a exténué. Et il va lui falloir affronter le retour. C'est étrange tout de même, songea-t-il, je ne l'avais jamais considéré comme un vieillard jusqu'à présent. »

Quelques hommes sortirent de la caverne en frottant leurs yeux endormis et contemplèrent le spectacle des femmes nues affalées par terre en se demandant ce qui avait bien pu les mettre dans cet état. Les premières femmes à se lever coururent à leurs vêtements et se dépêchèrent de réveiller leurs compagnes avant que tout le monde soit sorti.

— Ayla, dit Uba, en secouant la jeune femme. Ayla, réveille-toi.

— Mmmm..., geignit Ayla en se retournant.

— Ayla ! Ayla ! insista Uba, en la secouant de plus belle. Ébra, je n'arrive pas à la réveiller !

— Ayla ! s'exclama la femme, en la bousculant sans ménagement.

Ayla ouvrit faiblement les yeux et esquissa un geste, puis les referma et se roula en boule.

— Ayla ! Ayla ! cria Ébra, qui parvint à lui faire ouvrir les yeux une seconde fois. Va finir ta nuit dans la caverne ; tu ne peux pas rester dehors, les hommes vont arriver.

La jeune femme tituba vers la grotte. Un instant plus tard elle en ressortait, parfaitement réveillée, mais le visage décomposé.

— Que se passe-t-il ? s'inquiéta Uba. Tu es toute blanche. On dirait que tu as vu un Esprit.

— Uba ! Oh, Uba ! l'écuelle ! gémit Ayla en se laissant tomber à terre, le visage enfoui dans les mains.

— L'écuelle ? quelle écuelle, Ayla ?

— Elle est cassée, parvint à articuler Ayla.

— Cassée, s'étonna Ébra. Je ne vois pas pourquoi tu te tracasses pour un bol cassé, tu en feras un autre.

— Mais non, c'est impossible. Il ne peut y en avoir deux comme celui-là. C'est l'écuelle d'Iza, celle que sa mère lui a donnée.

— Le bol cérémoniel ? demanda Uba, devenue blême.

Le bois sec et fragile de l'ancienne relique avait perdu toute sa solidité au fil des générations. Une imperceptible fissure avait commencé à se former sous le dépôt blanchâtre collé au fond. Le coup que l'écuelle avait reçu en tombant des mains d'Ayla avait été fatal. Elle s'était fendue en deux.

Creb avait relevé la tête quand Ayla s'était ruée hors de la caverne. La nouvelle que l'écuelle vénérable était cassée vint confirmer inexorablement les sombres pensées qui l'agitaient. « Tout se vérifie, conclut-il. Nous ne boirons plus jamais le breuvage magique. Je n'accomplirai plus jamais les rites pour lesquels il était indispensable. Le Clan les oubliera. » Le vieil infirme s'appuya pesamment sur son bâton pour se relever ; toutes ses articulations le faisaient souffrir. « Je suis trop vieux, c'est à Goov de prendre le relais. Si je me presse, il sera prêt d'ici un an ou deux. Il le faut ; qui sait combien de temps il me reste encore à vivre ? »

Brun remarqua une nette transformation dans le comportement du sorcier et prit son accablement pour le contrecoup après la récente euphorie de ce Rassemblement qui, pour lui, serait sans doute le dernier. Néanmoins, il s'inquiéta de la façon dont Creb supporterait le voyage de retour et décida de ne pas forcer l'allure. Il organisa une dernière expédition avec ses chasseurs pour échanger de la viande fraîche contre des vivres puisés dans les réserves de leurs hôtes afin de se constituer des provisions pour la route.

Un certain nombre de Clans étaient déjà partis. Après une chasse heureuse, Brun se sentit soudain impatient de regagner la caverne, sa demeure, et tous ceux qu'il y avait laissés. Il se sentait en excellentes dispositions. Jamais sa position ne s'était trouvée autant menacée, c'est pourquoi la victoire lui était d'autant plus agréable. Il était content de lui, content de son Clan et content d'Ayla. Brun savait que Mog-ur avait amplement contribué à faire accepter la guérisseuse par les autres sorciers, mais c'était elle et elle seule qui avait réussi à s'imposer en sauvant le jeune chasseur.

Mog-ur ne fit jamais la moindre allusion à l'intrusion d'Ayla dans la petite grotte sacrée tout au fond de la caverne, à l'exception d'une seule et unique fois. La veille du départ, il fit irruption dans la seconde caverne où Ayla était en train de ranger ses affaires. Il n'avait cessé de l'éviter jusqu'alors. Il s'arrêta net en la voyant et s'apprêtait à faire demi-tour quand elle se jeta à ses pieds. Il contempla sa tête baissée en poussant un profond soupir et lui tapa sur l'épaule.

Elle releva la tête et fut bouleversée en découvrant combien il avait vieilli au cours de ces derniers jours. La cicatrice qui le défigurait ainsi que la paupière qui recouvrait son orbite vide s'étaient ratatinées et semblaient disparaître dans l'ombre de ses arcades sourcilières proéminentes. Sa barbe grise pendait tristement et son front bas et fuyant était encore accentué par une calvitie croissante ; mais ce fut surtout le profond chagrin qui se lisait dans son œil unique qui l'affligea.

— Qu'y a-t-il, Ayla ? demanda-t-il.

— Mog-ur... je... je..., balbutia-t-elle avant de poursuivre précipitamment : Oh ! Creb, je ne supporte pas de te voir souffrir ainsi. Que puis-je faire ? J'irai voir Brun si tu le désires, je ferai tout ce que tu voudras. Mais dis-moi...

« Que pourrais-tu faire, Ayla, pensa-t-il. Tu ne peux pas changer ta nature. Tu ne peux pas réparer les dégâts que tu as causés. Le Clan va mourir, et il ne restera plus que toi et tes semblables. Nous sommes un peuple très ancien. Nous avons conservé nos traditions, honoré les Esprits et le Grand Ursus, mais notre temps est passé. Sans doute cela devait-il arriver. Sans doute n'es-tu pas responsable, Ayla. C'est ton peuple qui est responsable. Est-ce pour cela que tu nous as été envoyée ? Pour nous prévenir ? Le monde que nous laissons est beau et riche, il a satisfait tous nos besoins pendant des générations et des générations. Dans quel état le laisserez-vous quand votre tour viendra ? »

— Il est une chose que tu peux faire, Ayla. C'est ne plus jamais faire allusion à cela, déclara-t-il solennellement.

Creb se tenait aussi droit que le lui permettait son unique jambe valide. Puis, faisant appel à toute sa fierté et à celle de son Peuple, il fit demi-tour avec raideur et sortit dignement de la caverne.

— Broud !

Le jeune homme se dirigea vers celui qui l'avait appelé. Les femmes du Clan de Brun se dépêchaient de terminer le repas du matin, le départ ayant été prévu immédiatement après, et les hommes profitaient de cette dernière occasion de s'entretenir avec ceux qu'ils ne reverraient plus que dans sept ans. Ils commentaient les divers aspects des festivités, comme pour en prolonger un instant le plaisir.

— Tu t'es montré excellent, Broud, et au prochain Rassemblement, tu seras chef.

— La prochaine fois vous ferez peut-être aussi bien que nous, répondit Broud, gonflé d'orgueil. Nous avons simplement eu de la chance.

— C'est vrai que vous avez de la chance. Votre Clan est le premier, votre Mog-ur est le premier et même votre guérisseuse est la première. Tu sais, Broud, vous avez vraiment de la chance d'avoir Ayla. Il est peu de guérisseuses qui oseraient braver un ours des cavernes pour sauver un chasseur.

Broud se renfrogna légèrement puis aperçut Voord et se dirigea vers lui.

— Voord ! le héla-t-il. Tu t'es surpassé cette fois.

— C'est quand même toi qui méritais la première place, Broud. Tu as fait une excellente course. Votre Clan tout entier mérite bien sa place ; votre guérisseuse elle-même est la meilleure, quoi que j'en aie pensé au début. J'espère seulement qu'elle ne grandira pas davantage. Entre nous, ça me fait un drôle d'effet d'avoir à lever la tête pour regarder une femme.

— Oui, c'est vrai, elle est trop grande, répondit sèchement Broud.

— Mais qu'importe, du moment qu'elle a des dons, n'est-ce pas ?

Broud fit un vague geste d'approbation et s'éloigna. Ayla, Ayla. Toujours Ayla, pensa-t-il, exaspéré.

— Broud ! Je voulais te voir avant ton départ, dit un homme qui venait à sa rencontre. Tu sais qu'il y a dans mon Clan une femme dont la fille présente les mêmes difformités que le fils de votre guérisseuse. J'en ai parlé à Brun, et il veut bien l'accepter pour être la compagne du garçon, mais il m'a demandé de t'en parler. Tu seras sans doute chef quand ils seront en âge. La mère a promis de bien élever sa fille, pour en faire une femme digne du premier Clan et du fils de la première guérisseuse. Tu n'y vois pas d'objections, n'est-ce pas, Broud ? Ils seront bien assortis.

— Non, répondit brusquement Broud en tournant les talons. S'il n'avait pas été aussi furieux, il aurait certes élevé des objections, mais il n'était pas d'humeur à se lancer dans une discussion au sujet d'Ayla.

Alors qu'il se dirigeait vers la caverne, il surprit deux femmes en grande conversation. Il savait qu'il devait détourner les yeux pour ne pas voir ce qu'elles se disaient, mais il regarda droit devant lui en faisant comme s'il ne les avait pas remarquées.

— ... Je ne pouvais pas croire qu'elle fût une femme du Clan, surtout quand j'ai vu son bébé... Mais quand elle a marché droit sur Ursus, sans la moindre peur...

— Je lui ai parlé un petit peu. Elle est très gentille et elle se conduit tout à fait normalement. Crois-tu qu'elle arrivera à trouver un compagnon ? Je me le demande... Elle est tellement grande, pas un homme ne voudra d'une femme plus grande que lui, en dépit de son rang de première guérisseuse.

— Quelqu'un m'a dit qu'un des Clans désirait considérer la question, mais je n'ai pu en savoir plus. Je crois qu'ils enverront un messager s'ils l'acceptent.

— On dit que le premier Clan a une nouvelle caverne. Il paraît que c'est elle qui l'a découverte, qu'elle est très vaste et que les Esprits la protègent.

— Je crois qu'elle est près de la mer et que les sentiers sont bien tracés. Un bon messager pourra les trouver facilement.

Broud dut faire un effort pour ne pas corriger ces deux commères bavardes et paresseuses. Mais elles ne faisaient pas partie de son Clan et son intervention aurait été mal vue de leurs compagnons.

— Notre guérisseuse prétend qu'elle est experte, était en train de dire Norg quand Broud pénétra dans la caverne.

— Elle est la fille d'Iza, qui l'a parfaitement formée, répliqua Brun.

— Quel dommage qu'Iza n'ait pu venir. Il est vrai qu'on la dit malade.

— Oui, et c'est une des raisons pour lesquelles je dois me dépêcher. Nous avons un long chemin à parcourir. Ton hospitalité a été parfaite, Norg. Ce fut un Rassemblement des plus réussis. Nous nous en souviendrons longtemps, dit Brun.

Ayla, Ayla, Ayla. C'est tout ce qu'ils savent dire ! Ils n'ont que ce mot-là à la bouche ! On dirait vraiment que personne n'a rien fait, à part elle, au cours de cette fête ! Elle a peut-être sauvé la vie à ce chasseur, mais il ne pourra probablement plus marcher. Elle est laide, elle est trop grande, son fils est difforme et personne ne sait comme elle est insolente ! Au même instant, Ayla passa en courant, les bras chargés de ballots. Elle frémit en croisant le regard haineux que lui jeta Broud.

Dès le repas du matin terminé, les femmes se dépêchèrent de ranger les derniers ustensiles de cuisine. Tout le monde était impatient de partir. Après avoir fait ses adieux aux autres guérisseuses et à la compagne de Norg, Ayla prit place dans le rang, à la tête des femmes du Clan de Brun. Au signal de son chef, la petite colonne s'ébranla. Avant de disparaître au détour du chemin, les voyageurs s'arrêtèrent et se retournèrent une dernière fois vers la caverne. Norg et son Clan au grand complet se tenaient sur le seuil.

— Qu'Ursus vous accompagne ! leur signifia Norg par gestes.

Brun se remit en marche. Ils ne reverraient pas Norg avant sept ans, et peut-être même plus jamais. Seul l'Esprit du Grand Ours des Cavernes le savait !

Ainsi que l'avait prévu Brun, le voyage de retour se révéla particulièrement pénible pour Creb. Son vieux corps, usé par les ans, n'était plus stimulé par l'approche des festivités et le vieillard sentit ses forces lui manquer plus d'une fois. Brun n'avait jamais vu le sorcier aussi abattu. Il ne mettait plus le moindre entrain à accomplir les rites du soir, et ses gestes étaient raides, comme s'il les faisait à contrecœur. Brun s'était aperçu que Creb et Ayla gardaient leurs distances, et si la jeune femme n'avait aucun mal à suivre, il était évident que sa démarche avait perdu toute sa vivacité. Il a dû se passer quelque chose, conclut-il.

Ils avaient traversé de vastes prairies aux herbes hautes et desséchées pendant une bonne partie de la matinée. Brun jeta un coup d'œil derrière lui ; Creb n'était pas en vue. Il allait faire signe à l'un de ses hommes quand il changea d'avis et s'approcha d'Ayla.

— Retourne chercher Mog-ur, dit-il.

Étonnée, Ayla acquiesça. Confiant Durc à Uba, elle revint sur ses pas en courant et découvrit Creb qui marchait péniblement, courbé en deux sur son bâton. Le vieux sorcier s'arrêta net en la voyant arriver.

— Qu'est-ce que tu fais là ? lui demanda-t-il.

— C'est Brun qui m'a envoyée.

Creb bougonna et se remit en route, Ayla sur ses talons. Après l'avoir regardé avancer tout doucement et à grand-peine, la jeune femme, n'y tenant plus, le dépassa pour se jeter à ses pieds, en lui barrant le passage. Creb attendit un long moment avant de lui donner une tape sur l'épaule.

— Cette femme aimerait savoir pourquoi le Mog-ur est en colère.

— Je ne suis pas en colère, Ayla.

— Alors pourquoi refuses-tu que je te soigne ? s'écria-t-elle. Cela ne t'est jamais arrivé. Cette femme est guérisseuse, ajouta Ayla en s'efforçant de retrouver son calme. Elle ne supporte pas de voir Mog-ur souffrir. Oh ! Creb, laisse-moi t'aider ! Je te considère comme le compagnon de ma mère. Tu m'as nourrie, tu m'as défendue ; je te dois la vie. Je ne sais pas pourquoi tu as cessé de m'aimer, mais moi, je t'aime toujours ! déclara Ayla, le visage baigné de larmes.

— Nous ferions mieux de nous dépêcher, Ayla. Brun nous attend. Essuie tes yeux et, quand nous ferons une halte, tu pourras me préparer une infusion d'écorce de bouleau, guérisseuse.

Un large sourire apparut derrière les larmes. Au bout de quelques pas, Ayla vint se placer à côté du sorcier. Il la contempla un instant, puis hocha la tête d'un air résigné et s'appuya sur elle pour continuer sa route.

Brun remarqua immédiatement l'amélioration de leurs rapports et en profita pour accélérer le pas. Si le vieil homme avait toujours l'air un peu mélancolique, il faisait tous ses efforts pour le cacher. Je me doutais bien qu'il y avait quelque chose entre ces deux-là, se dit Brun, satisfait de sa perspicacité. Mais on dirait que ça s'est arrangé.

Après avoir marché jusqu'à la tombée de la nuit, ils établirent enfin leur campement dans les steppes. Le lendemain matin, tout le monde se leva de fort bonne heure pour entreprendre la dernière étape. Ils croisèrent un rhinocéros paisiblement occupé à brouter dans une belle prairie verdoyante et la rencontre de cet animal familier leur réchauffa le cœur. Ils approchaient de leur demeure. En atteignant le sentier qui grimpait à travers la colline, ils pressèrent le pas et, le cœur battant, ils contournèrent l'escarpement qui dérobait la caverne à leur vue. Ils étaient enfin de retour chez eux.

Aba et Zoug se précipitèrent à leur rencontre.

— Où est Dorv ? s'inquiéta Ika.

— Il nous a quittés pour le monde des Esprits, répondit Zoug. Ses yeux étaient si faibles qu'il ne voyait plus rien de ce qu'on lui disait. Il n'avait même pas le courage d'attendre votre retour. Le jour où les Esprits l'ont appelé, il les a suivis. Nous montrerons à Mog-ur l'endroit où il est enterré pour qu'il accomplisse les rites funèbres.

Prise d'une angoisse soudaine, Ayla regarda autour d'elle.

— Où est Iza ?

— Elle est très malade, Ayla, dit Aba. Elle n'a pas quitté sa couche depuis la dernière lune.

— Iza ! Iza ! s'écria Ayla en s'élançant vers la caverne. En arrivant au foyer de Creb, elle jeta par terre tous ses paniers et se précipita vers la femme allongée sous ses fourrures. La vieille guérisseuse ouvrit faiblement les yeux.

— Ayla, murmura-t-elle d'une voix à peine audible. Les Esprits ont exaucé mon souhait. Tu es de retour.

Ayla serra contre elle le corps fragile et émacié. Les cheveux d'Iza étaient devenus tout blancs et son visage avait la couleur du parchemin. Ses joues et ses yeux étaient profondément creusés. Elle semblait parvenue à l'extrême vieillesse alors qu'elle n'avait que vingt-six ans.

Ayla avait le plus grand mal à distinguer ses traits à travers le voile de ses larmes.

— Non, tu ne vas pas mourir ! s'écria-t-elle. Je vais te guérir !

— Ayla, Ayla. Il existe des états contre lesquels la meilleure guérisseuse du monde ne peut rien.

L'effort que venait de faire Iza déclencha une terrible quinte de toux. Ayla l'aida à se soulever et roula en boule une fourrure pour la soutenir et lui permettre de respirer plus aisément. Puis elle se mit à fouiller parmi les remèdes rangés près de la couche de la malade.

— Où est l'aunée ? Je n'arrive pas à la trouver.

— Je ne pense pas qu'il en reste, murmura Iza, exténuée. J'en ai beaucoup utilisé ces temps derniers et je n'ai pas eu la force d'aller en cueillir davantage. Aba n'a pas réussi à m'en trouver, elle ne m'a rapporté que des hélianthes.

— Je n'aurais jamais dû partir, se lamenta Ayla en sortant précipitamment de la caverne.

Elle traversa d'un bond la rivière, courut vers la prairie où poussait l'aunée, en arracha plusieurs pieds qu'elle lava sommairement en repassant le cours d'eau et se dépêcha de regagner le foyer.

Uba avait allumé un feu mais l'eau qu'elle avait mise à bouillir était à peine tiède. Creb invoquait les Esprits, les suppliant de donner à Iza la force de vivre et de ne pas la rappeler à eux. Uba avait installé Durc sur une natte et le petit garçon se mit à ramper à quatre pattes vers sa mère occupée à couper en morceaux les racines d'aunée.

— Montre-moi un peu Durc, dit Iza. Il a beaucoup grandi.

Uba prit l'enfant et l'installa sur les genoux d'Iza. Mais Durc, qui n'était pas d'humeur à se laisser cajoler par une vieille femme dont il n'avait conservé aucun souvenir, se débattit pour redescendre.

— Il est beau et fort, dit Iza. Et il tient sa tête bien droite à présent.

— Il a même une compagne, répondit Uba, ou du moins une petite fille lui a été promise pour plus tard.

— Une compagne ? Quel Clan a-t-il bien pu lui promettre une fille alors qu'il est si petit et tout difforme ?

— Il y avait une femme au Rassemblement des Clans dont la fille est également anormale. Elle est venue nous parler dès le premier jour, expliqua Uba. Son enfant ressemble énormément à Durc et elle craignait de ne jamais pouvoir lui trouver de compagnon. Brun et le chef de l'autre Clan se sont mis d'accord. Je crois que la fille viendra vivre avec nous après le prochain

Rassemblement, même si elle n'est pas encore une femme. La mère de la petite était ravie, surtout après qu'Ayla eut préparé le breuvage pour la cérémonie.

— Alors, ils ont accepté Ayla en tant que guérisseuse de ma lignée. Je me demandais comment les choses allaient tourner, dit Iza, avant de s'interrompre, fatiguée par l'effort. Elle se reposa un instant, puis reprit :

— Comment s'appelle la fillette ?

— Ura, répondit Uba.

— C'est un joli nom... Et Ayla, s'est-elle trouvé un compagnon ?

— Les parents que Zoug a dans un autre Clan sont en train d'y réfléchir. Le temps a manqué pour prendre une décision avant le départ ; il se pourrait qu'ils acceptent Ayla, mais pas Durc en tout cas.

Assise auprès de la vieille femme, Ayla soufflait sur le bouillon qu'elle venait de préparer pour le faire refroidir. Fort absorbée à écouter la respiration rauque de la malade, elle ne s'aperçut pas de l'arrivée de Brun.

— Brun, chuchota Iza, soudain consciente de sa présence. Uba, apporte vite une infusion. Ayla, donne à Brun une fourrure pour s'asseoir. Cette femme regrette de ne pouvoir servir elle-même le chef, ajouta-t-elle en essayant de se redresser. Elle restait la maîtresse du foyer de Creb.

— Iza, ne t'inquiète pas. Je ne suis pas venu pour boire une infusion, mais pour te voir, dit Brun en s'asseyant auprès d'elle.

— Depuis combien de temps es-tu là ? demanda Iza.

— Pas longtemps. Ayla était occupée ; je ne voulais pas la déranger dans ses préparations. Tu nous as manqué au Rassemblement, tu sais.

— Tout s'est-il bien passé ?

— Oui, notre Clan est encore le premier de tous. Les chasseurs se sont montrés excellents ; Broud a été choisi pour la Fête de l'Ours. Ayla s'est très bien comportée également. On lui a fait beaucoup de compliments.

— Des compliments ! Qui a besoin de compliments ? Les Esprits vont être jaloux. Si elle a fait honneur au Clan, cela suffit.

— Elle a bien rempli son office. Elle a été acceptée et s'est conduite à la perfection. Elle est de ta lignée, Iza, on ne pouvait s'attendre à moins.

— Oui, tout autant qu'Uba. J'ai vraiment de la chance, car les Esprits ont choisi de m'accorder deux filles qui toutes deux deviendront de bonnes guérisseuses. Ayla pourra achever l'éducation d'Uba.

— Non ! coupa Ayla. C'est toi qui le feras ! Tu vas te rétablir. Maintenant que nous sommes de retour, nous allons te soigner.

— Ayla, mon enfant, les Esprits m'attendent. Je vais les rejoindre bientôt. Ils ont exaucé mon dernier souhait : revoir mes deux filles bien-aimées avant de partir ; mais je ne peux pas les faire attendre plus longtemps.

Le bouillon et le remède avaient stimulé les dernières forces d'Iza dont la fièvre ne cessait d'augmenter, faisant briller ses yeux et rosissant ses joues. Mais son visage avait un éclat translucide que Brun connaissait bien ; on l'appelait l'éclat de l'Esprit. C'était la dernière apparition de l'énergie vitale avant qu'elle disparaisse à tout jamais.

Uba, après avoir couché Durc sur les fourrures d'Ayla, se sentait complètement perdue, sans personne vers qui se tourner. Creb n'avait passé que quelques instants dans son foyer pour tracer sur le corps d'Iza des symboles magiques à l'ocre rouge et à la graisse d'ours. Puis il avait gagné la petite grotte sacrée pour n'en plus bouger.

Ayla ne quittait pas Iza des yeux. Elle la veilla toute la nuit, sans oser la laisser une seconde de peur qu'elle s'éteigne en son absence. Cette nuit-là, elle ne fut pas la seule à rester éveillée. Si les petits enfants dormaient, dans tous les foyers, les hommes et les femmes contemplaient d'un air absent les braises des feux mourants ou bien restaient allongés sur leurs fourrures, les yeux grands ouverts.

Dans le profond silence qui précéda l'aube, Ayla sursauta, brusquement tirée d'un moment de somnolence.

— Ayla, répéta Iza, en un murmure rauque.

— Qu'y a-t-il ?

— J'ai quelque chose à te dire avant de partir, dit la vieille femme qui avait à peine la force de faire les gestes indispensables pour se faire comprendre.

— N'essaie pas de parler. Repose-toi. Tu te sentiras mieux demain matin.

— Non, mon enfant, il faut que je te parle à présent ; je ne serai plus là au matin.

Iza se tut quelques instants avant de poursuivre :

— Ayla, je t'ai toujours aimée plus que personne. Je ne sais pas pourquoi, mais c'est ainsi. J'ai voulu que tu restes près de moi avec le Clan, mais je vais bientôt partir. D'ici peu, ce sera le tour de Creb de rejoindre le monde des Esprits, et Brun se fait vieux, lui aussi... Alors Broud sera le chef. Ayla, tu ne pourras pas rester ici le jour où Broud sera le chef.

Iza se tut de nouveau et ferma les yeux en essayant de rassembler ses dernières forces.

— Ayla, ma fille, tu es une femme, et il te faut un compagnon, un homme comme toi. Tu n'es pas du Clan, tu appartiens aux Autres. Tu dois partir, mon enfant, et retrouver les tiens.

— Partir ? gémit Ayla, bouleversée. Mais où donc irai-je, Iza ? Je ne connais pas les Autres, et je ne saurais même pas où les chercher.

— Il y en a beaucoup au nord, au-delà de la péninsule, sur la terre ferme. Tu ne peux pas rester ici, Ayla. Pars à leur recherche, mon enfant. Trouve ton propre peuple, trouve ton compagnon.

Les mains d'Iza retombèrent brusquement et ses yeux se fermèrent. Mais elle lutta pour prendre une dernière inspiration et rouvrit les yeux.

— Dis à Uba que je l'aime, Ayla. Mais tu as été mon premier enfant, la fille de mon cœur. Je t'ai toujours aimée... préférée..., prononça Iza dans un dernier souffle.

— Iza ! Iza ! s'écria Ayla. Ne pars pas !

Les gémissements d'Ayla éveillèrent Uba qui se précipita vers la couche. La petite fille et la jeune femme se regardèrent.

— Elle m'a demandé de te dire qu'elle t'aimait, Uba.

Creb s'avança vers elles. Il venait de quitter sa grotte quand Ayla avait crié. La jeune femme tendit les bras vers la petite fille et le vieil homme, et les étreignit de toute la force de son désespoir, les baignant tous les trois de ses larmes.

XXVI

— Oga, voudrais-tu nourrir Durc encore une fois ?

— Mais bien sûr, répondit Oga en prenant l'enfant des bras de Mog-ur.

En regagnant son foyer, le vieil homme trouva Ayla prostrée, la chevelure en désordre, le visage maculé par les larmes et la poussière du voyage. Elle n'avait pas bougé depuis qu'Ébra et Uka avaient emporté le corps d'Iza afin de le préparer. Quand Creb lui avait déposé le bébé sur les genoux, elle était restée sourde à ses cris, indifférente à tout.

Mog-ur prit son bâton et se rendit au fond de la caverne où l'on avait creusé une fosse étroite. Le rang élevé d'Iza dans la hiérarchie du Clan lui conférait le privilège d'être enterrée à l'intérieur. Ainsi les Esprits protecteurs qui veillaient sur elle ne s'éloigneraient pas du Clan et ses ossements ne risqueraient pas d'être dispersés par les charognards.

Le sorcier saupoudra de poussière d'ocre rouge le fond de la fosse puis souleva la peau de bête sous laquelle reposait le corps nu et gris de la vieille guérisseuse. On lui avait attaché les bras et les jambes avec un nerf teint à l'ocre rouge sacré, en les lui ramenant vers le visage dans la position fœtale. Le magicien entreprit alors d'enduire le corps inerte d'un baume à base d'ocre rouge et de graisse d'ours. C'est ainsi qu'Iza pénétrerait dans le monde des Esprits.

Quand il regagna son foyer, Creb était aussi pâle que le cadavre de sa sœur. Ayla était toujours assise auprès de la couche d'Iza, le regard perdu dans le vide, mais elle sortit de sa torpeur en le voyant fouiller dans les affaires de la guérisseuse.

— Qu'est-ce que tu fais ? demanda-t-elle, réticente à ce qu'on touche aux possessions de sa mère défunte.

— Je cherche les écuelles et tous les ustensiles dont Iza se servait afin de les enterrer avec elle, expliqua Creb.

— Je vais m'en occuper, dit Ayla.

La jeune femme rassembla sur la couche les bols en bois et les écuelles en os dans lesquels Iza confectionnait ses mixtures et dosait ses remèdes, la pierre ronde qu'elle utilisait pour réduire en poudre ou broyer les ingrédients, ses plats personnels et son sac de guérisseuse. Puis elle contempla le petit tas d'objets, si peu représentatif de la vie et des activités de la morte.

— Ce n'est pas avec ça qu'opère une guérisseuse ! s'exclama rageusement Ayla, avant de sortir en courant de la caverne, laissant Creb éberlué.

La jeune femme s'élança vers la prairie où elle avait coutume de se rendre en compagnie d'Iza. Là, elle cueillit une brassée de roses trémières, puis elle ramassa des achillées. Elle parcourut les bois et les prés à la recherche de toutes les plantes dont Iza avait eu à se servir pour préparer ses remèdes.

Lorsqu'elle revint à la caverne avec sa moisson de fleurs, la stupéfaction fut générale. Elle se dirigea droit vers le fond de la grotte et déposa ses bouquets auprès du corps couché sur le côté dans la petite fosse tapissée de pierres.

— Voilà, s'exclama-t-elle d'un air de défi.

Elle a raison, se dit le vieux magicien en hochant la tête. C'est avec ça qu'Iza a travaillé toute sa vie.

— Attends ! s'écria Ayla au moment où Mog-ur s'apprêtait à recouvrir de pierres le corps glacé. J'ai oublié quelque chose.

Quelques instants plus tard, Ayla revint avec les deux moitiés de ce qui avait été une écuelle en bois, l'écuelle d'Iza.

Une fois la dernière pierre déposée, les femmes recouvrirent de bois le tumulus. Le feu sur lequel devait cuire le festin funéraire fut allumé à l'aide d'une braise ; les repas devaient être préparés sur la tombe pendant sept jours. La chaleur du bûcher dessécherait le cadavre en le momifiant.

Tandis que les flammes s'élevaient, Mog-ur proféra des lamentations dont l'accent dépassait largement leur caractère conventionnel tant l'émotion étreignait le vieux sorcier.

Les yeux secs, Ayla observait à travers les flammes les mouvements suggestifs de l'infirme, si éloquents que personne ne pouvait résister à l'emprise de son désespoir. Puis, Ébra et les autres femmes se joignirent aux lamentations tandis qu'Ayla demeurait le regard vide, confinée dans une détresse muette. Ébra la secoua enfin pour la faire revenir à elle.

— Ayla, il faut que tu manges un peu. C'est le dernier repas que nous allons partager avec Iza.

La jeune femme se servit, porta machinalement un morceau de viande à sa bouche et le recracha aussitôt. Elle se leva brusquement et sortit en courant de la caverne. Se frayant un chemin à travers les broussailles et trébuchant sur les pierres, elle se dirigea tout d'abord vers la petite grotte qui lui avait si souvent servi de refuge. Puis elle se ravisa. Depuis qu'elle avait dévoilé à Brun l'emplacement de sa cachette, elle s'en sentait dépossédée. Elle grimpa au sommet de l'escarpement qui, l'hiver, protégeait la caverne des vents du Nord et détournait les bourrasques de l'automne.

Elle s'y laissa tomber à genoux et là, elle s'abandonna à son chagrin, laissant sa douleur s'exprimer en une longue plainte déchirante, au rythme de ses sanglots. Creb, qui avait quitté la caverne quelques instants après elle, aperçut sa frêle silhouette qui se détachait dans le couchant. Il n'arrivait pas à comprendre comment elle pouvait préférer la solitude au réconfort des autres. En dépit de sa perspicacité habituelle, il ne se doutait pas que la peine n'était pas l'unique raison de la détresse de la jeune femme. Car Ayla était rongée par le remords, et ne cessait de se reprocher d'avoir abandonné sa mère malade pour se rendre au Rassemblement des Clans, ce qui lui semblait indigne d'une guérisseuse.

Le lendemain matin, quand Creb se leva, elle avait repris position au sommet de l'escarpement.

— Dois-je aller la chercher ? demanda Brun, aussi déconcerté que le vieux sorcier devant la réaction d'Ayla.

— Laissons-la, on dirait qu'elle préfère rester seule, répondit Creb.

Le vieil homme ne commença à s'inquiéter sérieusement qu'à la nuit tombée, et il demanda à Brun de se rendre auprès d'elle. Quand il vit Brun la reconduire à la caverne, il regretta de ne pas l'avoir envoyé plus tôt. La fatigue et la fièvre avaient achevé ce que le chagrin et le découragement avaient commencé. C'est Uba et Ébra qui s'occupèrent de la guérisseuse du Clan ; elle délirait, secouée de frissons et brûlante de fièvre, et hurlait de douleur dès qu'on lui frôlait les seins.

— Elle va perdre son lait, dit Ébra à la petite fille. Il est trop tard, Durc ne pourra plus la téter. Son lait a tourné.

— Mais on ne peut pas le sevrer encore, il est trop petit. Que va-t-il devenir ? Et elle, que peut-on faire pour la soulager ?

Quelque chose aurait pu être tenté si Iza avait été là, ou si Ayla avait conservé ses sens. Uba elle-même savait qu'il existait des cataplasmes et des remèdes efficaces, mais elle était encore trop jeune et trop peu sûre d'elle. Au moment où la fièvre tomba, le sein d'Ayla était complètement tari. Elle se trouvait désormais incapable de nourrir son propre fils.

— Je ne veux pas de ce sale avorton difforme chez moi, Oga ! Je ne veux pas qu'il devienne le frère de tes fils !

Broud était fou de rage, tandis qu'Oga, à ses pieds, s'efforçait de le convaincre.

— Mais Broud, ce n'est qu'un bébé. Aga et Ika n'ont pas assez de lait, mais moi j'en ai pour deux, j'en ai toujours eu trop. Autrement, il va mourir de faim.

— Ça m'est complètement égal. On n'aurait jamais dû le laisser vivre dans ce Clan, le premier de tous les Clans. Il n'habitera pas dans mon foyer.

Oga cessa de trembler devant son compagnon et le regarda droit dans les yeux. Elle s'était attendue à ce qu'il peste et tempête tant et plus, mais elle avait cru qu'il finirait par se laisser fléchir. Comment pouvait-il se montrer aussi cruel, quelle que fût la haine qu'il portait à la mère de Durc ?

— Broud, Ayla a sauvé Brac, comment peux-tu laisser mourir son fils ?

— N'en a-t-elle pas été amplement récompensée ? On l'a autorisée à vivre et même à chasser.

— On ne l'a pas autorisée à vivre, on l'a condamnée. C'est à son totem protecteur qu'elle doit d'être revenue parmi nous, protesta Oga.

— Si on l'avait maudite une bonne fois pour toutes, elle ne serait pas revenue pour donner naissance à ce laideron. Et si son totem est si puissant, pourquoi n'a-t-elle plus de lait ? Tout le monde a dit que son fils était voué au malheur, et en voilà la preuve. Veux-tu donc attirer le malheur sur notre foyer ? Je te l'interdis, Oga, un point c'est tout !

Oga jeta à Broud un regard froid et déterminé.

— Non, Broud, ce n'est pas tout, répliqua-t-elle sans témoigner la moindre peur envers son compagnon, dont la surprise se peignit sur le visage. Tu peux empêcher Durc d'habiter chez toi ; c'est ton droit le plus strict et je ne peux pas m'y opposer. Mais tu ne peux m'interdire de l'allaiter. Ayla a sauvé mon fils, je ne laisserai pas mourir le sien. Durc sera le frère de mes fils, que tu le veuilles ou non.

Broud était tout abasourdi. Jamais il n'aurait cru sa compagne capable de lui désobéir, elle qui s'était toujours montrée soumise et respectueuse. Sa surprise se transforma vite en fureur.

— Comment peux-tu oser me tenir tête, femme ? Je vais te chasser d'ici ! hurla-t-il.

— Eh bien dans ce cas, je partirai avec mes fils, Broud, et je demanderai à un autre homme de me prendre avec lui. Si personne ne veut de moi, Mog-ur acceptera peut-être de me laisser vivre chez lui. Mais je nourrirai l'enfant d'Ayla.

Pour toute réponse, Broud se contenta de lui envoyer dans la figure un grand coup de poing, qui la jeta à terre. Fou de rage, il se rua vers le foyer de Brun.

— Avec son esprit de rébellion, elle a commencé par contaminer Iza, et maintenant c'est le tour de ma compagne ! s'exclama Broud en franchissant les pierres qui délimitaient le foyer du chef. J'ai dit à Oga que je ne voulais pas du fils d'Ayla et sais-tu ce qu'elle m'a répondu ? Qu'elle le nourrirait quand même ! Que rien ne l'en empêcherait ! Qu'il serait le frère de ses fils, que je le veuille ou non ! Tu te rends compte ?

— Elle a raison, Broud, répondit Brun avec calme. Tu ne peux pas l'en empêcher. Ce n'est pas à un homme de s'occuper de ce genre de choses, il a mieux à faire.

Brun n'appréciait pas du tout l'esclandre de Broud. Il trouvait indigne d'un homme de se laisser aller à de tels éclats sur des sujets qui ne le concernaient guère. Et qui d'autre aurait pu se charger de nourrir Durc ? Le petit garçon faisait partie du Clan et le Clan avait toujours pris soin des siens. Une femme, fût-elle issue d'un autre Clan et sans enfant, recevait toujours de quoi manger à la mort de son compagnon. On ne laissait personne mourir de faim.

Broud pouvait refuser d'accepter Durc dans son foyer, car cela l'aurait obligé à le nourrir et à l'éduquer avec les fils d'Oga. Mais pourquoi refuserait-il que sa compagne allaite l'enfant ?

— Tu insinues donc qu'Oga peut me désobéir en toute impunité ?

— Mais qu'est-ce que cela peut bien te faire ? Tu veux que l'enfant meure, n'est-ce pas ? demanda Brun au fils de sa compagne qui rougit à cette question directe. Il fait partie du Clan, Broud. En dépit de la forme de sa tête, il ne me semble pas attardé. Quand il sera grand, il deviendra chasseur. On lui a déjà trouvé une compagne et tu as donné ton accord. Pourquoi réagir si violemment au fait que ta compagne nourrisse l'enfant d'une autre ? C'est encore Ayla qui te met dans cet état ? Tu es un homme, Broud, et tu sais bien que si tu lui commandes, elle doit t'obéir. Et c'est d'ailleurs ce qu'elle fait. À moins que je ne me trompe ? Es-tu vraiment un homme, Broud ? L'es-tu assez pour prendre la tête de ce Clan ?

— Je ne veux pas qu'un enfant difforme soit le frère des fils de ma compagne, c'est tout, se défendit Broud, qui n'avait pas été sans remarquer l'allusion menaçante.

— Broud, quel est le chasseur qui n'a sauvé un jour la vie d'un autre ? Quel homme ne possède une partie de l'Esprit de chacun des autres ? Quel homme n'est le frère de tous les autres ? Qu'importe que Durc devienne maintenant ou plus tard le frère des fils de ta compagne ! Pourquoi t'y opposes-tu ?

Broud n'avait rien à répondre à cela, ou du moins rien d'acceptable. Il ne pouvait avouer sa haine féroce pour Ayla. Il aurait démontré ce faisant qu'il était incapable de se maîtriser, qu'il n'était pas digne d'être chef. Il regrettait maintenant d'être allé trouver Brun.

— Bon, qu'elle le nourrisse après tout, dit Broud, mais je ne veux pas de lui dans mon foyer. Sur ce point, il se savait dans son droit et il était bien décidé à ne pas céder. Quoi que tu en dises, je le crois attardé, moi. Je ne veux pas me charger de son éducation, et je doute qu'il devienne jamais chasseur.

— Comme tu veux, Broud. Je me suis engagé, moi, à assumer la responsabilité de son éducation. Durc fait partie du Clan et il deviendra chasseur, j'en fais mon affaire.

Broud s'apprêtait à regagner son foyer quand il vit Creb apporter Durc à Oga et il préféra sortir de la caverne. Il ne donna libre cours à sa colère qu'au moment où il fut bien assuré que Brun ne pouvait plus le voir. Tout cela est de la faute de ce vieil infirme, se dit-il, en essayant de chasser rapidement cette idée de son esprit, tant il craignait que le sorcier puisse lire dans ses pensées.

Plus peut-être qu'aucun homme du Clan, Broud redoutait les Esprits et sa crainte s'étendait à celui qui était en relations si intimes avec eux. Au cours du Rassemblement des Clans, il avait eu maintes fois l'occasion d'entendre les jeunes gens des autres Clans chercher à s'effrayer en se racontant des histoires de mauvais sorts jetés par des mog-urs en colère : des lances se détournant au dernier moment de la proie visée, de terribles maladies accompagnées de mille souffrances, toutes sortes de calamités étaient imputées à la vengeance des mog-urs. Or, le Mog-ur du Clan de Broud était le plus puissant des sorciers.

Chaque fois qu'il songeait au jour où il serait le chef, Broud imaginait qu'il aurait Goov pour mog-ur. Il ne pouvait trouver aussi redoutable le futur sorcier, plus proche de lui par l'âge et par leurs aventures communes de chasseurs. S'il comptait bien amadouer ou intimider l'acolyte pour le faire se conformer à ses décisions, il ne pouvait envisager d'en faire autant avec le Mog-ur.

Tandis que Broud s'enfonçait dans la forêt, il prit une décision ferme et arrêtée : jamais plus il ne donnerait à Brun l'occasion de douter de lui ; jamais plus il ne compromettrait son accession à un rang qu'il était si près d'obtenir. Il saurait attendre. Un jour, un jour proche, Ayla regretterait d'être venue vivre au sein du Clan.

Ayla s'en voulait de voir une autre femme allaiter son fils alors qu'elle en était incapable elle-même. Oga, Aga et Ika étaient venues toutes trois lui proposer de nourrir Durc et elle avait accepté avec reconnaissance. Mais la plupart du temps, c'était Uba qui apportait Durc à l'une d'elles chez laquelle elle restait jusqu'à ce qu'il eût fini. En perdant son lait, Ayla perdit en même temps une partie de la vie de son fils. Mais chaque nuit, en prenant Durc auprès d'elle, elle remerciait Broud pour son refus de recueillir l'enfant dans son foyer : ainsi n'en était-elle pas complètement séparée.

Tandis que les jours raccourcissaient avec l'automne, Ayla reprit sa fronde, saisissant ce prétexte pour sortir seule. Elle avait si peu chassé l'année précédente qu'elle avait perdu de son habileté, mais bien vite elle retrouva toute sa précision et sa rapidité. La plupart du temps, elle partait tôt le matin et rentrait tard le soir, confiant Durc à Uba, et son seul regret était que l'hiver approchât si vite.

Si la chasse lui redonnait des forces et occupait l'esprit d'Ayla tant qu'elle s'y livrait, elle n'était pas pour autant débarrassée du poids de son chagrin. Il semblait à Uba que toute joie eût déserté le foyer de Creb. Sa mère lui manquait et une infinie tristesse se dégageait de Creb comme d'Ayla. Seul Durc, dans son inconscience enfantine, perpétuait un peu de ce bonheur, qui, autrefois, lui avait paru être son dû. À l'occasion, il parvenait même à tirer Creb de sa léthargie.

Ce matin-là, Ayla était partie de bonne heure. Uba s'était éloignée du foyer pour chercher quelque chose au fond de la caverne quand Oga vint rapporter Durc dont elle confia la surveillance à Creb. L'enfant était rassasié et satisfait, mais il semblait peu disposé à dormir. Il rampa vers le vieillard et se dressa sur ses jambes flageolantes.

— Toi, tu vas bientôt marcher, dit Creb. Avant la fin de l'hiver, tu courras partout dans la caverne, mon bonhomme !

Les jambes de Durc étaient arquées, mais loin de l'être autant que celles des autres enfants du Clan et, quoique grassouillettes, Creb pouvait voir que leurs os étaient plus longs et plus fins. « J'ai l'impression que ses jambes seront droites comme celles d'Ayla, et qu'il sera aussi grand qu'elle. Et son cou, si maigre et si fragile à sa naissance qu'il n'arrivait pas à tenir sa tête droite, il ressemble à présent à celui d'Ayla. Et sa tête donc ? Ce grand front, c'est celui d'Ayla. » Creb tourna Durc de profil. « Le front, oui, mais les sourcils et les yeux, ce sont bien ceux du Clan, ainsi que sa nuque.

Ayla avait raison. Il n'est pas difforme, mais le résultat d'un mélange entre la conformation de sa mère et celle du Clan. Je me demande si ça se passe toujours ainsi. Les Esprits se mélangent-ils ? La vie commence-t-elle par un mélange de l'Esprit des totems mâles et des totems femelles ? » Creb n'en savait rien, mais tout cela lui donna à penser. Le vieux sorcier médita souvent au sujet de Durc tout au long de cet hiver solitaire. Il avait l'impression que le petit garçon serait appelé à jouer un rôle important dans le futur, mais il était bien incapable de dire lequel.

XXVII

— Mais Ayla, je ne suis pas comme toi, moi. Je ne peux pas chasser. Où irai-je quand il fera nuit ? se lamenta Uba. Ayla, j'ai peur.

L'inquiétude qui se lisait sur le visage de la jeune fille fit regretter à Ayla de ne pouvoir l'accompagner. Uba n'avait pas tout à fait huit ans et la perspective de passer quelques jours seule, loin de la sécurité de la caverne, l'effrayait. Mais l'Esprit de son totem s'était battu pour la première fois et elle n'avait pas d'autre choix que de s'isoler.

— Tu te souviens de la petite grotte dans laquelle je me suis cachée à la naissance de Durc ? Eh bien, vas-y, Uba. Ce sera moins dangereux que de rester dehors. Je viendrai te voir tous les jours pour t'apporter à manger, et ça passera très vite, tu verras. Prends une fourrure pour dormir et une braise pour allumer le feu. Tu trouveras de l'eau pas loin. Bien sûr, ce sera dur de te retrouver toute seule, surtout la nuit, mais ne t'inquiète pas, tout se passera bien. Et n'oublie pas, tu es une femme à présent. Tu auras bientôt un compagnon et peut-être même un bébé d'ici peu.

— Sais-tu quel homme Brun choisira pour moi ?

— Quel homme penses-tu qu'il te choisisse, Uba ?

— Vorn est le seul homme à ne pas avoir de compagne, et Borg sera aussi un homme d'ici peu. Évidemment, Brun pourrait me donner comme seconde compagne à l'un des autres... Mais je crois que je préfère Borg. Nous avons beaucoup joué à nous accoupler, jusqu'au jour où il a voulu assouvir ses désirs avec moi pour de vrai. Ça n'a pas très bien marché, et depuis il est tout timide. Et puis il ne veut plus jouer avec les filles parce qu'il va bientôt devenir un homme. Il faut penser à Ona aussi, et Brun ne peut pas la donner à Vorn puisque c'est sa sœur. Il ne peut donc lui donner que Borg. Alors je crois que c'est Vorn qui deviendra mon compagnon.

— Ça fait un certain temps qu'il est un homme et il doit se sentir impatient de prendre une compagne, dit Ayla qui était arrivée, elle aussi, à la même conclusion. Cela te ferait plaisir de l'avoir pour compagnon ?

— Il fait comme si je n'existais pas, mais de temps en temps il me regarde. Après tout, il n'est peut-être pas si méchant que ça.

— Broud l'aime bien et en fera probablement son second. Tu n'as pas d'inquiétude à te faire pour ton propre statut dans le Clan, mais tu dois y penser pour tes fils. Je crois que tu as raison, il n'est pas si méchant que ça. Il lui arrive même d'être gentil avec Durc quand Broud n'est pas dans les parages.

— Tout le monde est gentil avec Durc, sauf Broud, remarqua Uba. Tout le monde l'aime beaucoup.

— Il a tellement l'habitude de passer d'un foyer à l'autre pour téter qu'il se sent partout chez lui et appelle toutes les femmes maman, répondit Ayla, l'air légèrement contrarié. Mais elle chassa bien vite son mécontentement. Tu te souviens du jour où il s'est rendu au foyer de Grod, comme si c'était chez lui ?

— Oui, je m'en souviens ; je n'ai pas pu m'empêcher de regarder, dit Uba. Il est passé devant Uka et s'est dirigé droit vers Grod pour lui grimper sur les genoux.

— Je sais, répondit Ayla. De ma vie je n'ai vu Grod aussi stupéfait. J'étais sûre qu'il allait se mettre en colère quand Durc s'est mis à jouer avec sa grande lance. Mais il s'est contenté de la lui enlever des mains en disant : « Plus tard, Durc chasser comme Grod ! »

— Je crois que si Grod l'avait laissé faire, il serait sorti avec sa lance !

— Il ne se couche jamais sans la petite lance qu'il lui a faite, ajouta Ayla.

— Quel dommage qu'Ovra n'ait jamais eu d'enfant. Grod aurait été si heureux ! dit Uba. C'est peut-être pour ça qu'il aime autant Durc. Brun aussi d'ailleurs, j'en suis certaine. Quant à Zoug, il commence déjà à lui montrer comment se servir d'une fronde. J'ai l'impression qu'il n'aura aucune difficulté à apprendre à chasser. À voir la façon dont ils se comportent avec Durc, on dirait que tous les hommes du Clan sont les compagnons de sa mère, à l'exception de Broud... Et c'est peut-être la vérité, Ayla. Dorv a toujours prétendu que leurs totems à eux tous s'étaient ligués pour vaincre ton Lion des Cavernes.

— Je crois que tu ferais bien d'y aller, Uba, déclara Ayla pour changer de sujet. Je vais t'accompagner une partie du chemin. Il s'est arrêté de pleuvoir. Les fraises sauvages doivent être mûres, je te montrerai où il y en a.

Goov traça à l'ocre jaune le symbole du totem de Vorn sur celui d'Uba.

— Acceptes-tu cette femme pour compagne ? demanda Creb.

Vorn tapa Uba sur l'épaule et la jeune femme le suivit dans la caverne. Puis Creb et Goov accomplirent le même rituel pour Borg et Ona qui, à leur tour, gagnèrent le nouveau foyer où ils allaient passer une longue période d'isolement. Quand le Clan se dispersa, Ayla prit Durc dans ses bras pour le ramener à la caverne, mais l'enfant se mit à gigoter pour descendre.

— D'accord, Durc, dit Ayla. Tu marches tout seul, mais tu viens manger un peu de bouillie.

Tandis que sa mère préparait le repas du matin, Durc s'échappa pour aller retrouver Uba et Vorn. Ayla eut juste le temps de le rattraper.

— Durc veut voir Uba, dit le petit garçon.

— Non, Durc. Personne n'a le droit d'aller les trouver pendant quelque temps. Mais si tu manges bien ta soupe, je t'emmènerai chasser avec moi.

Durc n'était pas le seul à regretter le départ d'Uba. Le foyer paraissait vide depuis qu'elle l'avait quitté, laissant Creb, Ayla et l'enfant seuls. Dès lors, la tension entre le vieil homme et la jeune femme se manifesta de plus en plus clairement. Ils n'avaient réussi ni l'un ni l'autre à oublier les remords qu'ils éprouvaient l'un à l'égard de l'autre. Plus d'une fois, en voyant le vieux sorcier sombrer dans la mélancolie, Ayla avait voulu lui passer les bras autour du cou et le serrer contre elle comme elle le faisait autrefois ; mais elle s'était retenue, répugnant à s'imposer à lui.

L'absence d'Uba les rendit encore plus mal à l'aise quand ils furent obligés de partager leur premier repas seuls.

— Tu as encore faim, Creb ? demanda Ayla.

— Non, non. J'ai assez mangé, répondit le sorcier.

Mog-ur la regarda débarrasser les restes du repas, tandis que Durc se resservait allègrement des deux mains.

— Tu emmènes le petit avec toi ? s'enquit-il après un silence pesant.

— Oui, acquiesça-t-elle en essuyant les mains et le visage de son fils. Je lui ai promis de l'emmener chasser et je dois également ramasser quelques plantes. Il fait si beau aujourd'hui ! Tu devrais sortir, toi aussi, Creb, ajouta-t-elle. Le soleil te fera le plus grand bien.

— Oui, oui, plus tard.

L'espace d'un instant, elle hésita à lui proposer de faire une promenade du côté de la rivière, comme par le passé, mais le vieil homme était déjà absorbé dans ses pensées. Ayla prit Durc dans ses bras et se dépêcha de sortir. Creb, après s'être assuré qu'elle avait bien quitté les lieux, saisit son bâton, mais trouvant trop fatigant de se lever, le reposa.

Dès qu'elle eut quitté les abords de la caverne, Ayla marcha à grandes enjambées. Sa liberté d'allure ainsi que la beauté de l'été dissipèrent toutes les préoccupations qui l'agitaient. En arrivant dans une clairière, elle laissa Durc marcher tout seul et s'arrêta pour cueillir des plantes. Il la regarda faire, puis arracha une poignée d'herbe et d'alfa qu'il lui apporta fièrement dans son petit poing serré.

— C'est très bien, Durc, dit Ayla en déposant les herbes dans son panier.

— Durc chercher encore, babilla l'enfant qui s'éloigna en courant.

Accroupie sur ses talons, Ayla observait son fils aux prises avec une grosse touffe. L'herbe céda brusquement et le petit garçon retomba brutalement sur le derrière. Il fronça son visage pour crier, plus surpris qu'endolori, mais Ayla courut vers lui et le fit sauter plusieurs fois en l'air. Durc gloussa de plaisir et la jeune femme s'amusa à le chatouiller rien que pour l'entendre rire.

La mère et le fils ne riaient que lorsqu'ils étaient seuls. Durc avait très vite appris que personne d'autre n'appréciait ni n'approuvait ses sourires et ses gloussements. S'il faisait à toutes les femmes du Clan le geste traditionnel pour dire « maman », il savait bien qu'Ayla n'était pas comme les autres. Il se sentait beaucoup plus heureux avec elle et adorait se promener en sa compagnie. Mais ce qu'il aimait par-dessus tout, c'était le nouveau jeu qu'ils avaient inventé tous les deux.

— Ba-ba-na-ni-ni, ânonna Durc.

— Ba-ba-na-ni-ni, répéta Ayla.

— No-na-ni-ga-gou-la, ajouta Durc.

Ayla l'imita encore une fois en le chatouillant gentiment pour l'entendre rire de nouveau. Puis elle articula une série de sons, des sons qu'elle aimait tout particulièrement lui entendre répéter car ils faisaient naître en elle une impression de tendresse telle qu'elle en pleurait presque.

— Ma-ma-ma-ma, dit-elle.

— Ma-ma-ma-ma, reprit Durc, qui ne se lassait jamais de répéter les deux syllabes une fois qu'on les lui avait rappelées.

— Tu vas chasser, maintenant ? demanda-t-il à sa mère en adoptant à nouveau le langage gestuel du Clan.

Depuis qu'elle emmenait Durc chasser avec elle, Ayla avait commencé à lui apprendre à tenir une fronde et s'apprêtait même à lui en fabriquer une, quand Zoug la prit de vitesse. Le vieil homme ne chassait plus du tout, mais il prenait grand plaisir à faire l'apprentissage de Durc. Malgré son jeune âge, le gamin montrait déjà d'excellentes dispositions au maniement de cette arme, dont il était aussi fier que de sa lance.

Ayla lui plaça convenablement la fronde entre les mains, et sans le lâcher, lui montra comment s'en servir. Puis, après avoir ramassé quelques cailloux, elle prit sa propre fronde, qu'elle portait toujours à la ceinture, et tira sur un gros rocher peu éloigné. Au bout de plusieurs tirs, Durc trouva le jeu amusant et se dépêcha de lui apporter de nouveaux cailloux pour qu'elle puisse continuer. Mais l'enfant se lassa vite et Ayla se remit à ramasser des plantes, tout en s'arrêtant pour manger des fraises des bois.

— Comme tu es barbouillé, mon fils ! s'exclama-t-elle à la vue du petit garçon maculé de jus rouge et poisseux. Le prenant sous le bras, elle le conduisit jusqu'au ruisseau pour le laver. Puis, roulant une grande feuille en cône, elle alla puiser de l'eau pour eux deux. Durc bâilla en se frottant les yeux. Sa mère étendit par terre la peau dans laquelle elle le portait, le coucha à l'ombre d'un grand chêne et s'assit à ses côtés, adossée à l'arbre.

Par cette belle après-midi d'été, dans le bourdonnement incessant des milliers d'insectes et le gazouillement des oiseaux, Ayla se laissa aller à la rêverie. Elle repensa aux événements de la matinée. « J'espère qu'Uba sera heureuse avec Vorn, se dit-elle. Le foyer va paraître si vide sans elle. Elle a beau ne pas être loin, ce ne sera pas la même chose. C'est elle qui devra faire la cuisine pour son compagnon à présent, et elle dormira avec lui après leur période d'isolement. J'espère qu'elle aura un bébé bientôt !

Et moi ? Personne n'est venu me réclamer pour l'autre Clan. Ils ne trouvent peut-être pas notre caverne. En fait, je ne crois pas les intéresser tant que ça. J'en suis heureuse d'ailleurs. Je ne veux pas pour compagnon d'un homme que je ne connais pas. Je ne veux déjà pas de ceux que je connais ! Et eux non plus ne veulent pas de moi... Ils disent que je suis trop grande ; Droog m'arrive à peine au menton... Iza se demandait si j'arrêterais jamais de grandir ; je commence à en douter moi-même. Broud ne peut supporter ça. Il ne tolère pas qu'une femme soit plus grande que lui. C'est étrange, il ne m'a pas ennuyée une seule fois depuis notre retour du Rassemblement des Clans.

Brun se fait vieux. Il a mal aux articulations. Il va bientôt demander à Broud de lui succéder. Et c'est Goov qui sera mog-ur. Il assume déjà la célébration de la plupart des cérémonies. J'ai l'impression que Creb ne veut plus être mog-ur depuis la nuit où je les ai surpris dans la grotte sacrée.

C'est curieux qu'Ura ait été autorisée à vivre ; on dirait qu'elle était destinée à devenir la compagne de Durc. Les Autres... Mais qui sont-ils ? Iza disait que je suis née parmi eux ; mais je ne me souviens de rien. Qu'est-il arrivé à ma mère ? Et à son compagnon ? Est-ce que j'avais des frères et sœurs ? Iza m'a dit de partir ! Elle m'a dit que je ne faisais pas partie du Clan et que je devais aller retrouver les miens. Vers le nord, c'est vers le nord qu'ils vivent...

Comment pourrais-je partir ? C'est ici, chez moi. Je ne peux pas laisser Creb, et Durc a besoin de moi. Et que se passera-t-il si je ne trouve pas les Autres ? Et même si je les trouve, il se pourrait qu'ils ne veuillent pas de moi. Personne ne veut d'une femme laide. »

Il se faisait tard. Ayla réveilla son fils et, tout en regagnant la caverne, elle essaya de chasser de son esprit tout ce qui se rapportait aux Autres. Mais à présent qu'elle y avait pensé, il lui fut impossible de les oublier complètement.

— Tu es occupée, Ayla, s'enquit Uba d'un air à la fois gêné et mutin.

Ayla, qui avait deviné de quoi il s'agissait, décida de laisser à sa jeune sœur la joie de lui apprendre la nouvelle.

— Non, pas vraiment.

— Où est Durc ?

— Il est dehors avec Grev sous la surveillance d'Oga. Ces deux-là sont tout le temps fourrés ensemble.

— C'est peut-être parce qu'ils ont été nourris ensemble. Ils sont plus proches que des frères ; on dirait presque des jumeaux.

— Oui, mais en général, les jumeaux se ressemblent, ce qui n'est pas leur cas. Te souviens-tu de ceux qu'il y avait au Rassemblement ? Je n'arrivais pas à les distinguer l'un de l'autre.

— Ça peut porter malheur d'avoir des jumeaux, et quant aux triplés ils ne survivent jamais. Comment une femme pourrait-elle nourrir trois enfants à la fois alors qu'elle n'a que deux seins ? demanda Uba.

— Il faut l'assistance d'une autre femme. Heureusement pour Durc, Oga a toujours eu du lait en abondance.

— J'espère que j'aurai moi aussi beaucoup de lait, dit Uba. Je pense que je vais avoir un enfant, Ayla.

— Je m'en doutais, Uba. Tu n'as pas eu besoin de t'isoler depuis que tu as un compagnon, n'est-ce pas ?

— Non. Je pense que le totem de Vorn attendait depuis longtemps déjà. Il doit être très puissant.

— Tu le lui as dit ?

— Je voulais attendre d'en être sûre, mais il a deviné. Il a dû s'apercevoir que je ne m'isolais pas. Il est très content, ajouta Uba avec fierté.

— C'est un bon compagnon, Uba. Tu es heureuse ?

— Oh, oui, Ayla. Quand il a su que j'allais avoir un enfant, il m'a dit qu'il m'attendait depuis longtemps et qu'il était content que le bébé arrive si vite.

— C'est merveilleux, Uba !

Ayla ne tenait pas en place. Elle partait chasser aussi souvent que possible et sinon elle s'activait avec une énergie inlassable, réapprovisionnant sa pharmacopée, tissant des nattes et tressant des paniers, fabriquant des bols et des plats en bois, salant et taillant des peaux pour en faire des bonnets, des moufles et des chausses en prévision de l'hiver. Et pourtant, rien ne semblait assouvir son besoin d'activité.

Elle se consacra à Creb, le cajola et prit soin de lui comme elle ne l'avait jamais fait. Elle lui confectionnait des mets particuliers pour stimuler son appétit, lui préparait des tisanes et des cataplasmes, l'obligeait à se reposer au soleil et l'entraînait dans de longues promenades. Il parut apprécier sa compagnie et son empressement, et retrouver un peu de sa vigueur et de sa bonne humeur. Mais l'intimité et la confiance de leurs conversations d'antan avaient disparu et ils se promenaient généralement sans mot dire.

Brun aussi vieillissait. Ayla prit soudain conscience du changement qui s'était opéré en lui le jour où il resta tout seul à regarder s'éloigner les chasseurs du haut du promontoire. Sa barbe et ses cheveux étaient devenus presque blancs, de profondes rides sillonnaient son visage, et ses muscles, quoique encore vigoureux, se relâchaient.

Un beau jour, vers la fin de l'été, Durc arriva en courant à la caverne.

— Maman ! Maman ! Un homme ! Il arrive !

Ayla se précipita à l'entrée ainsi que tout le Clan, pour regarder l'étranger gravir la côte.

— Tu crois qu'il vient te chercher, Ayla ? demanda Uba, tout excitée.

— Je n'en sais pas plus que toi, Uba.

Ayla, extrêmement tendue, éprouvait des sentiments mitigés. Elle souhaitait et redoutait à la fois que le visiteur fasse partie du Clan des parents de Zoug. L'homme s'arrêta pour parler à Brun, puis le suivit jusqu'à son foyer. Peu après, Ébra vint chercher la jeune femme.

Le cœur d'Ayla battait à tout rompre. Les genoux flageolants, elle se laissa tomber aux pieds de Brun.

— Voici Vond, Ayla, dit le chef en désignant le visiteur. Il vient du Clan de Norg pour te voir. Sa mère est malade et leur guérisseuse n'arrive pas à la soigner. Elle a pensé que tu connaîtrais peut-être un remède.

Le soulagement d'Ayla l'emporta sur sa déception. Vond ne resta que quelques jours, mais donna force nouvelles de son

Clan. Le jeune homme blessé par l'ours des cavernes avait passé l'hiver avec eux, et il était reparti au printemps, sur ses deux jambes et boitant à peine. Sa compagne avait donné le jour à un beau garçon qu'on avait appelé Creb. Après avoir posé quelques questions à l'homme, Ayla lui donna au moment du départ un petit paquet ainsi que des instructions précises à l'intention de leur guérisseuse.

Après le départ de Vond, Brun réfléchit de nouveau au problème que lui posait Ayla. Il avait différé toute décision à son sujet tant qu'il subsistait quelque espoir de la voir acceptée par un autre Clan. Mais à présent que Vond avait fait la preuve que tout émissaire désirant les trouver pouvait y parvenir, il n'y avait plus rien à espérer. Il fallait chercher une solution à l'intérieur du Clan. Le jour où Broud serait le chef, ce serait à lui de prendre Ayla dans son foyer, mais Brun préférait lui laisser l'initiative de cette décision. Tant que Mog-ur vivait, il n'y avait pas lieu de précipiter les choses.

Tandis que le Clan s'installait dans l'hiver, la grossesse d'Uba suivait son cours. Mais aux environs du septième mois, les signes de vie en elle ne se firent plus sentir. Elle essaya de ne pas faire cas des crampes et des violentes douleurs qu'elle éprouvait dans les reins, mais quand elle commença à perdre du sang, elle se dépêcha d'aller trouver Ayla.

— Depuis combien de temps a-t-il cessé de remuer, Uba ? demanda Ayla dont l'angoisse se lisait sur le visage.

— Depuis quelques jours, Ayla. Que vais-je faire ? Vorn était si content. Je ne veux pas perdre mon enfant. Qu'est-ce qui a bien pu se passer ? Il restait si peu de temps avant la naissance.

— Je n'en sais rien, Uba. Te souviens-tu d'être tombée ou d'avoir peiné pour soulever quelque chose de lourd ?

— Je ne crois pas, Ayla.

— Va t'allonger, Uba. Je vais t'apporter une infusion d'écorce de bouleau et je vais essayer de trouver une meilleure idée. Penses-y toi aussi, tu en sais à peu près autant qu'Iza.

— J'y ai déjà réfléchi, Ayla. Je ne me souviens de rien qui puisse faire bouger de nouveau un bébé après qu'il a cessé.

Ayla ne put rien lui répondre. Elle savait parfaitement bien qu'il n'y avait pas le moindre espoir.

Les jours suivants, Uba resta allongée dans l'espoir qu'un miracle se produirait. Sa douleur dans les reins devenait insupportable et seuls la soulageaient les remèdes qui la faisaient dormir d'un sommeil agité. Mais les crampes ne se transformaient toujours pas en contractions.

Par un matin glacial, vers la fin de l'hiver, Ayla, accompagnée d'Ovra, examina la fille d'Iza et prit une décision.

— Uba, appela-t-elle doucement. La jeune femme ouvrit les yeux, des yeux que les cernes sombres faisaient paraître encore plus profondément enfoncés dans leurs orbites. Il est temps que tu prennes de l'ergot pour déclencher les contractions. Rien ne peut plus sauver ton enfant. Si tu ne l'expulses pas, tu mourras avec lui. Tu es jeune, tu peux en avoir d'autres.

Uba regarda tour à tour Ayla puis Ovra.

— Très bien, acquiesça-t-elle. Vous avez raison, il n'y a plus d'espoir, mon enfant est mort.

Quand l'enfant mort-né fut délivré, Ayla s'empressa de l'envelopper avec le placenta dans la peau disposée pour l'accouchement.

— C'était un garçon, dit-elle à Uba.

— Puis-je le voir ? demanda la jeune femme d'une voix faible.

— C'est inutile, Uba. Cela ne pourra que te rendre encore plus triste. Repose-toi, je m'en occupe. Tu n'aurais pas la force de te lever.

Ayla dit à Brun qu'Uba était trop faible et qu'elle se chargerait d'enterrer l'enfant, mais elle se garda bien d'en dire davantage. Uba n'avait pas accouché d'un seul enfant, mais de deux, deux jumeaux qui n'étaient pas parvenus à se séparer, effroyable fœtus à peine humain aux bras et aux jambes multiples, attachés à un corps monstrueux surmonté d'une tête trop grosse.

Ayla s'enveloppa dans une chaude fourrure et sortit dans la neige profonde où elle s'enfonçait à chaque pas. Quand elle fut assez éloignée de la caverne, elle ouvrit le paquet et en abandonna le contenu dans la nature. Il vaut mieux s'assurer qu'il ne subsistera aucune trace, pensa-t-elle. À peine se fut-elle détournée qu'elle perçut un mouvement furtif. L'odeur du sang attirait déjà les carnassiers.

XXVIII

— Ça te ferait plaisir de dormir cette nuit avec Uba, Durc ? demanda Ayla.

— Non ! répondit énergiquement le petit garçon. Durc dort avec ma-ma !

— Ça n'a pas d'importance, Ayla, je prévoyais cela. Nous avons déjà passé toute la journée ensemble, dit Uba. D'où sort-il ce nom dont il t'appelle ?

— C'est un nom qu'il me donne comme ça, dit Ayla d'un air évasif.

La réprobation du Clan envers tout mot ou son inutile était si profondément ancrée dans l'esprit d'Ayla qu'elle se sentait coupable du jeu auquel elle s'abandonnait avec son fils.

— Parfois, quand je vais me promener seule avec Durc, nous nous amusons à produire des sons tous les deux, reconnut Ayla. Il a choisi ces deux-là pour m'appeler, mais il est capable d'en inventer bien d'autres, tu sais.

— Mais tu le faisais toi aussi, quand tu étais petite. Maman disait qu'avant d'apprendre à t'exprimer par gestes, tu émettais toutes sortes de sons étranges. Et je me rappelle encore le bruit que tu faisais en me berçant quand j'étais bébé. Ça me plaisait bien.

— C'est possible. Je ne m'en souviens pas très bien. Il s'agit simplement d'un jeu entre Durc et moi.

— Qu'importe, répondit Uba, ce n'est pas comme s'il était incapable de s'exprimer. Quel dommage que ces racines soient pourries, ajouta-t-elle en jetant l'une d'elles. Le festin de demain n'aura rien d'extraordinaire. Nous n'avons en tout et pour tout que de la viande et du poisson séchés, et des légumes à moitié avariés. Si Brun voulait seulement attendre un peu plus longtemps, il y aurait au moins des légumes frais et de jeunes pousses.

— Brun n'est pas seul en cause, rectifia Ayla. Creb prétend que la première lune après le début du printemps est le moment propice.

— Je me demande comment il peut savoir que le printemps a commencé, remarqua Uba. Pour moi, les jours de pluie se ressemblent tous.

— J'ai l'impression qu'il s'en rend compte grâce aux couchers du soleil. Il les observe depuis des jours. Même par temps de pluie, on arrive toujours à voir où il se couche, et il n'a pas plu tous les jours.

— Je regrette la décision de Creb de nommer Goov mog-ur à sa place, dit Uba.

— Oui, moi aussi. Que fera-t-il de son temps quand il n'aura plus de cérémonies à célébrer ? Je savais bien que cela devait arriver un jour, mais cette perspective ne me réjouit guère.

— Ça va être déconcertant. Il y a si longtemps que Brun est le chef et Creb le Mog-ur ! Mais Vorn dit qu'il est temps de laisser la place aux jeunes, et que Broud a attendu son tour assez longtemps.

— Il a raison sans doute, répondit Ayla. Vorn a toujours éprouvé une vive admiration à l'égard de Broud.

— Il est gentil envers moi. Il ne s'est pas mis en colère quand j'ai perdu le bébé. Je crois qu'il t'aime bien aussi, Ayla. C'est lui qui voulait que Durc vienne dormir chez nous. Je crois qu'il sait combien j'aime avoir ton fils près de moi, lui confia Uba. Et ces temps derniers, Broud ne s'est pas montré trop désagréable envers toi.

— Non, il ne m'a pas trop ennuyée, reconnut Ayla, qui ne pouvait expliquer la crainte qu'elle ressentait chaque fois qu'il la regardait.

Ce soir-là, Creb demeura longtemps avec Goov dans la grotte sacrée. Ayla l'attendit, allongée sur sa couche, en écoutant battre le cœur de son fils qui dormait dans ses bras. Elle resta les yeux grands ouverts, examinant les moindres détails de la paroi que le feu mourant éclairait faiblement. C'est seulement lorsqu'elle entendit le pas claudicant de Creb lui indiquant qu'il allait se coucher, qu'elle put trouver le sommeil.

Soudain, son cri retentit dans la nuit.

— Ayla ! Ayla ! appela Creb d'un air inquiet, en secouant la jeune femme. Que se passe-t-il, ma petite ?

— Oh, Creb ! sanglota-t-elle, en lui jetant les bras autour du cou. J'ai encore fait cet horrible cauchemar ; ça ne m'était pas arrivé depuis des années...

Le vieillard, ému, serra la jeune femme tremblante dans ses bras.

— Quel rêve, Ayla ? celui du Lion des Cavernes ?

— Non, l'autre ; celui dont je n'arrive jamais à me souvenir après, expliqua-t-elle en frémissant. Creb, je croyais pourtant en avoir fini avec ces cauchemars...

Ayla étreignit tendrement le vieil homme et ils restèrent tous les deux enlacés un long moment, Durc blotti entre eux.

— Oh, Creb, il y a si longtemps que je désirais te serrer dans mes bras ! Mais j'avais peur que tu me repousses comme tu le faisais autrefois quand j'avais été insolente. Et il y a autre chose que je voulais te dire, Creb. Je t'aime.

— Ayla, à cette époque, je devais faire un effort pour te repousser, mais il fallait bien que je réagisse. Sinon, Brun s'en serait chargé lui-même. Mais je t'aimais trop pour me mettre vraiment en colère contre toi. Et je t'aime encore beaucoup trop ! J'ai cru que tu m'en voulais du fait que tu as perdu ton lait.

— Ce n'était pas ta faute, Creb, mais la mienne, entièrement. Je ne t'en ai jamais voulu.

— Je me le suis reproché longtemps. J'aurai dû savoir qu'il ne faut jamais laisser une mère s'éloigner de son bébé. Mais tu semblais avoir tellement besoin de rester seule avec ton chagrin, tu avais tellement mal...

— Ma-ma ? coupa Durc que le cri de sa mère avait terrorisé.

— Allons, Durc, c'est fini.

— Où a-t-il appris ce mot, Ayla ?

— Il nous arrive de jouer à faire des sons ensemble, et il a choisi celui-là pour s'adresser à moi, expliqua Ayla en rougissant légèrement.

— Il appelle toutes les autres femmes « maman » ; il a sans doute eu envie de trouver quelque chose de particulier pour toi.

— C'est comme ça que je le comprends aussi.

— Quand tu es arrivée parmi nous, tu émettais toi aussi toutes sortes de sons. J'imagine que ton peuple doit s'exprimer ainsi.

— Mon peuple, c'est le Clan. Je suis une femme du Clan.

— Non, Ayla, rectifia Creb d'un air las. Tu ne fais pas partie du Clan. Tu es l'une des Autres.

— C'est ce qu'Iza m'a dit la nuit où elle est morte.

— Je ne pensais pas qu'elle le savait aussi, dit Creb d'un air surpris. Moi, je ne l'ai compris qu'en te voyant pénétrer dans notre sanctuaire.

— Je n'avais pas l'intention de le faire, Creb. Je ne sais même pas comment je me suis trouvée là. Mais j'ai cru que tu avais cessé de m'aimer parce que j'ai pénétré dans la grotte sacrée.

— Non, Ayla, je n'ai jamais cessé de t'aimer.

— Durc a faim ! s'écria le petit garçon que la conversation entre Creb et sa mère ennuyait fort.

— Tu as faim ? s'étonna Ayla. Je vais voir si je peux te trouver quelque chose.

Creb la regarda s'affairer. « Le Clan était peut-être déjà condamné avant qu'elle ne surprît notre cérémonie sacrée, se dit-il. Et c'est pour me le faire savoir qu'elle a été conduite dans notre grotte. Nous ne serons bientôt plus rien. Mais il reste Durc et Ura, ce sont eux qui perpétueront notre peuple. Ayla, mon enfant bien-aimée, c'est toi qui nous as porté chance. Je comprends aujourd'hui pourquoi tu es venue parmi nous : pour nous donner la possibilité de survivre. Rien désormais ne sera exactement comme avant, mais au moins nous ne mourrons pas. »

Ayla apporta un morceau de viande froide à son fils puis se rassit aux côtés de Creb.

— Tu sais, Creb, dit-elle d'un air rêveur, j'ai souvent l'impression que Durc n'est pas uniquement mon fils. Tous les foyers l'ont nourri depuis que j'ai perdu mon lait. Il me fait penser à un petit ours des cavernes. On dirait qu'il est le fils de tout le Clan.

Ayla sentit une grande tristesse fondre sur le vieux sorcier.

— Durc est bien le fils de tout le Clan, Ayla. Il est le fils unique du Clan.

Le lendemain, la pluie tomba sans discontinuer toute la matinée. Vers le début de l'après-midi, un pâle soleil réussit à percer les nuages, mais se révéla impuissant à sécher la terre gorgée d'eau. L'agitation était grande au sein du Clan, malgré le mauvais temps et la pénurie. Le départ d'un chef était déjà un événement assez rare, mais que le mog-ur changeât le même jour, voilà qui rendait cette fête véritablement exceptionnelle. Oga et Ébra avaient elles aussi un rôle à jouer dans la cérémonie ainsi que Brac, qui, à l'âge de sept ans, devenait l'héritier présomptif.

Oga avait les nerfs à fleur de peau. Elle ne cessait de s'agiter, passant d'un feu à l'autre pour surveiller la cuisson du festin tandis qu'Ébra essayait de la calmer, en dépit de sa propre nervosité. Brac, quant à lui, donnait des ordres aux femmes et aux petits enfants, en essayant de se faire passer pour un grand, jusqu'au moment où Brun l'appela pour lui faire répéter une dernière fois son rôle avant la cérémonie. Outre la cuisine à laquelle elle devait aider les femmes, Ayla n'aurait à préparer qu'une infusion de datura pour les hommes.

Dans la soirée, seuls quelques nuages épars cachaient par instant le clair de lune. Tout au fond de la caverne flambait un grand feu, entouré d'un cercle de torches. Brun donna le signal du rassemblement. Quand chacun eut gagné la place qui lui était assignée, Mog-ur apparut, sortant de la grotte sacrée, Goov à sa suite. Ils avaient revêtu tous deux leurs peaux d'ours des cavernes.

Pour la dernière fois, le grand magicien se mit à invoquer les Esprits, exécutant les gestes rituels avec une ferveur et une intensité toutes particulières. Goov, à ses côtés, ne semblait qu'un pâle comparse. Si le jeune homme offrait toutes les apparences d'un bon mog-ur, il était loin d'égaler le Mog-ur, le sorcier le plus puissant de tous les Clans, en train de célébrer sa plus belle et aussi sa dernière cérémonie. Au moment où il transmit ses pouvoirs à Goov, une intense émotion envahit l'assemblée.

Tandis que Goov accomplissait les gestes propres à retirer le pouvoir à Brun pour élever Broud au rang de chef du Clan, Ayla laissa vagabonder son esprit. En regardant Creb, elle repensait à la première fois qu'elle avait vu ce visage balafré où ne brillait qu'un œil unique. Elle se souvint de la patience qu'il avait déployée à son égard pour lui apprendre à communiquer par gestes et du moment où elle avait soudain compris ce qu'il lui expliquait. En saisissant son amulette, elle sentit la petite cicatrice sur sa gorge, à l'endroit où il avait entaillé la chair pour offrir son sang en sacrifice aux Esprits ancestraux qui l'autorisaient à chasser. Et elle frémit en repensant à son intrusion dans la grotte sacrée. Puis, elle se rappela son regard chargé d'amour et de tristesse ainsi que ses paroles énigmatiques de la veille.

Ayla mangea du bout des lèvres au cours du festin qui célébrait l'accession au pouvoir de la nouvelle génération. Une fois les hommes réunis dans le sanctuaire pour y achever leur cérémonie, elle prit part à contrecœur à la danse des femmes et se retira dès qu'elle s'y crut autorisée. La jeune femme regagna le foyer de Creb et se coucha sans attendre le retour du sorcier. Quand le vieillard rentra, il resta un long moment à contempler la mère et l'enfant endormis.

— Maman chasser ? Durc chasser avec maman ? demanda le petit garçon, à peine levé. Seuls quelques membres du Clan commençaient à sortir de leur torpeur, mais Durc était parfaitement réveillé.

— Pas avant d'avoir mangé ! répondit Ayla en se levant à son tour.

Une fois la dernière bouchée achevée, Durc aperçut Grev et se précipita dans le foyer de Broud, oubliant toute idée de chasse pour aller retrouver son petit compagnon. Ayla le suivit des yeux avec une tendresse infinie. Mais le regard haineux que jeta Broud à son fils suffit à la faire frémir. Les deux petits garçons sortirent en courant de la caverne et elle s'apprêta à les suivre.

— Ayla !

Elle sursauta en s'entendant appeler par son nom, et faisant demi-tour, alla se présenter devant le nouveau chef en baissant la tête.

— Ne t'éloigne pas d'ici. J'ai une déclaration à faire devant tout le Clan.

Ayla acquiesça d'un air soumis.

Le Clan se réunit peu à peu devant la Caverne. Puis Broud fit son apparition, marchant d'un pas solennel vers la place autrefois occupée par Brun.

— Comme vous le savez déjà, je suis votre nouveau chef, commença-t-il.

Cette affirmation suffit, par son inutilité, à trahir aux yeux de tous la nervosité et l'appréhension de Broud sur le point de prononcer sa première allocution.

— Puisque le Clan a désormais un nouveau chef ainsi qu'un

nouveau mog-ur, le moment est enfin venu d'annoncer d'autres changements, poursuivit-il. Vorn est nommé aujourd'hui mon second.

Certains hochèrent la tête d'un air entendu car ils s'attendaient à cette nouvelle. Brun regretta que Broud n'ait pas laissé passer quelque temps avant d'élever Vorn à un rang qui le plaçait au-dessus de bien des chasseurs expérimentés.

— Il y a d'autres changements, continua Broud. Une femme, dans ce Clan, n'a pas de compagnon. Ayla se sentit rougir. Quelqu'un doit la prendre en charge, et je ne veux pas imposer ce fardeau à mes chasseurs. Je suis chef à présent, et c'est moi qui serai responsable d'elle. Je vais prendre Ayla dans mon foyer comme seconde compagne.

Ayla s'y attendait, mais la satisfaction de constater qu'elle ne s'était pas trompée dans ses pronostics lui fut une piètre consolation. Quant à Brun, il estima que le fils de sa compagne ne faisait que son devoir en agissant de la sorte et le regarda avec fierté.

— Ayla a un enfant difforme, poursuivit le nouveau chef, je tiens à ce que l'on sache que ce Clan n'acceptera plus jamais d'enfant mal formé. Je ne veux pas que l'on croie que mes sentiments personnels entrent en jeu au cas où un enfant à naître serait refusé. S'il est normal, je l'accepterai.

Creb, qui se tenait à l'entrée de la caverne, vit Ayla pâlir et baisser la tête pour dissimuler son trouble. « Tu peux être sûr que je n'aurai plus jamais d'enfant, Broud, tant que le remède magique d'Iza opérera », pensa la jeune femme.

— Je tenais à ce que les choses soient bien claires à ce sujet, enchaîna Broud, pour que ma décision ne vous surprenne pas. Je n'accepterai aucun enfant difforme dans mon foyer.

Ayla releva brusquement la tête. « Que veut-il dire ? Si je dois aller vivre chez lui, mon fils me suivra. »

— Vorn est d'accord pour prendre Durc. Sa compagne éprouve une passion pour cet enfant, en dépit de sa difformité. Ils s'occuperont bien de lui.

Un murmure d'étonnement parcourut tout le Clan, accompagné de gestes précipités. Les enfants étaient censés rester avec leurs mères jusqu'à l'âge adulte. Pourquoi Broud acceptait-il de prendre Ayla mais refusait son fils ? Ayla quitta sa place pour se jeter aux pieds du nouveau chef.

— Je n'ai pas encore terminé, femme. C'est un manque de

respect que d'interrompre le chef, mais je ne t'en tiendrai pas rigueur pour cette fois. Tu peux parler.

— Broud, tu n'as pas le droit de m'enlever mon fils. Où qu'elle aille, une femme doit emmener son enfant avec elle, s'exclama Ayla, oubliant dans son émoi d'utiliser les formules conventionnelles qu'exigeait le rang de Broud.

Brun à présent enrageait. L'orgueil qu'il avait ressenti pour le fils de sa compagne s'évanouit en un instant.

— As-tu la prétention, femme, de dicter au chef ce qu'il doit faire ou ne pas faire ? demanda Broud d'un air sarcastique, ravi que son projet provoque exactement la réaction qu'il escomptait. Tu n'es pas une mère pour lui ; Oga l'est davantage que toi. Qui est-ce qui l'a nourri ? Ce n'est pas toi. Il ne sait même pas qui est sa mère, et il appelle maman toutes les femmes du Clan. Peu importe le foyer dans lequel il vivra, il a l'habitude de se faire nourrir un peu partout.

— Il est vrai que je n'ai pas pu l'allaiter, mais nieras-tu qu'il soit mon fils, Broud ? Il dort toutes les nuits avec moi.

— Eh bien, il ne dormira pas chez moi. J'ai déjà demandé à Goov..., enfin, au mog-ur, de préparer la cérémonie ; tu viendras habiter dans mon foyer dès ce soir, et Durc ira chez Vorn. A présent, retourne à ta place, ordonna Broud avant de chercher Creb des yeux. Le vieil homme se tenait toujours à l'entrée de la caverne, appuyé sur son bâton, l'air mauvais.

Mais la fureur du vieux sorcier n'était rien comparée à celle de Brun, qui se sentait envahi par la colère et le désespoir. Le fils de ma compagne ! se lamentait-il. Lui que j'ai élevé et formé, lui à qui je viens à peine de passer mes pouvoirs, profite de sa nouvelle position pour se venger. Et se venger d'une femme, pour des torts imaginaires.

— Je n'ai pas terminé, reprit Broud en essayant de regagner l'attention de tous les membres du Clan encore sous l'effet de la surprise. L'homme qui vous parle n'est pas le seul à avoir accédé à un rang plus élevé. Nous avons un nouveau mog-ur, et je veux lui accorder certains privilèges qui découlent de sa fonction. J'ai décidé que Goov... enfin, que le mog-ur, vivrait désormais dans le foyer réservé au magicien du Clan. Creb s'installera tout au fond de la caverne.

— Mais je ne veux pas m'installer dans le foyer de Mog-ur, s'exclama Goov consterné. C'est son foyer depuis que nous avons découvert cette caverne.

Tout le Clan se sentit de plus en plus mal à l'aise devant les décisions du nouveau chef.

— J'ai décidé que tu t'y installeras ! s'écria Broud sur un ton autoritaire, exaspéré par le refus de Goov.

Incapable de se contenir plus longtemps, Brun allait parler quand Ayla le prit de vitesse.

— Broud ! hurla-t-elle sans quitter sa place. Tu ne peux pas faire ça ! Tu ne peux pas chasser Creb de son foyer ! Tu sais combien il souffre en hiver. Il a besoin d'un endroit bien abrité. Ce n'était plus la femme du Clan qui parlait, mais la guérisseuse protégeant son malade. C'est moi que tu veux atteindre à travers Creb ! Tu essaies de te venger de lui parce qu'il a pris soin de moi. Fais de moi ce que tu veux, Broud, mais laisse-le tranquille !

— Qui t'a autorisée à parler, femme ? vociféra Broud. Il lui envoya son poing fermé en direction de la figure, mais elle réussit à esquiver le coup. Furieux d'avoir battu l'air sans résultat, Broud se jeta sur elle.

— Broud ! cria Brun, figeant sur place le nouveau chef, trop habitué à obéir à cette voix, tout particulièrement quand elle présentait les accents de la colère. Le foyer de Mog-ur restera le sien jusqu'à sa mort, qui surviendra bien assez tôt pour que tu n'aies pas besoin de t'en charger personnellement. Quel chef es-tu ? Quel homme es-tu pour profiter de ta position afin de te venger d'une femme ? Une femme qui ne t'a jamais rien fait, Broud. Tu n'es pas un chef !

— Non, c'est toi qui n'est pas un chef, Brun, qui n'es plus le chef. C'est mon tour à présent ! C'est moi qui décide ! Tu as toujours pris son parti contre moi, tu l'as toujours protégée. Eh bien désormais, c'est terminé !

Broud avait complètement perdu son sang-froid et gesticulait furieusement, décomposé par la rage.

— Elle m'obéira ou elle sera maudite ! Et sa malédiction n'aura rien de temporaire ! Tu viens de recevoir une nouvelle preuve de son insolence et tu persistes à prendre sa défense. Eh bien c'est terminé ! Elle mérite d'être maudite, et je vais la maudire ! Que dis-tu de ça, Brun ? Goov ! Maudis-la ! Maudis-la sur-le-champ ! Personne ne dira à ce nouveau chef ce qu'il a à faire, et surtout pas cette horrible femme. As-tu compris Goov ? Maudis-la !

Creb avait bien essayé d'attirer l'attention d'Ayla quand elle s'était mise à invectiver Broud. Le vieillard se doutait de ce qui l'attendait et il lui était tout à fait indifférent de vivre au fond de la grotte. Mais quand il vit Broud ordonner à Goov de la maudire, toute velléité de résistance s'évanouit en lui. Il ne désirait pas en voir davantage, et il alla se réfugier d'un pas incertain à l'intérieur de la caverne. Ayla leva les yeux au moment même où il disparaissait dans l'obscurité.

Le Clan tout entier était en proie à la confusion la plus totale. Accoutumés à une vie trop ordonnée, trop assurée, trop liée aux traditions et aux habitudes, tous gesticulaient et hurlaient sans savoir que faire.

Ayla tremblait de tous ses membres. Elle ne s'aperçut que la terre se mettait à trembler sous ses pieds qu'en voyant ses compagnons vaciller et perdre l'équilibre. Elle entendit alors le grondement terrifiant qui venait des entrailles de la terre.

— Duurrrc ! hurla-t-elle tandis qu'Uba se jetait sur l'enfant pour le protéger de son corps. Ayla allait se précipiter vers eux quand soudain elle se rappela.

— Creb ! Il est à l'intérieur !

Au moment où elle allait atteindre l'entrée triangulaire de la caverne, un énorme rocher se détacha de la paroi et vint s'écraser à ses pieds. Ayla ne s'en aperçut même pas. Elle était en état de choc. Tous les souvenirs enfouis depuis sa prime enfance resurgissaient pêle-mêle. Dans le vacarme assourdissant du tremblement de terre, elle ne s'entendit pas crier le mot venu d'une langue depuis longtemps oubliée.

— Ma-ma !

Le sol se déroba sous ses pieds, puis se souleva de nouveau. Elle roula par terre, essayant désespérément de se relever quand, soudain, elle vit s'écrouler la voûte de la caverne. L'une des parois s'ébranla et un bloc de rocher s'en détacha, dévalant la colline à grand fracas, en arrachant tout sur son passage.

Puis le tremblement de terre se calma. Quelques pierres se détachèrent encore de la montagne, rebondirent, roulèrent et finirent par s'arrêter. Hébétés, les membres du Clan se relevèrent tant bien que mal et se mirent à errer au hasard en s'efforçant de retrouver leurs esprits. Ils se dirigèrent tous vers Brun, autour duquel ils se réunirent. Il avait toujours représenté la sécurité à leurs yeux.

Mais Brun ne réagit pas. Certes, il venait de comprendre que, de toutes les décisions qu'il avait prises en tant que chef, celle de transmettre le pouvoir à Broud était de loin la plus mauvaise, mais il s'abstint de passer à l'action. Broud était désormais le chef, pour le meilleur et pour le pire.

Quand les membres du Clan eurent compris que Brun n'avait pas l'intention de reprendre le commandement, ils finirent par se tourner vers Broud, qui, enfin conscient de ses responsabilités, essaya de les assumer.

— Qui manque-t-il ? Quelqu'un est-il blessé ? demanda-t-il.

Tout le monde poussa un soupir de soulagement. Des groupes se formèrent par foyer, et miraculeusement, il sembla qu'il ne manquait personne.

— Où est Ayla ? s'écria soudain Uba.

— Je suis là, répondit la jeune femme qui se trouvait près de l'entrée de la caverne, comme hébétée.

— Maman ! hurla Durc en se dégageant vivement de l'étreinte d'Uba. Ayla courut à lui et le serra dans ses bras.

— Tu ne t'es pas fait mal, Uba ?

— Non, non, rien de grave.

— Où est Creb ?

Au moment précis où elle posait cette question, Ayla se souvint. Tendant Durc à Uba, elle se rua vers la caverne.

— Ayla ! Où vas-tu ? N'entre pas dans la caverne ! Il peut se produire de nouvelles secousses !

Négligeant cet avertissement, Ayla courut droit vers le foyer de Creb. Des cailloux et des gravillons tombaient encore de temps à autre, formant de petits amoncellements, mais leur foyer n'avait pas trop souffert du tremblement de terre. Cependant, Creb n'y était pas. Ayla le chercha dans tous les foyers, entièrement détruits pour certains. Creb restait introuvable. Elle hésita à s'aventurer dans la grotte des Esprits, mais il y faisait beaucoup trop sombre et elle décida d'inspecter avant le reste de la caverne.

Elle traversa la salle en longeant les parois, fouillant à tâtons derrière les grands paniers à provision et les éboulis. Elle s'apprêtait à aller chercher une torche quand elle songea à inspecter un dernier endroit.

Elle découvrit Creb auprès de la sépulture d'Iza. Il était couché sur le côté, le crâne fracassé, les jambes repliées vers le visage, comme si on l'avait déjà attaché dans la position fœtale. Ayla s'agenouilla auprès du corps et se mit à pleurer. Puis, pour quelque raison inexplicable, elle se leva et se mit à accomplir les gestes rituels qu'elle lui avait vu effectuer au-dessus de la tombe d'Iza. Pleurant à chaudes larmes, la grande femme blonde, seule dans la caverne jonchée de pierres, célébrait les rites ancestraux avec une grâce et une finesse digne du plus grand des mog-urs. Telle fut sa dernière offrande au seul père qu'elle eût jamais connu.

— Il est mort, annonça Ayla en émergeant de la caverne.

Broud frémit, envahi par une peur soudaine. Que se passerait-il si le Clan le croyait responsable des calamités qui s'abattaient sur lui ? Les Esprits s'étaient déchaînés au moment où il était en train de maudire Ayla, Ayla qu'ils protégeaient, Ayla qui avait découvert la caverne. Et, dans les tréfonds de son âme superstitieuse, Broud, frémissant devant le lugubre présage, se prit à redouter la colère des Esprits. C'est alors qu'il imagina de prendre les devants et d'accuser Ayla avant que personne ne songe à l'incriminer.

— C'est elle ! C'est de sa faute ! s'écria-t-il tout à coup. C'est elle qui a déchaîné la colère des Esprits. Elle a bafoué les traditions. Vous l'avez tous vue. Elle s'est montrée insolente et irrespectueuse envers le chef. Elle doit être maudite ! Alors seulement les Esprits seront satisfaits. Alors seulement, ils sauront combien nous les respectons, et ils nous conduiront vers une nouvelle caverne, encore plus belle. Maudis-la, Goov ! Maudis-la ! Maudis-la immédiatement !

Abasourdis, les membres du Clan se regardèrent puis dévisagèrent Goov et enfin Broud. Le nouveau mog-ur, quant à lui, fixait Broud d'un air incrédule. Comment osait-il condamner Ayla ? S'il y avait un coupable, c'était bien lui.

— C'est moi le chef, Goov ! hurla Broud de nouveau. Tu es mog-ur et je t'ordonne de la maudire. Jette sur elle la malédiction suprême !

Goov tourna les talons et se dirigea vers la caverne après avoir pris un tison enflammé au feu qu'on venait d'allumer. Il pénétra dans la grotte des Esprits et disposa les ossements sacrés de l'Ours des Cavernes en lignes parallèles. Puis, il invoqua les Esprits maléfiques, dont les mog-urs étaient seuls à connaître le nom.

Ayla était encore assise sur le seuil de la caverne quand le mog-ur en ressortit sans la voir.

— Je suis le mog-ur. Tu es le chef. Tu m'as ordonné d'infliger à Ayla la malédiction suprême, c'est chose faite, déclara Goov qui se détourna ensuite avec ostentation.

Les événements s'étaient passés si vite que chacun avait du mal à y croire. Brun aurait longuement pesé son jugement et préparé le Clan avant de prononcer pareille sentence. Il n'aurait jamais agi de la sorte. Pourquoi Broud l'avait-il maudite ? Elle n'avait fait que défendre Creb. Les Esprits l'avaient toujours favorisée et elle-même leur avait porté bonheur à tous, jusqu'au moment où Broud l'avait fait maudire. C'est lui qui leur avait porté malheur. C'est lui qui avait déchaîné la colère des Esprits protecteurs.

Ayla eut du mal à comprendre ce qui lui arrivait. Elle toisait avec un étrange détachement tous les membres du Clan qui passaient devant elle sans la voir, le regard perdu dans le vague et ne sortit de son abattement que devant la réaction d'Uba. La jeune femme se mit à se lamenter sur le sort du petit garçon qu'elle tenait dans ses bras. Durc ! Mon enfant ! Mon petit ! Il ne reverra jamais sa mère. Que va-t-il devenir ? Il ne lui reste plus qu'Uba. Elle s'occupera bien de lui, mais que pourra-t-elle faire contre Broud ? Ayla jeta autour d'elle des regards affolés et aperçut Brun non loin de là. Brun ! C'était lui et lui seul qui pourrait protéger Durc.

Ayla courut vers l'homme fort et sensé qui commandait le Clan la veille encore et elle se jeta à ses pieds en baissant la tête. Puis elle comprit qu'il ne lui taperait jamais sur l'épaule. Quand elle releva la tête, il fixait le feu, derrière elle. Il peut me voir et m'entendre, s'il le désire, pensa Ayla. Je sais qu'il le peut. Creb et Iza se souvenaient parfaitement de tout ce que je leur avais dit la première fois que j'ai été maudite.

— Brun, je sais que tu me crois morte et que je ne suis qu'un Esprit. Je vais m'en aller, je te le promets, mais j'ai peur pour Durc. Broud le déteste, tu le sais. Que lui arrivera-t-il à présent que Broud est le chef ? Durc fait partie du Clan, Brun, tu l'as accepté. Je t'en supplie, Brun, protège-le. Tu le peux. Ne laisse pas Broud lui faire de mal !

Lentement, Brun se détourna de la femme qui l'implorait, d'une manière qui se voulait naturelle et non comme s'il évitait de la regarder. Mais elle avait vu dans ses yeux une étincelle qui signifiait l'acquiescement. Cela suffisait. Il protégerait Durc. Il l'avait promis à l'Esprit de la mère du petit garçon. Il ne laisserait pas le fils de sa compagne faire du mal au fils d'Ayla.

Ayla se leva et se dirigea vers la caverne d'un pas assuré. Avant de parler à Brun, elle n'avait rien décidé quant à son départ, mais à présent, sa résolution était prise. Elle relégua dans un coin de son esprit le chagrin que lui causait la mort de Creb, pour ne plus penser qu'à sa survie.

Si elle n'emportait pas tout ce qu'il lui fallait, elle mourrait à coup sûr. Elle déplaça une pierre tombée sur sa couche, secoua sa fourrure et se mit à empiler ses affaires dessus : son sac de guérisseuse, sa fronde, deux paires de chausses, des moufles et un capuchon fourré ; son bol et son écuelle, une outre et des outils. Puis, elle se rendit au fond de la caverne pour y puiser dans les réserves des biscuits, de la viande séchée, des fruits et des graisses. En fouillant dans les décombres, elle découvrit des paquets enveloppés d'écorce de bouleau dans lesquels se trouvaient du sucre d'érable, des noix, des fruits secs, des céréales pilées, des morceaux de viande et de poisson séchés ainsi que quelques légumes. Il n'y avait pas grand choix, si tard dans la saison, mais cela ferait l'affaire. Elle rangea toutes ces provisions dans son panier.

Elle ramassa la couverture dans laquelle elle portait Durc et y enfouit son visage, les larmes aux yeux. Elle n'en avait aucun besoin, mais elle la prit néanmoins pour emporter avec elle un objet qui lui rappellerait son fils. Elle s'habilla chaudement car le printemps venait à peine de commencer et il ferait froid dans les steppes. Elle n'avait pas encore réfléchi à la direction qu'elle prendrait, mais elle savait qu'elle se dirigerait vers le nord de la péninsule.

Au dernier moment, elle décida d'emporter aussi la tente en peaux qu'elle utilisait lorsqu'elle accompagnait les hommes à la chasse. Elle l'enroula sur le dessus de son grand panier, puis l'attacha sur son dos avec des lanières, pour le maintenir bien en place.

Quand Ayla sortit de la caverne, tout le monde s'aperçut de sa présence, mais personne ne la regarda. Elle s'arrêta à la rivière pour y remplir son outre et cela éveilla un souvenir en elle. Avant de troubler la surface de l'eau, elle se pencha pour se regarder. Elle étudia soigneusement ses traits et ne se trouva pas aussi laide que la première fois. Mais ce n'était pas ce qui l'intéressait : elle voulait voir le visage des Autres.

Quand elle se releva, Durc essayait d'échapper à Uba. Il se

passait quelque chose qui concernait sa mère. Il ne savait pas de quoi il s'agissait, mais cela ne lui plaisait pas. D'une secousse, il se libéra et courut vers Ayla.

— Tu t'en vas, lui reprocha-t-il, indigné de ne pas avoir été prévenu. Tu t'es préparée et tu t'en vas.

Ayla n'hésita qu'une fraction de seconde puis elle ouvrit les bras. Elle le serra contre elle en refoulant ses larmes puis le reposa à terre en s'accroupissant pour être à sa hauteur. Elle le regarda droit dans ses grands yeux noirs.

— Oui, Durc, je m'en vais. Il faut que je m'en aille.

— Emmène-moi, maman. Emmène-moi ! Ne me laisse pas !

— Je ne peux pas t'emmener, Durc. Il faut que tu restes ici avec Uba. Elle s'occupera de toi et Brun aussi.

— Je ne veux pas rester ici ! s'écria Durc avec violence. Je veux venir avec toi !

Uba venait vers eux pour éloigner Durc de l'Esprit de sa mère. Ayla serra à nouveau son fils contre elle.

— Je t'aime, Durc. Ne l'oublie jamais. Elle le prit et le mit dans les bras d'Uba. Prends bien soin de mon fils, Uba, dit-elle, en captant le regard triste de la jeune femme. Prends bien soin de lui... ma sœur.

Broud contemplait la scène avec une fureur grandissante. Cette femme était morte ; elle n'était plus qu'un Esprit. Pourquoi ne se comportait-elle pas comme un Esprit ? Pourquoi certains membres de son Clan ne la traitaient-ils pas comme l'Esprit qu'elle était devenue ?

— C'est un Esprit, dit-il méchamment. Elle est morte. Vous ne le savez donc pas ?

Ayla se dirigea droit vers lui, le toisant de toute sa hauteur. Lui-même avait du mal à ne pas la voir. Il essaya de l'ignorer.

— Je ne suis pas morte, Broud, lui dit-elle avec défi. Je ne mourrai pas. Tu ne peux pas me faire mourir. Tu peux me faire partir, me prendre mon fils, mais tu ne peux pas me faire mourir !

Broud était partagé entre la rage et la terreur. Il leva le poing, animé d'une violente envie de la frapper, mais il interrompit son geste, craignant de la toucher. C'est une ruse, se dit-il. La ruse d'un Esprit. Elle est morte. Elle a été maudite.

— Frappe-moi, Broud. Vas-y, frappe-moi, et tu verras que je ne suis pas morte.

Broud se tourna vers Brun pour éviter de la regarder. Il

rabaissa son bras, gêné de ne pouvoir donner à son geste un air plus naturel. Il ne l'avait pas touchée, mais il craignait que le simple fait d'avoir levé le poing sur elle ne constitue une sorte de reconnaissance de son existence. Il essaya de détourner le mauvais sort sur Brun.

— Ne crois pas que je ne t'aie pas vu, Brun. Tu lui as répondu quand elle t'a parlé avant d'entrer dans la caverne. C'est un Esprit ; tu vas nous porter malheur à tous, dit-il sur un ton accusateur.

— A moi seul, Broud, et j'ai eu plus que ma part de malheur, répondit Brun. Mais quand l'as-tu vue me parler ? Quand l'as-tu vue entrer dans la caverne ? Pourquoi as-tu fait mine de frapper l'Esprit ? Tu ne comprends toujours pas, n'est-ce pas ? Tu as reconnu son existence, Broud, elle t'a vaincu. Tu l'as accablée autant que tu le pouvais, tu es allé jusqu'à la maudire. Elle est morte, et c'est pourtant elle qui gagne. C'était une femme, mais elle était plus courageuse que toi, Broud, plus déterminée, plus maîtresse d'elle-même. Elle méritait d'être un homme plus que toi. C'est elle qui aurait dû être le fils de ma compagne.

Ayla fut surprise par la sortie de Brun. Durc se débattait tant et plus pour la suivre et l'appelait. Elle ne put le supporter davantage et s'empressa de partir. En passant devant Brun, elle lui fit un signe de tête et un geste de gratitude. Quand elle eut atteint l'escarpement, elle se retourna une dernière fois. Elle aperçut Brun qui levait la main comme pour se gratter le nez, mais cela ressemblait fort à un geste d'adieu, celui que leur avait fait Norg quand ils l'avaient quitté après le Rassemblement des Clans. C'était comme si Brun disait : « Qu'Ursus t'accompagne. »

La dernière chose qu'Ayla entendit avant de disparaître derrière l'énorme rocher fracassé par le tremblement de terre, ce fut la plainte déchirante de Durc :

— Ma-maaa... ! Ma-maaa ! Ma-maaa !

ACHEVÉ D'IMPRIMER
LE 27 AVRIL 1981
SUR LES PRESSES DE
L'IMPRIMERIE HÉRISSEY
A ÉVREUX (EURE)

HSC 81.5.67.0747.5
IBSN 2-7158-0317.6
N° d'Imprimeur : 27704
Dépôt légal : 2e trimestre 1981